Knaur.

Über die Autorin:
Corinne Hofmann, 1960 als Tochter einer französischen Mutter
und eines deutschen Vaters in der Schweiz geboren, gelang mit ihrem
Lebensbericht *Die weiße Massai* ein internationaler Bestseller, der
bisher in 19 Sprachen übersetzt wurde. Sie lebt mit ihrer Tochter am
Luganer See.

Corinne Hofmann

Zurück aus Afrika

Knaur Taschenbuch Verlag

Besuchen Sie uns im Internet:
www.knaur.de

Vollständige Taschenbuchausgabe November 2004
Knaur Taschenbuch
Ein Unternehmen der Droemerschen Verlagsanstalt
Th. Knaur Nachf. GmbH & Co. KG, München
Copyright © 2003 by A1 Verlag, München.
Alle Rechte vorbehalten. Das Werk darf – auch teilweise –
nur mit Genehmigung des Verlags wiedergegeben werden.
Umschlaggestaltung: ZERO Werbeagentur, München
Umschlagabbildung: Thomasin Magor/Iren Monti
Satz: Ventura Publisher im Verlag
Druck und Bindung: Clausen & Bosse, Leck
Printed in Germany
ISBN-13: 978-3-426-77717-6
ISBN-10: 3-426-77717-7

*Als im August 1998 mein Buch »Die weiße Massai«
erschien, war ich zwar optimistisch, dass die Schilderung meiner afrikanischen Liebesgeschichte auf brei-
tes Interesse stoßen würde. Dass es allerdings innerhalb
kurzer Zeit auf den Bestsellerlisten landen, in bisher
19 Sprachen übersetzt und verfilmt werden würde,
hatte ich auch in meinen kühnsten Träumen nicht
zu hoffen gewagt. Der Erfolg des Buches und all die
Erlebnisse, die damit verbunden waren, entwickelten
sich zu einem weiteren großen Abenteuer in meinem
Leben.*

*Damals hatte ich keinesfalls vor, ein zweites Buch zu
schreiben. Doch im Laufe der Jahre erhielt ich Tausende
von Briefen, Fax-Zuschriften und Mails, in denen mir
Leserinnen und Leser auf verschiedenste Weise mitteil-
ten, wie sehr sie von meiner Geschichte beeindruckt
waren. Fast immer endeten diese Schreiben mit der Frage, wie es denn meiner kenianischen Familie, meiner
Tochter und mir heute ginge.*

*Versuchte ich zu Beginn noch, jedes dieser Schreiben
persönlich zu beantworten, so musste ich eines Tages vor
der Flut der Anfragen kapitulieren. Mit jedem neuen
Zeichen der Anteilnahme an unserem Schicksal jedoch
baute sich in mir zunehmend ein innerer Druck auf,
einer Art Verpflichtung nachkommen zu müssen.*

All jenen, die mich mit ihrer Anerkennung, ihrem Zuspruch und ihrem Interesse an meiner Lebensgeschichte zum Teil zutiefst berührten, möchte ich dieses Buch widmen.

Lugano, im April 2003

Ankunft in der »weißen Welt«

Wie aus weiter Ferne höre ich eine Stimme: »Hallo ... hallo, aufwachen!« Plötzlich spüre ich eine Hand auf meiner Schulter. Ich öffne die Augen und weiß im ersten Moment nicht, wo ich mich befinde. Als mein Blick auf das Bettchen vor meinen Füßen fällt und ich meine Tochter Napirai entdecke, fällt es mir schlagartig wieder ein: Ich bin im Flugzeug. Die Dame neben mir nimmt ihre Hand von meiner Schulter und meint lachend: »Sie und Ihr Baby haben aber tief geschlafen. Wir landen in Kürze in Zürich und Sie haben alle Mahlzeiten verpasst.«

Ich kann es kaum fassen: Wir haben es geschafft. Wir sind raus aus Kenia. Meine Tochter und ich sind frei!

Sofort erinnere ich mich an die letzten Aufregungen in Nairobi bei der Passkontrolle. Der Mann schaut uns an und fragt: »Is this your child?« Napirai schläft im Kanga auf meinem Rücken und ich antworte: »Yes.« Er blättert in ihrem Kinderausweis und in meinem Pass herum. »Warum wollen Sie mit Ihrer Tochter ausreisen?«, ist die nächste Frage. »Ich möchte meiner Mutter ihre Enkelin zeigen.«

»Warum ist Ihr Mann nicht dabei?« Er müsse arbeiten und Geld verdienen, erkläre ich möglichst gelassen.

7

Der Mann blickt mich streng an und sagt, er wolle das Gesicht des Kindes besser sehen. Ich solle es aufwecken und mit seinem Namen ansprechen. Jetzt werde ich noch nervöser. Napirai, etwas mehr als fünfzehn Monate alt, erwacht und schaut sich verschlafen um. Der Mann fragt sie ständig nach ihrem Namen. Napirai sagt nichts, stattdessen werden ihre Mundwinkel immer länger und plötzlich weint sie. Ich versuche sie schnell zu beruhigen, weil ich voller Sorge bin, dass noch in letzter Minute alles schief läuft und wir dieses Land nicht verlassen können. Der Mann dreht Napirais deutschen Kinderausweis hin und her und fragt mit strengem Ton: »Warum hat sie bei einem kenianischen Vater einen deutschen Reisepass? Ist das wirklich Ihre Tochter?« Immer mehr Fragen trommeln auf mich ein und ich bin vor Angst in Schweiß gebadet. So ruhig wie möglich erkläre ich, dass mein Mann ein traditioneller Massai sei, keinen Pass bekommen habe und wir in der Kürze nur diesen Reisepass beschaffen konnten. Ich sei aber in drei Wochen zurück und würde mich dann um einen kenianischen Pass bemühen. Dabei schiebe ich ihm nochmals den von meinem Mann unterschriebenen Brief zu und bete leise vor mich hin: »Lieber Gott, lass uns nicht im Stich, lass uns diese paar Meter bis zum Flugzeug kommen!« Hinter uns drängen sich mehrere Touristen und beobachten entnervt die Szene. Der Mann schaut mich noch einmal sehr durchdringend an, schweigt ein paar Sekunden und dann blitzen seine weißen Zähne, als er mit einem breiten Grinsen sagt: »Okay! Gute Reise und bis in drei Wochen. Bringen Sie Ihrem Mann etwas Schönes mit!«

Das alles geht mir durch den Kopf, als ich noch immer sehr müde meine kleine Tochter zu mir hochhebe und ihr die Brust gebe. Meine Gefühle sind nun, kurz vor der Landung, sehr gemischt. Was wird meine Mutter sagen? Werden sie und ihr Mann überhaupt am Flughafen sein? Wie soll alles weitergehen? Wie sage ich ihr, dass dies kein Urlaub ist, sondern dass ich vor meiner einstigen großen Liebe geflohen bin und keine Kraft und keinen Mut mehr habe zurückzugehen? Ich weiß es nicht.

Kopfschüttelnd, wie um diese Gedanken loszuwerden, packe ich alles zusammen. Das Flugzeug setzt zur Landung an und wieder spüre ich diese enorme Erleichterung: Ich habe meine Tochter aus Kenia herausbekommen. Wir haben es geschafft!

Mit Napirai auf dem Rücken laufe ich durch das Flughafengelände und fühle mich in meinem geflickten einfachen Rock, dem kurzärmeligen T-Shirt und den Sandalen am kühlen 6. Oktober 1990 etwas fehl am Platz. Die Menschen, so kommt es mir vor, mustern mich ziemlich befremdet.

Endlich sehe ich meine Mutter und ihren Mann. Freudig gehe ich auf sie zu, merke aber sofort, dass sie beim Anblick meiner mageren Figur erschrecken. Ich bin nur noch Haut und Knochen und wiege bei meinen 1,80 m weniger als 50 Kilo. Ich muss meine

Tränen zurückhalten und fühle mich plötzlich unendlich müde und abgekämpft. Meine Mutter nimmt mich gerührt in die Arme. Auch ihre Augen sind feucht. Hanspeter, ihr Mann, begrüßt uns freundlich, doch etwas zurückhaltender, da wir einander noch nicht so gut kennen.

Wir machen uns auf den Heimweg. Sie sind mittlerweile aus dem Berner Oberland ins Zürcherische Wetzikon gezogen. Schon im Auto fragt meine Mutter, wie es denn Lketinga gehe und wie lange ich gedenke, Urlaub zu machen. Mir schnürt es den Hals zu, ich weiß nicht, wie ich es sagen soll, und so antworte ich: »Vielleicht drei bis vier Wochen.«

Ich nehme mir vor, ihr die ganze Tragödie später zu erzählen. Meine Mutter hat ja keine Ahnung, wie schlecht es mir wirklich geht, da ich ihr die Ereignisse in den letzten Monaten nicht schreiben oder mitteilen konnte. Mein Mann kontrollierte alles und ich musste jeden geschriebenen Satz übersetzen. Als wir an der Küste lebten, brachte er manchmal meine Briefe anderen Leuten, die etwas Deutsch konnten, damit sie sie übersetzten. Wenn er nicht einverstanden war, musste ich den Brief ins Feuer werfen. Schon wenn ich nur an zu Hause dachte, sah mich Lketinga misstrauisch an und fragte, als könnte er Gedanken lesen: »Why you are thinking at Switzerland, you stay here in Kenia and you are my wife.« Außerdem wollte ich meine Mutter nicht unnötig belasten, zumal ich ja lange immer noch an unsere gemeinsame Zukunft in Kenia geglaubt hatte.

Zu Hause empfängt uns lautes Hundegebell, das Napirai sehr erschreckt, weil sie das nicht kennt. In Kenia hat man ein eher distanziertes Verhältnis zu Hunden. Das Tier bellt wie verrückt und fletscht die Zähne.

»Er ist keine Fremden gewohnt und schon gar nicht Kinder, doch für die paar Tage wird es schon irgendwie gehen«, erklärt meine Mutter. Wieder spüre ich das beklemmende Gefühl bei dem Gedanken, dass wir hier bleiben müssen, bis alles geregelt ist. Und das kann länger dauern, da ich keine Niederlassungsgenehmigung mehr für die Schweiz besitze und somit nur als Touristin eingereist bin. Ich bin zwar in der Schweiz geboren und aufgewachsen, habe aber wie mein Vater einen deutschen Pass. Nach einem Auslandsaufenthalt, der länger als sechs Monate dauert, verliert man in der Schweiz die Aufenthaltsberechtigung. Ich will gar nicht daran denken, was alles auf uns zukommt.

Mein Gott, ich muss es ihr sagen! Im Moment habe ich aber nicht die Kraft, ihr die Freude zu nehmen und den wahren Grund unseres Besuches zu erklären. Sie ist einfach glücklich, ihre Tochter und die Enkelin endlich wieder zu sehen. Außerdem sind die beiden natürlich nicht eingerichtet für eine plötzliche Rückkehr der erwachsenen Tochter mit einem Kind. Immerhin lebe ich schon seit meinem 18. Geburtstag nicht mehr zu Hause.

Mit Napirai beziehe ich das kleine Gästezimmer und packe unsere wenigen Habseligkeiten aus. Ich besitze lediglich ein paar Kinderkleidchen und etwa 20 Stoff-

11

windeln sowie eine Jeans und einen Pulli für mich. Alles andere habe ich in Kenia gelassen – Lketinga sollte ja glauben, dass ich zurückkomme. Er hätte mich sonst nie und nimmer mit unserer Tochter ausreisen lassen.

Vorsichtig bewege ich mich in dem schönen großen Haus, das mit gepflegten Möbeln, Pflanzen und Teppichen eingerichtet ist. Am meisten aber beeindruckt mich die Toilette, die ich nun an Stelle der stinkenden Plumpsklos benutzen kann. Meine Mutter fragt mich, was ich gerne essen möchte. Mir läuft beim Gedanken an einen saftigen Wurst-Käse-Salat das Wasser im Mund zusammen und so äußere ich meinen Wunsch. Sie ist fast enttäuscht, da sie mir etwas Besonderes kochen wollte. Doch für mich ist dieses Essen nach vier Jahren Busch das Feinste, was ich mir vorstellen kann. Als ich bei den Samburu lebte, hatte ich nie die Gelegenheit, etwas derart Frisches zu essen. Außer Maismehl, manchmal Reis oder noch seltener ungewürztem Fleisch gab es ja nichts. Wie freue ich mich auf diesen Salat mit einem Stückchen frischem Brot!

Napirai ist inzwischen auch ganz neugierig und beobachtet aufmerksam die ihr unbekannten weißen Menschen. In der Zwischenzeit hat sie fast alle Bücherregale ausgeräumt und gräbt in der Pflanzenerde herum. All diese Dinge sind neu für sie.

Endlich gibt es Essen. Allein beim Anblick könnte ich vor Freude fast weinen. Wie viele Male hatte ich nachts von solch einer Mahlzeit geträumt! Jetzt kann ich sie einfach wünschen und nach einer halben Stunde steht sie vor mir.

Meine Mutter will natürlich gleich einen ausführlichen Bericht, wie mir mein neues Leben in Mombasa gefällt und wie mein Souvenirgeschäft am Diani-Beach angelaufen ist. Sie ist so froh, dass ich nach den drei Jahren im tiefsten Busch wieder etwas näher an der Zivilisation lebe. Nur versteht sie nicht, warum ich noch dünner bin als bei meinem letzten Besuch, da ich doch nun mehr Möglichkeiten habe, mich besser zu ernähren. Mich machen diese Fragen völlig fertig und noch trauriger. So gebe ich nur mechanische Antworten, die weit von der Wirklichkeit entfernt sind. Auf Grund ihrer fast naiven Unbekümmertheit wird es für mich noch schwerer, die Wahrheit zu sagen.

Meine Freude über das köstliche Essen hält nicht lange an. Nach einer halben Stunde habe ich höllische Magenkrämpfe und liege zusammengekrümmt auf dem Bett. Natürlich hätte ich mit meiner erst vor einem Jahr eingehandelten Hepatitis kein Fett essen sollen und erst recht keine kalte Kühlschrankkost. Schließlich habe ich jahrelang nur einfachste Gerichte aus dem Kochtopf gegessen. Doch angesichts der Möglichkeit, endlich wieder etwas Besonderes zu bekommen, habe ich einfach nicht mehr daran gedacht. Es bleibt mir nichts anderes übrig, als mich zu übergeben, damit sich mein Magen wieder beruhigt.

Napirai wird von meiner Mutter gebadet, was ihr sehr gefällt. Sie planscht und quietscht vor Vergnügen und bekommt danach zum ersten Mal Pampers-Windeln angezogen. Meine Güte, ist das einfach! Anziehen, voll machen, ausziehen und wegwerfen. Unglaublich toll! Vorbei sind die Zeiten wie die in Nairobi, in denen ich die verkackten Windeln herumschleppen und sie am Abend mit der Hand in kaltem Wasser auswaschen musste, bis mir die Knöchel brannten.

Um acht Uhr bin ich todmüde. In Kenia gingen wir um diese Zeit meistens schlafen, da wir kein elektrisches Licht hatten und es früh dunkel wurde. Ich muss sowieso mit Napirai ins Bett gehen, denn sie ist es nicht gewohnt, allein zu schlafen. In der Manyatta im Hochland schlief sie immer bei mir oder bei der Großmutter und an der Küste zwischen mir und meinem Mann. Das ist für Samburu-Kinder normal. Sie brauchen den Körperkontakt. Im Bett überfallen mich Traurigkeit und auch Zweifel, ob ich das Richtige tue. Leise weinend schlafe ich ein.

Am nächsten Morgen stellt sich die große Frage: Was ziehen wir an? Es ist Oktober und für uns, die wir aus der Wärme Kenias kommen, extrem kalt. Napirai mochte Kleider noch nie und jetzt muss sie sogar Pullover und Jacke anziehen, die meine Mutter besorgt hat. Sie fühlt sich nicht wohl in all den Kleidungsstücken und versucht sie wieder auszuziehen. Doch das geht nicht. Es ist kalt und außerdem läuft man in der Schweiz angezogen herum.

Ein weiteres Problem ist der Hund, denn er scheint uns nicht zu mögen. Er knurrt, bellt und fletscht die

Zähne, während er uns sehr genau beobachtet. Napirai hat sich aber schon an ihn gewöhnt und möchte ständig mit ihm spielen. Als Massai-Mädchen kennt sie offenbar keine Furcht. Ich hingegen bin fast hysterisch vor Angst, er könnte Napirai beißen. Während ich in ihm eine echte Gefahr sehe, ist er für meine Mutter und Hanspeter natürlich das liebste Tier und sozusagen Kinderersatz.

Die ersten zwei, drei Tage bin ich nur müde und erschöpft. Ständig denke ich daran, wie es wohl Lketinga gehen mag, so alleine mit dem Shop. Zwar hat er noch William als Hilfe, aber schließlich verstehen sie sich nicht mehr so gut, seit William uns vor einiger Zeit Geld gestohlen hat.

Zur Ablenkung spaziere ich an den folgenden Tagen zu der nahe gelegenen Landwirtschaftsschule und beobachte dort stundenlang die Kühe. Dabei finde ich eine gewisse innere Ruhe und fühle mich mit meiner Schwiegermama nGogo sehr verbunden. Wie wird sie reagieren, wenn sie erfährt, dass sie Napirai und mich nicht mehr sehen wird? Nach Samburu-Sitten würde meine Tochter eigentlich ihr gehören. Diese und ähnliche Gedanken gehen mir durch den Kopf.

Wenn meine Mutter und Hanspeter abends im Fernsehen Nachrichten anschauen, ziehe ich mich meistens mit Napirai in unser Zimmerchen zurück. All die schrecklichen Bilder vom Golfkrieg und dem Elend in der Welt erschüttern mich und ich kann sie kaum ertragen. Über vier Jahre hatte ich keinerlei Berührung mit Fernsehen oder anderen Medien. Ich lebte in einer Welt wie vor tausend Jahren und nun fühle ich mich von all den Nachrichten und Bildern völlig erschlagen. Doch einmal bleibe ich wie gebannt vor dem Fernseher sitzen. Es läuft eine Reportage über den Mauerfall in Deutschland. Ich kann nicht begreifen, was ich da sehe. Tatsächlich habe ich von diesem Ereignis nichts mitbekommen, obwohl es schon vor einem Jahr stattgefunden hat. Ich kann es kaum fassen! Die Mauer war früher bei uns zu Hause ständig ein Thema, da meine Großeltern väterlicherseits im Osten gelebt hatten. So wusste ich schon als Kind, wie verschieden die zwei deutschen Welten waren, da mein Vater viel erzählte, wenn er von einem Besuch aus der DDR zurückkam. Und jetzt sind sie wieder vereint! Alle Welt wusste es, nur bei uns im Busch war diese Nachricht nie angekommen. Angesichts dieser Bilder laufen mir gleich wieder die Tränen herunter. Für meine Mutter und ihren Mann ist es verständlicherweise komisch, wie ich reagiere. Auch die meisten Spielfilme erscheinen mir anders als früher. Oder habe nur ich mich so sehr verändert? Jedenfalls staune ich nicht schlecht über all die Nackt- und Liebesszenen in den heutigen Filmen. In Kenia wird öffentlich nicht einmal geküsst oder auch nur Händchen gehalten, ganz zu schweigen davon, dass bei den Samburu überhaupt nicht geküsst wird. Mir wird allmählich klar, wie puritanisch ich in den vergangenen vier Jahren geworden bin.

Nach ein paar Tagen meint meine Mutter, ich solle mir endlich etwas Neues zum Anziehen kaufen. So mache ich mich auf den Weg, während sie auf Napirai aufpasst. Die vielen Kleider und Waren in den voll gestopften Läden machen mich unsicher. Ich weiß nicht recht, was zu mir passt, und so kaufe ich mir Leggins, die anscheinend gerade in Mode sind, und einen Pulli dazu. Es kommt mir schrecklich teuer vor. Für das gleiche Geld hätte ich in Kenia mindestens drei oder vier Ziegen kaufen können oder eine wunderschöne Kuh.

Zu Hause präsentiere ich das Gekaufte meiner Mutter, die erschrocken feststellt, dass ich in diesen Leggins unmöglich auf die Straße gehen könne. Ich sei viel zu dünn und wirke in dem Aufzug fast krank. Mein kleiner neu gewonnener Stolz über die hübschen Sachen ist dahin und ich fühle mich sehr hässlich. Erschrocken stelle ich fest, dass ich in dieser »weißen« Welt sehr empfindlich geworden bin. In meiner Welt in Kenia unter den Afrikanern war das ganz anders. Da musste ich alles allein machen und organisieren. Immer deutlicher wird mir bewusst, wie sehr ich mich in den Jahren verändert habe. Hier in Europa vergeht die Zeit schnell und vieles ist für mich neu und unbekannt. In Afrika läuft alles noch gemächlich ab und die Tage erscheinen unendlich viel länger. Was ist nur aus der einst so selbstbewussten Geschäftsfrau geworden? Eine abgemagerte Heimatlose mit einem kleinen Kind, die nicht einmal den Mut hat, sich ihrer Mutter anzuvertrauen!

Nach einer Woche jedoch entscheidet das Schicksal

für mich. Wir sind gerade beim Abendessen, als das Telefon klingelt. Meine Mutter nimmt den Anruf entgegen und sagt mehrmals nur »Hallo, ja hallo«, dann legt sie auf. Sie meint, es habe sich so angehört, als sei die Verbindung von weit her gekommen, aber niemand habe sich gemeldet. Mit schweißnassen Händen starre ich meine Mutter ungläubig an. Sie lacht und sagt: »Schau nicht so erschrocken! Es wird sicher dein Mann sein, der sich melden möchte. Freu dich doch!«

Mir wird schlecht vor Aufregung und Angst. Natürlich hatte ich die Telefonnummer dort gelassen. Sophia, meine italienische Freundin, hatte mich darum gebeten. Wenn Lketinga im Shop Probleme hätte, wollte sie mich anrufen, da er noch nie in seinem Leben telefoniert hat. Auch ihr hatte ich nichts erzählt. Niemanden hatte ich über meine Fluchtpläne ins Vertrauen gezogen, aus Sorge, es würde schief gehen. Und jetzt das! Wie gebannt starre ich auf das Telefon, doch im Moment bleibt es stumm. Meine Mutter meint, es sei sicher nichts Schlimmes, ich solle doch weiteressen. Der Appetit ist mir jedoch vergangen. Stattdessen überlege ich fieberhaft, wie ich mich am Telefon verhalten soll. Und schon klingelt es wieder. Ich solle hingehen, fordert mich meine Mutter freudig auf. Aber ich kann mich nicht bewegen. Panisch schaue ich zu, wie sie den Hörer abhebt. Nach einem freudigen »Yes« winkt sie mich ans Telefon. Mechanisch gehe ich hin, halte den Hörer ans Ohr und erkenne sogleich Sophias Stimme. »Hallo, Corinne, how are you? I'm here together with your husband Lketinga.

Er möchte unbedingt wissen, wie es seiner Frau und seinem Kind geht und wann ihr zurückkommt nach Kenia. Soll ich ihn dir geben?«

»No, wait!«, schreie ich in den Hörer. »Ich möchte erst mit dir sprechen. Sophia, was ich dir jetzt sage, ist sehr schwer für Lketinga, für dich, für mich, für alle. Wir kommen nicht zurück! Ich halte es mit meinem eifersüchtigen Ehemann einfach nicht mehr aus. Du hast es ja zum Teil selbst erlebt. Ich konnte es euch vorher nicht sagen, sonst hätten wir nie mehr ausreisen können.« Hinter mir höre ich Besteck auf den Boden fallen.

»Bitte, bitte, Sophia, erkläre es Lketinga. Ich werde ihm von hier aus mit dem Shop und dem Auto helfen, so gut es geht. Wenn er alles verkauft, ist er ein reicher Mann. Er kann alles haben, auch die Bankkonten, alles außer unserer Tochter Napirai. Ich werde versuchen, mit ihr ein neues Leben aufzubauen.« Sophia ist spürbar erschüttert und fragt, ob ich nicht mit meinem Mann sprechen wolle, doch das Geld sei gleich aufgebraucht. Ich notiere die Telefonnummer und sage ihr, dass ich in zehn Minuten zurückrufen werde, um mit Lketinga zu sprechen. Erschöpft lege ich auf, drehe mich um und sehe meine erstarrte Mutter und Hanspeter an. Im selben Moment schießen mir die Tränen in die Augen und dann heule ich hemmungslos. Noch eine ganze Weile sitze ich neben dem Telefon. Ich fühle mich todunglücklich und gleichzeitig ein wenig erleichtert, weil nun meine Mutter und in diesen Minuten wohl auch Lketinga endlich Bescheid wissen.

Ich höre meine Mutter unsicher fragen: »Ja, wie stellst du dir das denn vor? Ich dachte immer, du seist bis auf ein paar Kleinigkeiten glücklich. Du hast doch erst dein schönes Geschäft mit deinem letzten Geld eröffnet. Außerdem hast du in der Schweiz keine Aufenthaltsgenehmigung mehr!« Jetzt hat auch sie Tränen in den Augen. Sie tut mir aufrichtig Leid. Verzweifelt erinnere ich mich, dass ich bis an mein Lebensende mit meiner großen Liebe eine glückliche Familie bilden und auf keinen Fall meiner Tochter den Vater nehmen wollte. Schließlich ist sie das Kind dieser überwältigenden Liebe. Aber ich habe einfach keine Kraft mehr und weiß, dass ich mich gegen den Tod und für das Leben entscheiden muss. Napirai ist noch nicht einmal zwei Jahre alt und braucht mich. Ich habe zu viel durchgemacht, von den Malaria-Schüben während der Schwangerschaft, der Geburt im Buschhospital und von unserer Isolation während der ansteckenden Hepatitisinfektion ganz zu schweigen. Nein, mein Mädchen gebe ich nicht mehr her. Und ich will leben – für sie! Sie soll später nicht verheiratet werden, nachdem sie kurz zuvor beschnitten wurde. Nein, das will ich ihr ersparen. Der Preis wird ein Aufwachsen ohne ihren Vater in einer weißen Welt sein.

»Kann ich nach Kenia zurückrufen? Lketinga ist sicher ganz verstört«, frage ich meine Mutter, anstatt eine Antwort zu geben, weil ich im Moment sowieso keine habe. Ich muss die Nummer drei Mal anwählen, bevor eine Verbindung zustande kommt. Zuerst höre ich eine afrikanische fremde Stimme, dann wieder Sophia und schließlich kurz darauf Lketinga. »Hallo my wife, why you not come back to me? I'm your husband! I really love you and my baby. I cannot stay without you and Napirai. I don't want another wife! You are my wife.«

Weinend erkläre ich ihm, dass er mich zu viele Male verletzt habe mit seinem unberechenbaren und krankhaft eifersüchtigen Verhalten. »Zuletzt kam ich mir wie eine Gefangene vor. So kann und will ich nicht leben. Und als du mir dann noch vorgeworfen hast, dass Napirai nicht deine Tochter ist, waren auch meine letzte Liebe und Hoffnung zerstört. Lketinga, ich kann nicht mehr, aber ich helfe dir bei allem, so gut es geht. Ich werde an James schreiben, dass er kommt, um dir zu helfen. Ich werde versuchen, dir alles in einem Brief zu erklären. Es tut mir so Leid.«

Er versteht mich nicht und meint nur verunsichert und halb lachend: »I don't know what you tell me. My wife, I wait for you and my child. I'm sure you will come back to me.« Dann knackt es in der Verbindung und die Leitung ist tot.

Ich bin wie betäubt, gehe zu meiner Napirai, nehme sie vom Babystuhl und ziehe mich völlig ausgebrannt in unser Zimmer zurück, weil ich für heute keine klaren Gedanken mehr fassen kann. Meine Mutter und auch Hanspeter verstehen das anscheinend und sagen nichts dazu. Napirai spürt, wenn es mir nicht gut geht, und ist dann immer besonders anhänglich. Sie saugt sich wohlig an meiner Brust fest, während sie sie mit einer Hand knetet.

Als Napirai schläft, beginne ich Briefe zu schreiben.

Lieber Lketinga
Ich hoffe, du kannst mir verzeihen, was ich dir jetzt mitteilen muss: Ich komme nicht mehr zurück nach Kenia.
Inzwischen habe ich viel über uns nachgedacht. Vor mehr als dreieinhalb Jahren habe ich dich so sehr geliebt, dass ich bereit war, mit dir in Barsaloi zu leben. Ich habe dir auch eine Tochter geschenkt. Aber seit dem Tag, an dem du mir vorgeworfen hast, dass dieses Kind nicht von dir ist, habe ich nicht mehr dasselbe für dich empfunden. Auch du hast dies bemerkt.
Nie habe ich jemanden anderen gewollt und habe dich nie belogen. Aber in all diesen Jahren hast du mich nie verstanden, vielleicht auch deshalb, weil ich eine »Mzungu« bin. Meine Welt und deine Welt sind sehr verschieden, doch ich dachte, eines Tages stehen wir zusammen in der gleichen.
Aber jetzt, nach der letzten Chance, die wir in Mombasa hatten, sehe ich ein, dass du nicht glücklich bist und ich erst recht nicht. Wir sind immer noch jung und können so nicht weiterleben. Im Moment wirst du mich nicht verstehen, doch nach

einiger Zeit wirst auch du sehen, dass du mit jemandem anderen wieder glücklich wirst. Für dich ist es leicht, eine neue Frau zu finden, die in der gleichen Welt lebt. Aber suche jetzt eine Samburu-Frau, nicht wieder eine Weiße, wir sind zu verschieden. Du wirst eines Tages viele Kinder haben.

Ich habe Napirai mit mir genommen, denn sie ist das Einzige, was mir geblieben ist. Auch weiß ich, dass ich nie mehr Kinder haben werde. Ohne Napirai könnte ich nicht überleben. Sie ist mein Leben! Bitte, bitte, Lketinga, vergib mir. Ich bin nicht länger stark genug, um in Kenia zu leben. Dort war ich immer sehr allein, hatte niemanden, und du hast mich wie eine Verbrecherin behandelt. Du merkst es selber nicht, denn dies ist Afrika. Noch einmal sage ich dir, ich habe nie etwas Unrechtes getan.

Nun musst du überlegen, was du mit dem Shop machen willst. An Sophia schreibe ich ebenfalls, sie kann dir sicherlich helfen. Ich schenke dir das ganze Geschäft. Aber wenn du es verkaufen willst, musst du mit Anil, dem Inder, verhandeln.

Von hier aus will ich dir helfen, so gut ich kann, und will dich nicht fallen lassen. Falls du Probleme hast, sage es Sophia. Die Shopmiete ist bis Mitte Dezember bezahlt, doch wenn du nicht mehr arbeiten willst, musst du unbedingt mit Anil spre-

chen. Auch den Wagen schenke ich dir. Ich lege dir für ihn ein unterzeichnetes Papier bei. Wenn du den Wagen verkaufen willst, bekommst du mindestens noch 80 000 Kenia-Schillinge, aber du musst jemanden Guten finden, der dir hilft. Danach bist du ein reicher Mann.

Bitte, Lketinga, sei nicht traurig, du wirst eine bessere Frau finden, denn du bist jung und schön. Bei Napirai werde ich dich in guter Erinnerung halten. Bitte versteh mich! Ich würde in Kenia sterben, und ich denke nicht, dass du das willst. Meine Familie denkt nicht schlecht von dir, sie haben dich immer noch gern, doch wir sind zu verschieden.

Viele Grüße von Corinne und Familie

Hallo Sophia!

Gerade eben habe ich deinen und Lketingas Anruf erhalten. Ich bin sehr traurig und nur noch am Weinen. Ich habe dir jetzt gesagt, dass ich nicht mehr zurückkomme. Es ist die Wahrheit. Es war mir klar, noch bevor ich die Schweiz erreicht hatte. Du kennst meinen Mann auch ein bisschen. So sehr habe ich ihn geliebt wie niemanden vorher in meinem Leben! Für ihn war ich bereit, ein richtiges Samburu-Leben zu führen. Dabei wurde ich so oft krank in Barsaloi, doch ich blieb da, weil ich ihn liebte. Vieles hat sich verändert, seit ich Napirai zur Welt brachte. Eines Tages hat er behauptet, dieses Kind sei nicht von ihm. Seit diesem Tag ist meine Liebe zerbrochen. Die Tage sind vergangen mit Höhen und Tiefen, und er hat mich oft schlecht behandelt.

Sophia, ich sage dir bei Gott, ich hatte nie einen anderen Mann, nie! Dennoch musste ich mir dies von morgens bis abends anhören. In Mombasa habe ich meinem Mann und mir noch eine Chance gegeben. Aber so kann ich nicht weiterleben. Er selbst merkt es nicht einmal! Ich habe alles aufgegeben, sogar mein Heimatland. Sicher habe auch ich mich verändert, doch ich denke, das ist unter diesen Umständen normal. Es tut mir sehr Leid für ihn und für mich. Wo ich in Zukunft bleiben kann, weiß ich noch nicht.

Mein größtes Problem ist Lketinga. Er hat nun niemanden mehr für den Shop, den er allein nicht managen kann. Bitte lass mich wissen, ob er ihn behalten will. Ich wäre froh, wenn er damit zurechtkäme, wenn nicht, soll er alles verkaufen. Das Gleiche gilt für den Wagen. Napirai bleibt bei mir. Ich weiß, sie ist so glücklicher. Bitte, Sophia, kümmere dich ein bisschen um Lketinga, er wird nun viele Probleme haben. Leider kann ich ihm nicht viel helfen. Wenn ich nochmals nach Kenia käme, würde er mich nie mehr in die Schweiz zurücklassen.

Sein Bruder James kommt hoffentlich nach Mombasa. Ich werde ihm schreiben. Bitte hilf ihm mit

Gesprächen. Mir ist bewusst, auch du hast viele Probleme, und ich hoffe für dich, sie werden sich bald lösen. Ich wünsche dir, dass alles gut wird und du auch wieder eine weiße Freundin findest. Napirai und ich werden euch nie vergessen.
Ich wünsche dir alles Gute und viele Grüße
Corinne

Auch an James, Lketingas jüngeren Bruder, der als Einziger der Familie zur Schule ging und uns so viel geholfen hat, und an den Missionar Pater Giuliano in Barsaloi schreibe ich die traurige Wahrheit.

Am nächsten Morgen hat auch meine Mutter tiefe Ringe unter den Augen. Schon bald sitzen wir am Tisch und ich muss ihr endlich die Wahrheit über mein Leben in Afrika erzählen. Diesmal schone ich sie nicht, da ich nun in der Schweiz vor ihr sitze. Ich schildere ihr mein Leben bei Lketingas Stamm mit allen Licht- und Schattenseiten und erinnere sie daran, dass ich mir in der ersten Zeit sehr wohl vorstellen konnte, mein ganzes Leben bei den Samburu zu verbringen. »Aber nach der Eröffnung des dringend benötigten Lebensmittelshops hat mir seine wachsende Eifersucht mehr und mehr zugesetzt und alles wurde immer schwieriger. Bald hatten sich fast alle Menschen von uns zurückgezogen. Nicht einmal mehr mit dem Missionar durfte ich mich unterhalten und erst recht nicht mit seinem kleineren

Bruder James und den anderen Boys. Dabei hatte ich mich immer auf die Unterhaltung mit ihnen so gefreut, wenn endlich Schulferien waren. Lketinga hat Ärger gemacht und zum Schluss musste ein Bursche sogar das Dorf verlassen, sonst wäre etwas Schlimmes passiert. Durch meine ständigen Krankheiten ist auch der Shop nicht mehr gut gelaufen und schließlich sind wir vor ein paar Monaten an die Küste gezogen. Da habe ich wirklich noch an einen Neuanfang geglaubt und habe deshalb auch Marc gebeten, mir das viele Geld für den Souvenirshop zu bringen. Ich erhoffte mir eine positive Wirkung, wenn er sozusagen als ›Ältester‹ mit Lketinga sprechen würde, was für kurze Zeit auch wirklich gefruchtet hat. Lketinga war wieder normaler und zeitweise sehr lieb und fürsorglich. Ab und zu hat er beim Ladenaufbau mitgeholfen und sich auf die Arbeit gefreut. Doch später, als ich mit den Touristen sprechen oder gar mal lachen musste, war die Hölle los. Vor den Touristen hat er mich gefragt, warum ich diese oder jene Person kenne, was gar nicht zutraf. Immer wieder habe ich versucht ihm zu beweisen, dass ich ihn doch liebe und alles auf mich genommen habe nur für uns. Mit der Zeit trank er immer mehr Bier. Zum Teil bekam er es von den ahnungslosen Touristen spendiert, teils zahlte er es mit dem Geld aus der Kasse. William und ich haben wie verrückt gearbeitet und er kam, griff sich ein Bündel Geld und ist mit dem Auto nach Ukunda verschwunden. Ich habe nur noch in Angst gelebt, wie wohl sein Verhalten sein würde, wenn er zurückkam. Zu Hause durfte ich so gut wie nicht mehr unsere spärliche Hütte verlassen und so saß ich dann nur stundenlang auf dem Bett und habe mit Napirai gespielt. Musste ich auf die Toilette, begleitete er mich meistens. Es war so demütigend. Die Streitereien waren auch für Napirai nicht gut.«

Nach all den Klagen erkläre ich meiner Mutter aber auch, dass Lketinga im Grunde genommen und tief im Herzen ein guter Mensch ist. Er hat mir früher in vielen Situationen seine Liebe bewiesen. Doch in Mombasa ist er unglücklich und ich kann nicht mehr zurück in den Busch, weil ich sonst an Malaria sterben würde. Ich habe ihm sogar vorgeschlagen, nach Barsaloi zurückzugehen, dort eine Zweitfrau aus seinem Stamm zu heiraten und mich in Mombasa arbeiten zu lassen, damit wir alle wieder glücklicher würden. »Aber er wollte das plötzlich nicht mehr, obwohl ich damals bei der Heirat damit einverstanden sein musste. Deshalb blieb mir nur die Flucht in die Schweiz«, beende ich meine Erzählung.

Meine Mutter hört sich entsetzt, aber ruhig die Bruchstücke der ganzen Geschichte an und sagt: »Ich wusste zwar von deiner Schwester, die vor kurzem bei euch war, dass nicht alles so rund läuft, aber so schlimm habe ich es mir nicht vorgestellt! Du hast mir ja nur optimistische und zuversichtliche Briefe geschrieben. Ja, und nun haben wir eine völlig neue Situation. Aber wenn ich es mir genau überlege, habe ich meine Tochter wieder zurück und eine süße Enkelin dazu.« Erleichtert fallen wir uns in die Arme. »Also ist es kein so großes Problem, wenn ich mit Napirai noch eine Weile hier wohne und abwarte, wie alles weitergeht?«

»Nein, nur dem Hund müssen wir das noch schmackhaft machen«, meint sie, nun wieder zaghaft lächelnd.

Den Nachmittag verbringen wir damit, meine Afrikazöpfe zu öffnen. Büschelweise fallen mir dabei die Haare aus. Anschließend nehme ich dankbar ein heißes Vollbad und kann es immer noch nicht begreifen, wie schön es ist, in einer vollen Badewanne zu liegen. In Kenia musste ich zum eineinhalb Kilometer entfernten Fluss laufen und konnte mich dort nur spärlich waschen. Später in Mombasa erwärmte ich erst das Wasser auf dem Kohlekocher, schüttete es dann in ein Waschbecken und wusch mich mit den Händen. Hier in der Schweiz gibt es Wasser im Überfluss. Man muss nur den Hahn aufdrehen und hat kaltes oder gar heißes Wasser zur Verfügung. In Afrika habe ich tatsächlich vergessen, wie angenehm ich vorher gelebt hatte. Doch nun wird mir mit jeder Stunde bewusster, wie luxuriös im Grunde genommen unser Leben hier ist, allein durch die einfachsten Dinge wie Wasser, Strom, Kühlschrank und Lebensmittel.

Nein, vor einem solchen Leben brauche ich mich nicht zu fürchten! Ich werde arbeiten, egal was, Hauptsache ich erhalte wieder eine Aufenthaltsgenehmigung! Gleich am nächsten Morgen beschließe ich, mich bei der Gemeinde zu erkundigen. Meine Mutter begleitet mich, da sie eine Frau aus dem Turnverein kennt, die dort arbeitet. So erfahren wir, dass ich schriftlich ein Gesuch für die Wiedererteilung der Niederlassung stellen muss, mit beigefügtem Lebenslauf. Bearbeitet wird es durch die Fremdenpolizei und da heißt es einfach abwarten. Zu Hause erledige ich das Gewünschte sofort und bin zuversichtlich, weil die Angestellten in dem Büro sehr nett waren. Meine Erfahrungen mit den Ämtern in Kenia waren da ganz anderer Art.

In den nächsten Tagen bleibt mir nichts anderes übrig, als lange Spaziergänge mit meiner Tochter zu unternehmen, um nicht ständig an Kenia zu denken. Wenn das Telefon klingelt, habe ich Angst, es könnte wieder Lketinga sein oder jemand anderer aus Kenia mit einer schlechten Nachricht. Mittlerweile müssten alle meine Briefe angekommen sein. Manchmal glaube ich fast körperlich zu spüren, welche Trauer und Aufregung bei den Betroffenen herrscht, vor allem bei meiner lieben Schwiegermama und auch bei Lketinga, da er in der Zwischenzeit wohl sicherlich begriffen hat, dass wir wirklich nicht zurückkommen. Ich kann nur auf die verschiedenen Reaktionen warten. Endlich, am 3. November 1990, erhalte ich den ersten langen Brief von James aus seiner Schule.

Liebe Corinne
Hallo, hier ist James. Wie geht es dir? Ich hoffe,
deiner Familie und der lieben Schwester Napirai
geht es gut. Ich habe deinen traurigen Brief erhalten, der auch mich sehr traurig machte, weil du in

ihm schreibst, dass du nun in der Schweiz bist und nicht wieder in unser Dorf zurückkehren wirst. Alle hier in Barsaloi, die dich kennen, sind sehr unglücklich. Während ich dir schreibe, möchte ich weinen, obwohl ich das alles erst glauben kann, wenn ich es auf dem Gesicht meines Bruders in Mombasa gesehen habe.

Corinne, was ich jetzt von dir höre, habe ich schon in meinem Blut gespürt, als ich sah, wie unmöglich sich mein Bruder dir gegenüber verhalten hat. Doch was soll ich jetzt allen erzählen, die fragen werden, wo unsere liebe Corinne ist und warum sie gegangen ist? Es ist ein Fluch, dass du wegen Lketinga gehen musstest. Er wird in unserer Gegend sehr einsam sein. Alle sind böse auf ihn, weil sie gesehen haben, wie hart du gearbeitet hast. All die Sachen, die du ihm geben willst, werden ihn sehr verwirren. Ich will ihm helfen und alles korrekt erledigen, obwohl ich wenig Einfluss auf ihn habe. Du weißt, dass ich oft mit ihm gestritten habe, weil er so gemein zu dir, seiner Frau, war. Ohne dich ist mein Bruder jetzt eine nutzlose Person in unserer Gemeinschaft, trotz Auto und Shop. Was kann er tun mit diesem großen Shop, wo er doch, wie du weißt, Arbeit hasst? Und was soll er mit einem Auto ohne Fahrerlaubnis? Dass du ihm alles dagelassen hast, zeigt, wie du ihn von Herzen liebst. Aber er ist nicht bei Verstand und kann damit nicht umgehen. Corinne, er ist sehr verwirrt und sicher liebt er dich, aber sein Problem ist, dass er wie eine schlechte Person spricht und nicht bedenkt, was andere über sein Reden denken. Der einzige Rat, den ich ihm geben kann, ist, diesen Reichtum, den du ihm gibst, zu nutzen.

Aber wie kann er den Shop verkaufen, wenn du nicht da bist? Außer du telefonierst mit dem Eigentümer, dem Inder. Ich habe meinem Bruder einen Brief geschrieben und gesagt, er solle mir Geld für die Fahrt nach Mombasa schicken, damit ich bei Schulende am 16. November zu ihm kommen kann. Wenn er mir keines schicken will, gehe ich nach Hause und verkaufe ein paar Ziegen. Dann fahre ich, um zu sehen, was er macht. Ich werde dir im November oder Dezember schreiben und berichten, wie dort alles läuft, und dir auch von zu Hause, vor allem von Mama, erzählen.

Corinne, ich denke nicht, dass mein Bruder wieder heiraten wird, schon allein wegen dir. Ich denke, er wird sein ganzes Leben in Mombasa verbringen und von dem leben, was du ihm dagelassen hast. An seiner Stelle würde ich mich schämen, nach Hause zu gehen. Ich bin wirklich ratlos, wie ich es Mama und dem Rest der Familie sagen soll.

Ich wünsche dir, dass du einen Platz in der Schweiz oder in Deutschland finden wirst, damit wir weiterhin in Verbindung bleiben können. Ich bin sicher, dass Lketinga dich noch sehr liebt und dir nachtrauern wird. Ich werde dir alles schreiben. Bitte informiere auch du mich, wo immer du in dieser Welt sein wirst. Ich weiß, Gott liebt dich und wird dir einen guten Platz geben. Also vergiss uns nicht, denke an uns, denn du bist ein Teil unserer Familie, wo du auch bist. Wir werden dich, deine Familie und unsere innig geliebte Schwester Napirai nicht vergessen. Überlege, ob du nicht in ein paar Monaten oder Jahren zu uns kommen willst, damit wir dich sehen können, und schicke uns Fotos oder andere Dinge, die uns an dich und deine Familie erinnern. Ich versuche mein Bestes, dir etwas zu schicken, woran du sehen wirst, dass nicht alle von unserer Familie mit dir abgeschlossen haben, denn wir lieben dich. Ich bin noch eineinhalb Jahre in der Schule. Dann möchte ich arbeiten, Geld verdienen und dich zu einem Besuch bei uns einladen.

Bitte sage deinem Bruder Marc, dass das Problem nicht von meiner Familie kommt, sondern nur von Lketinga. Corinne, mit traurigem Gesicht will ich hier schließen und hoffe, bald von dir zu hören.

Grüße deine ganze Familie, Marc und seine Freundin sowie Napirai.

Ich wünsche euch allen frohe Weihnachten

James

Ich lasse den Brief sinken, der die noch nicht verheilten Wunden wieder aufreißt, und die Tränen strömen los. Trotz allem möchte ich auf keinen Fall, dass man Lketinga in seinem Stamm fallen lässt. Ich fühle mich elend und erneut plagen mich Zweifel. Das teile ich meiner Mutter mit, die gespannt am Tisch sitzt und mich beobachtet. Sie entgegnet energisch: »Schau dich doch mal im Spiegel an, dann wüsstest du selbst, dass es keine andere Möglichkeit gibt! Auch noch nach zwei Wochen siehst du krank aus und bist so schwach, dass du die meiste Zeit schläfst. Auf Grund deiner Hepatitis kannst du nur Diät essen und dein Kind stillst du auch noch! Wie stellst du dir das denn vor? Du musst jetzt an dich und Napirai denken! Ihr habt genug Sorgen!« Ihr energischer Ton tut mir im Moment sogar gut und ich fühle mich seit langem wieder einmal wie ein Kind, das man versucht zu behüten.

Am Nachmittag schreibe ich James zurück und bedanke mich für sein Vorhaben, Lketinga in Mombasa aufzusuchen. Für ihn ist das eine gigantische Reise. Er ist erst ungefähr 16 Jahre alt und war nur einmal mit uns in Mombasa, als wir vom Samburu-Distrikt wegzogen und die 1.460 Kilometer mit dem Auto zur Küste fuhren. Er begleitete uns, damit Lketinga und er während der holprigen Fahrt abwechselnd Napirai halten konnten. Doch jetzt wird er allein reisen müssen, was für die Menschen dort völlig ungewohnt ist, denn normalerweise sind sie mindestens zu zweit unterwegs. Die zwei- bis dreitägige Busfahrt ist teuer und wie er im

Brief erwähnt, muss er sich das Geld durch Ziegenverkauf beschaffen. Lketinga wird ihm keines schicken, da das Geld aus den Briefumschlägen verschwindet und James als Schüler kein Bankkonto besitzt. Die wenigsten Menschen, die ich dort kenne, besitzen Geld. Ihr Vermögen ist die Herde. Wenn Geld gebraucht wird, verkauft man Tiere oder auch das Fell einer geschlachteten Ziege oder Kuh und kauft damit die am dringendsten benötigten Lebensmittel. Ich hoffe, dass James es schafft und Lketinga ihm dann das Geld zurückerstatten wird.

Napirai hat sich inzwischen an die Kälte gewöhnt und leistet beim Anziehen keinen Widerstand mehr. Von meinem letzten »Notgroschen« kaufe ich uns in den verschiedenen Secondhand-Shops Winterkleider. Ich möchte meine Mutter nicht auch noch finanziell belasten. Es kostet schon genug, uns zu ernähren. Abgesehen davon kauft sie trotzdem ständig etwas für Napirai. Mit dem Hund geht es schon besser, obwohl er manchmal noch etwas unberechenbar reagiert.

Ab und zu versucht meine Mutter, mich zu ermuntern, alte Freunde zu besuchen, damit ich wieder unter Leute komme. Aber ich traue mich nicht mehr, mit ihrem Auto auf den hektischen Straßen, noch dazu mit Rechtsverkehr, zu fahren. Im Busch kam uns während einer mehrstündigen Autofahrt höchstens einmal ein Fahrzeug entgegen. Eher noch waren Elefanten oder Büffel anzutreffen, die den Weg in Beschlag genommen hatten, was durchaus auch zu gefährlichen Situationen führen konnte. Hier in der Schweiz dagegen, so empfinde ich es nun, sind anscheinend alle Leute mit dem Auto unterwegs. Deshalb bleibe ich lieber mit Napirai zu Hause.

Eines Abends, Mitte November, klingelt das Telefon und ich spüre sofort, dass der Anruf aus Kenia kommt. Sophia meldet sich. Diesmal bin ich gefasster, weil wir schon über einen Monat in der Schweiz leben und inzwischen alle Bescheid wissen. »Hallo, Corinne, how are you and Napirai? Bist du immer noch sicher, dass du nicht mehr zurückkommst? Lketinga arbeitet nur noch selten. Wenn ich beim Shop vorbeischaue, ist er meistens geschlossen. Ich möchte dir nur sagen, dass dein Mann sich von mir nicht helfen lassen will und ich nicht weiß, was ich tun soll. Ich habe, wie du weißt, meine eigenen Probleme, da mein Restaurant geöffnet ist, ich aber bisher keine Arbeitserlaubnis bekommen habe. Und auch sonst, immer dasselbe! Außerdem fliege ich in vier Tagen für zwei Wochen nach Italien, um meine Familie zu besuchen.« »Sophia«, antworte ich, »es ist schön, dass du mich vorher noch anrufst. Aber mein Entschluss steht definitiv fest. Ich bin froh, dass ich noch lebe und mit Napirai rausgekommen bin. Du brauchst dich nicht weiter um Lketinga bemühen, denn ich denke, James kommt bald nach Mombasa, um ihm zu helfen und zu entscheiden, was mit dem Shop passiert. Ich weiß ja, wie misstrauisch mein Mann ist. Hast du ihn gesehen und weißt du, wie es ihm geht?«

Sophia sagt, sie habe ihn schon länger nicht mehr getroffen und wenn, so war er mit dem Auto in Ukunda unterwegs. Mehr kann sie mir auch nicht berichten. Dann verabschiede ich mich und wünsche ihr von ganzem Herzen alles Gute, viel Kraft und Liebe für ihr weiteres Leben in Kenia. Zu diesem Zeitpunkt weiß ich noch nicht, dass ich von Sophia nie mehr etwas hören werde.

Einige Tage später erhalte ich den Antwortbrief von Pater Giuliano.

Liebe Corinne
Ich habe vor ein paar Tagen Ihren Brief vom 26. Oktober erhalten und möchte ihn jetzt beantworten.
Ich denke, für Sie ist es besser, wenn Sie in der Schweiz sind. Ich war sowieso erstaunt, dass Sie so lange mit Lketinga zusammen waren. Auch mir erschien er häufig etwas seltsam und ich habe mich oft gewundert, wie lange Sie mit ihm zurechtgekommen sind. Wie auch immer, ich wünsche Ihnen ein besseres Leben mit Ihrer Napirai. In Ihrem Brief sagten Sie, Sie hätten etwas Geld für Lketingas Mutter beigelegt, aber es war nichts darin. Es ist gefährlich, Geld in Briefe zu stecken, weil sie geöffnet werden und dann oft nicht einmal die Briefe ankommen. Wenn Sie einen Scheck von der Barclays Bank haben, können Sie diesen auf unsere Catholic Mission ausfüllen, und ich

werde ihn bei meiner Bank einreichen. Wenn das
Geld angekommen ist, werde ich die Summe
Mama Leparmorijo geben. Ich denke, das ist der
beste Weg.
Viele Grüße aus Barsaloi. Jetzt ist bei uns Regen-
zeit und alles ist grün und wunderschön.
Viele Grüße, auch von Pater Roberto
Ihr Giuliano

Ich freue mich über diesen kurzen Brief und bin beruhigt, dass ich nun eine Möglichkeit gefunden habe,
das Versprechen gegenüber meiner Schwiegermama
einlösen zu können. Als wir damals nach Mombasa
umzogen, hatte ich ihr versprochen, mein ganzes Leben
lang an sie zu denken, sie nie zu vergessen und immer
für sie zu sorgen, egal wo ich lebe. Ich war so glücklich, dass sie mir meine Napirai nicht weggenommen
hat. Normalerweise nämlich gehört das erste Mädchen
der Mutter des Mannes, sozusagen als »Altersrente«.
Wenn das Mädchen heranwächst, besorgt sie der Großmutter das Feuerholz, hütet ihre Ziegen und holt das
Wasser vom Fluss. Im Gegenzug wird sie von ihr er-
nährt. Ist das heiratsfähige Alter zwischen 13 und 16
Jahren erreicht, wird das Mädchen verheiratet und die
Großmutter bekommt den Brautpreis, der aus mehreren Ziegen, Kühen, Zucker und anderem besteht. So
hat es mir Lketinga kurz nach der Geburt von Napirai
erklärt. Ein Brauch, den einzuhalten für mich unvorstellbar war. Auch Saguna, die kleine etwa dreijährige

Tochter seines älteren Bruders, lebt bereits bei ihr, obwohl ihre Mama im selben Kral wohnt. Sie schläft und isst bei der Großmutter. Ihr etwa zwei Jahre älterer Bruder hingegen lebt bei seinen Eltern in der benachbarten Hütte. Ja, meiner Schwiegermama habe ich es zu verdanken, dass sie mich damals mit Napirai ziehen ließ. Ich erklärte ihr, dass ich ohne mein Kind nicht leben könne, und so legte sie mir Napirai nach einem langen stummen Blick wieder in meine Arme zurück, obwohl sie meinte, ich könne noch zehn weitere Kinder bekommen.

Nun möchte ich mein Versprechen einlösen und von meinem ersten verdienten Geld werde ich ihr etwas zukommen lassen. Solange ich noch nicht arbeiten darf, werde ich auf meine bestehenden Konten in Kenia Schecks ausstellen und die Mission beauftragen, ihr monatlich einen festen Betrag zu geben. Nur so ist gesichert, dass das Geld nicht von der großen Verwandtschaft innerhalb weniger Tage aufgebraucht wird. Lketinga müsste noch genug Geld haben nach allem, was ich ihm dagelassen habe. Wenn er allerdings nicht arbeitet, wie mir Sophia am Telefon mitgeteilt hat, sondern anscheinend nur vom Bargeld lebt, wird es nicht allzu lange dauern, bis er in Schwierigkeiten kommt. Ich hoffe, bald zu erfahren, wie alles läuft, da James mittlerweile sicherlich in Mombasa angekommen ist. Täglich warte ich auf die Post, um zu sehen, ob ein Brief aus Kenia dabei ist. Auch noch nach zwei Monaten fühle ich mich für vieles verantwortlich, obwohl ich alles, was ich besaß, in Kenia gelassen habe. Endlich trifft der ersehnte Brief von James ein.

Liebe Corinne und Familie
Ich, James, schreibe dir von Mombasa, nachdem ich deinen Brief am 6. Dezember erhalten habe. Wie geht es dir, deiner Familie und unserer lieben Napirai? Ich hoffe, euch allen geht es gut. Lketinga und mir geht es hier nicht schlecht. Über die Familie weiß ich aber nicht viel zu berichten, weil ich seit langem nichts mehr von ihnen gehört habe. Aus dem Brief, den du mir geschrieben hast, weiß ich, dass du noch keinen Platz gefunden hast, um dich anzusiedeln. Für dieses Problem will ich fest beten, dass du eines Tages etwas findest. Ich habe auch erfahren, wie du versucht hast, unserer Mutter mit etwas Geld zu helfen, aber es ist nicht angekommen.
Ich habe mit Lketinga über den Shop gesprochen. Er hat beschlossen, ihn zu verkaufen. Kontaktiere deshalb bitte den Eigentümer, diesen für ihn zu verkaufen. Ich will auch versuchen, mit seinem Bruder zu sprechen, wie du mir gesagt hast. Das Auto will Lketinga nicht verkaufen. Auch das Geld will er nicht teilen. So werde ich nach Maralal zurückgehen und glaube nicht, dass er mir dafür Geld geben wird. Er trinkt häufig und kaut jetzt sehr viel Miraa. Bitte unternimm deshalb etwas, um den Shop zu verkaufen, damit er nicht

auch noch beim Inder Schulden haben wird. Ich habe an Diners Club geschrieben, dass sie die Karte sperren.

Corinne, ich gehe am 10. Dezember nach Barsaloi zurück und bin wirklich sehr traurig, weil mein Bruder mir kein Geld gegeben hat außer für den Weg nach Hause. Ich weiß nicht, was ich für die Schule und für Mama mitnehmen kann. Es war das letzte Mal in meinem Leben, dass ich Lketinga besucht habe. Ich habe im Shop immerhin noch 12 000 Kenia-Schillinge eingenommen, aber er hat alles aufgebraucht. Er ist immer gekommen und hat gesagt, er werde es zur Bank bringen, aber er hat es für Bier und Miraa ausgegeben. Corinne, das ist die traurige Wahrheit.

Wie du mir gesagt hast, werde ich mein eigenes Bankkonto eröffnen, damit du mir etwas schicken und mir und meiner Familie helfen kannst. Ich werde nach Barsaloi gehen und Richard um einen Kredit bitten, um das Konto eröffnen zu können. Ich werde dir dann die Nummer mitteilen.

Das Leben meines Bruders wird, wie ich das sehe, wahrscheinlich sehr kurz sein. Seit du ihn verlassen hast, bin ich nicht mehr gerne mit ihm zusammen, denn er hilft nicht, obwohl er derjenige ist, der doch jetzt etwas hat. Unserer Mutter werde ich berichten, was du mir geschrieben hast und

dass ich ein Bankkonto eröffnen soll, damit du uns
helfen kannst. Ich will ihr auch erzählen, welche
Probleme mein Bruder mir machte. Ich werde in
Barsaloi die wenigen Ziegen verkaufen, damit ich
das Geld für die Schule mitnehmen kann. Über
die Probleme meiner Familie weiß ich jetzt nichts
zu schreiben, denn ich lerne ja immer noch in der
Schule und habe sie lange nicht mehr gesehen.
Bitte schicke uns einige Fotos von Napirai und der
Familie.
Ich wünsche euch allen ein glückliches neues Jahr
Dein James

Der Brief macht mich wütend. Ich lese ihn ein zweites
Mal und stelle dabei fest, dass ein vorheriger Brief bei
mir offensichtlich nicht angekommen ist. So weiß ich
immer noch nicht, wie die Menschen in Barsaloi auf
unsere Ausreise reagiert haben und wie James das Geld
für die Fahrt nach Mombasa bekommen hat. Auch
schließe ich daraus, dass er nicht zu Hause in Barsaloi
war, sondern gleich nach dem Ende der Schule von El-
doret nach Mombasa gefahren ist. Was mich aber richtig wütend macht, ist die Tatsache, dass Lketinga nach
allem, was James für ihn getan hat, ihm nicht einmal sein
Schulgeld mitgeben wollte. Er kam auf meinen Wunsch
nach Mombasa, um Lketinga zu helfen und beizustehen,
und der lässt ihn einfach im Stich. James ist doch sein
kleiner Bruder!

Ich weiß, wie verschieden die beiden sind. James ist

etwa 13 Jahre jünger, das genaue Geburtsjahr kennt er nicht. Wie alle anderen wurde auch er vom Distrikt-Officer nur ungefähr eingeschätzt. Keiner kennt seinen tatsächlichen Geburtstag. Der große Unterschied zwischen den beiden besteht darin, dass James zur Schule geht, Lketinga aber nie eine solche besucht hat. Sie scheinen aus zwei völlig verschiedenen Welten zu kommen.

Lketinga, der bis vor kurzem den Status eines Kriegers inne hatte, kann nicht lesen und schreiben und ist im Busch mit den alten Ritualen und Bräuchen aufgewachsen. James dagegen besucht als Jüngster und Einziger der Familie seit seinem siebten Lebensjahr die Schule, die durch die Mission finanziert wird. Bei Meinungsverschiedenheiten hörte ich Lketinga oft sagen: »Ach, das sind doch keine richtigen Männer mehr, die waren nie im Busch, stattdessen sitzen sie nur in der Schule herum. They don't know about life!«

Von James und den anderen Schuljungen dagegen hörte ich: »Weißt du, das kannst du nicht mit diesen Leuten besprechen. Die verstehen dich überhaupt nicht, weil sie nichts von der Welt wissen. Sie kennen nur den Busch und das Überleben mit ihren Tieren. Sie wissen nicht, was in der Welt draußen passiert.«

Es kam mir manchmal vor, als wären sie sich ganz und gar fremd. Trotzdem habe ich angenommen, dass Lketinga seinem Bruder zumindest in einer solchen Situation vertraut und hilft.

Die durch den Brief ausgelöste Wut treibt mich erneut zum Handeln. Über den internationalen Auskunftsdienst lasse ich mir die Telefonnummer des Inders heraussuchen und nehme Kontakt zu ihm auf. Er ist sehr überrascht von meinen Erzählungen und der Tatsache, dass ich nicht mehr zurückkommen werde. Lketinga habe ihm erst vor ein paar Tagen gesagt, dass ich im Urlaub sei und bald wieder zurückkäme. Er bedauert meinen Entschluss, doch ist er damit einverstanden, mit Lketinga die Verhandlung für die Shop-Übergabe aufzunehmen, da er ohne mich auch keine Überlebenschance für den Laden sieht. Ich bedanke mich und bin erleichtert, dass wenigstens hinsichtlich des Shops keine Probleme mehr auf Lketinga zukommen werden. Was er mit dem vielen Geld machen wird, weiß ich nicht. Ich kann nur hoffen, dass er nicht alles für Bier und Miraa ausgibt. Sofort teile ich James das Vereinbarte in einem Antwortbrief mit.

Die ganze Aufregung hat aber auch etwas Gutes. Hier in der Schweiz sitze ich nur untätig herum und warte auf den Bescheid von der Fremdenpolizei. Doch wenn es um Kenia geht, habe ich keine Hemmungen und handle mit erstaunlicher Kraft. Auf diese Weise wächst mein Selbstvertrauen und der Wunsch, wieder zu arbeiten. Meine neue Umgebung ist mir nicht mehr ganz so fremd, und langsam nehme ich wieder an Gewicht zu. Ich versuche häufiger, normales Essen statt Diätkost zu mir zu nehmen und stelle glücklich fest, dass ich von Woche zu Woche weniger Probleme mit dem Magen habe.

Kurz vor Weihnachten genießen Napirai und ich den ersten Schnee. Es ist zwar enorm kalt, doch mittlerweile stört es mich nicht mehr. Im Gegenteil, ich empfinde das Wetter hier mit einem Mal viel spannender als tagaus tagein den tiefblauen Himmel mit seiner sengenden Sonne, die die Vegetation verdorren lässt. Und wenn es nach monatelangem Sonnenschein dann endlich einmal regnet, ist alles überschwemmt und für Mensch und Tier besteht manchmal sogar Lebensgefahr. Nach diesen Erfahrungen kann ich mich über Regen, Schnee und sogar den Nebel wieder freuen.

Ein paar Tage vor Weihnachten gehen wir mit meiner Mutter auf eine Einkaufstour nach Rapperswil. Es ist unglaublich, was in den Geschäften alles ausgestellt wird! Ich nehme mir vor, in Zukunft nur mit dem Nötigsten auskommen zu wollen. Diesen Überfluss braucht man doch nicht wirklich! Zufällig treffe ich meinen ehemaligen Chef aus der Zeit, als ich meine erste Anstellung im Außendienst bei einer Versicherungs-Gesellschaft hatte. Ich war damals bei ihnen mit 20 Jahren die erste Frau im Außendienst und hatte viel Erfolg. Nach nur zwei Jahren hatte ich genug Geld gespart, um mich mit einem Brautkleidergeschäft selbstständig zu machen. Die Idee, mit Neu- und Secondhand-Kleidern zu handeln, gefiel mir so gut, dass ich den Sprung in die Selbstständigkeit wagte. Er hingegen bedauerte meinen Entschluss sehr. Nun steht er mir plötzlich gegenüber und staunt über meine Erzählungen und Erlebnisse. Zum Schluss gibt er mir seine Karte und meint, er würde mich jederzeit wieder einstellen, ich müsse ihn nur anrufen. Nachdem wir uns verabschiedet haben, strahle ich meine Mutter an und sage: »Siehst du, wie schnell ich wieder Arbeit finden würde!«

Auch wenn ich nicht im Sinn habe, gleich wieder in diese Branche einzusteigen, so hat mir die Unterhaltung doch sehr gut getan. Mein Selbstbewusstsein hat einen ersten großen Schub bekommen. Schließlich war es das erste Gespräch mit einem Mann, zudem mit einem, der mich aus einer Zeit kannte, in der ich vor Selbstvertrauen strotzte. Und dann gleich dieses Angebot! Wie ernst auch immer es gemeint ist, ich schwebe im siebten Himmel, allein schon deshalb, weil er mir etwas zutraut. Ich teile meiner Mutter mit, dass ich nach den Feiertagen bei der Fremdenpolizei nachfragen werde, wie es nun mit uns weitergeht, da auch bald meine dreimonatige Aufenthaltsgenehmigung abgelaufen sein wird. Sie ist eher dafür, dass ich mich ruhig und abwartend verhalten soll.

Ich freue mich darauf, wieder einmal ein richtiges Weihnachtsfest zu feiern mit Schnee und Kälte und allem, was dazu gehört. In Kenia kam nie Weihnachtsstimmung auf, weil es um diese Zeit meist unerträglich heiß war. Das Einzige, was mich dort an das Fest erinnerte, waren die älteren Menschen in Barsaloi, die zur Mission pilgerten, um ihre neuen Wolldecken und etwas Maismehl abzuholen. Die, die regelmäßig in die »Buschkirche« gingen, bekamen am Ende des Jahres diese

Geschenke, was Mama sich natürlich nicht entgehen ließ. Innerlich schmunzelnd beobachtete ich sie jedes Mal, wenn sie ihren berechnenden Gang zur Mission antrat.

An Heiligabend kommt nahezu unsere ganze Familie zusammen, weil meine Mutter am Weihnachtstag auch noch ihren Geburtstag feiert. Nur Eric, mein jüngerer Bruder, wird mit seiner Frau Jelly erst zwei Tage später kommen, da sie mit ihren beiden Söhnen bei sich zu Hause feiern wollen. Unter dem Weihnachtsbaum stapeln sich die Geschenke für mein Mädchen. Alle wollen sie beschenken. Napirai kommt aus dem Staunen nicht mehr heraus. Sie reißt ein Päckchen nach dem anderen auf und weiß gar nicht, womit sie zuerst spielen soll. Mir wird es zu viel, denn genau das wollte ich verhindern. Zwei oder drei Päckchen wären mehr als genug gewesen. Wo sollen wir auch hin mit all diesem »Zeug«? Napirai ist ohnehin am zufriedensten, wenn ich mit ihr auf einen Spielplatz gehe, auf dem sie mit anderen Kindern spielen kann.

Dann aber genieße ich es doch sehr, mit meiner Familie an einem wunderschön gedeckten Tisch zu sitzen und unser traditionelles Fondue Bourguignonne zu verspeisen. Beim Anblick der Platte mit der eigentlich nicht unbeträchtlichen Menge Fleisch muss ich plötzlich lachen. Weil mich die anderen verwundert anschauen, erkläre ich ihnen den Grund meiner Heiterkeit: »Wenn jetzt Lketinga hier wäre, könnte er sich beim besten Willen nicht vorstellen, dass dieses kleine Fleischhäufchen hier für alle reicht. Er kann mit einem zweiten Krieger in einer Nacht locker eine mittlere Ziege verzehren.«

»Das wäre hier, allein schon wegen des Fleischpreises, nicht möglich«, meint Hanspeter schmunzelnd. Wieder kreisen meine Gedanken um Lketinga und ich versuche mir vorzustellen, was er jetzt wohl gerade macht.

Manche Tage schleichen dahin, andere wiederum vergehen im Nu. Auch Silvester ist solch ein endlos langer Tag. Wir feiern nicht groß, jeder hängt seinen Gedanken nach. Für die nächste Zukunft wünsche ich mir von ganzem Herzen, dass wir uns wieder in der Schweiz niederlassen können. Alles andere ängstigt mich nicht.

Anfang des neuen Jahres ruft mich der indische Ladenbesitzer an und erklärt, er wäre für eine Übergabe des Geschäftes bereit gewesen, aber Lketinga habe sich nun anders entschlossen und wolle weiterarbeiten. Jetzt erwarte er die dreimonatige Vorauszahlung für die Ladenmiete. Ich gebe ihm zu verstehen, dass er sich an Lketinga halten müsse. Ich habe bis Ende des Jahres bezahlt und jetzt sei Lketinga zuständig, wenn er den Shop weiterhin betreiben will. Ich habe keinen Einfluss mehr. Mein Geld sei in Kenia geblieben und alles sei meinem Mann überschrieben worden.

Der Gedanke, dass Lketinga den Laden weiterführen will, beunruhigt mich und ich hoffe sehr, dass er vielleicht eine gute Hilfskraft gefunden hat.

Genau drei Monate nach meiner Einreise in die Schweiz bekomme ich Post von der Fremdenpolizei. Mit klopfendem Herzen öffne ich den Brief, der vielleicht über mein zukünftiges Leben – vor allem in welchem Land – entscheiden wird. Aber schon nach den ersten zwei Sätzen stelle ich enttäuscht und auch etwas erleichtert fest, dass ich lediglich Auskünfte über all meine Familienmitglieder erteilen muss. Ich erledige dies in der gewünschten Genauigkeit und betone, dass die Gemeinde in keiner Art und Weise für mich aufzukommen habe, da ich bei anfallenden Schwierigkeiten von meiner Familie unterstützt würde. Außerdem hätte ich bereits konkrete Arbeitsangebote bekommen. Zuversichtlich schicke ich die Unterlagen weg. Meine Mutter ist traurig und meint, jetzt habe sie sich so an mich und Napirai gewöhnt, dass sie es nicht ertragen könnte, wenn wir erneut ins Ausland ziehen müssten. »Es wird schon alles gut gehen, sonst hätten sie mich nach diesen drei Monaten gleich weggeschickt«, versuche ich sie zu beruhigen.

Ende Januar ist es so kalt, dass der nahe gelegene Pfäffikersee vollständig zugefroren ist, was höchstens alle zehn Jahre vorkommt. So gehen wir, Napirai warm auf einen Schlitten gepackt, auf dem See spazieren. Ich beobachte die vielen Menschen, die sich ausgelassen mit den seltsamsten Gefährten über das Eis bewegen. Es ist wirklich verrückt! Noch vor drei Monaten war ich am Schwitzen und lebte in einer völlig anderen Welt und heute spaziere ich auf einem zugefrorenen See. Fast täglich, bei fast allem, was ich sehe oder tue, ziehe ich automatisch Vergleiche zu Afrika. Ich blicke in die fröhlichen Gesichter von Alt und Jung, und denke daran, wie verschlossen die meisten von ihnen im Alltag sind, obwohl sie doch alles haben. Genauso fällt mir auf, wie respektlos viele jüngere Menschen mit den Alten umgehen. Vor meinem Leben in Afrika war mir dies nicht bewusst. Aber jetzt muss ich daran denken, wie es bei den Samburu ist. Dort wächst das Ansehen mit dem Alter. Die Schönheit verblüht, doch dafür wird man mehr respektiert. Je älter jemand ist, egal ob Mann oder Frau, desto gewichtiger sind seine Entscheidungen. Die Jüngeren tun nichts ohne den Segen der Alten. Wenn James in den Ferien von der Schule nach Hause kam, senkte er bei der Begrüßung der Mutter den Kopf und schaute sie nicht direkt an. Erst allmählich beim Erzählen warf er ab und zu einen kurzen Blick auf sie. Eine Massai-Großmutter ist meistens von einer Kinderschar umgeben und wird von jeder vorbeigehenden Person, ob Mann oder Frau, jung oder alt, bekannt oder unbekannt, begrüßt und unterhalten. Meiner Schwiegermama ist es nie langweilig, obwohl sie doch den ganzen Tag nur unter dem Baum vor ihrer Hütte sitzt.

Und wie ist es hier in der Schweiz? Ich nehme wahr, wie viele einsame Menschen in den Cafés oder Restaurants herumsitzen. Keiner bemerkt sie oder unterhält sich mit ihnen. Man hat materielle Dinge im Überfluss, aber Zeit füreinander und ein sozialer Zusammenhalt fehlen. Dafür kann hier fast jeder irgendwie alleine überleben. Bei den Massai in Kenia dagegen wäre das unvorstellbar.

Wir kehren nach dem Spaziergang auf dem Eis zurück und ich finde einen Brief von James vor, den er am 12. Januar geschrieben hat. Ich bin aufgeregt, weil er mir nun sicher über zu Hause und von Mama berichten wird.

Liebe Corinne und Familie
Mit großer Dankbarkeit habe ich heute deinen ausführlichen Brief erhalten. Ich habe die Fotos von Napirai, deiner Mutter und von dir angeschaut und war sehr glücklich, als ich euch sah. Ich brachte die Fotos zu Mama und sie weinte, aber ich beruhigte sie, indem ich ihr sagte, dass du hoffentlich kommen wirst, wenn ich die Schule beendet habe. Allen Leuten hier gefällt es, dich und Napirai auf den Fotos zu sehen. Ich habe der Familie berichtet, dass du nur wegen Lketinga weggegangen bist. Und sie hatten den Beweis, als ich ohne etwas für sie nach Hause kam. Sie sagten, lass ihn ruhig dort bleiben und hoffen, dass ihm bald nichts übrig sein wird von dem, was du ihm zurückgelassen hast.
Corinne, ich werde nicht noch einmal nach Mombasa gehen, denn sonst bekomme ich wieder die Probleme, von denen ich dir geschrieben habe. Es

ist gut, dass du den Shop verkauft hast, so dass nicht alles verloren geht. Wenn Lketinga heimkommen sollte, werde ich ihm helfen. Am 12. fahre ich von Maralal aus zur Schule. Richard hat mir geholfen und für mich ein Bankkonto in Maralal eröffnet. So kannst du uns dorthin Geld schicken, wenn du willst.

Ich habe Mama und der Familie alles erzählt, was du und deine Familie mir geschrieben habt. Einige sind enttäuscht über dein Weggehen, aber sie verstehen, dass es keine andere Möglichkeit gab. Alle haben gesagt, wenn du nach Hause kommen möchtest, auch nur für einen Besuch, dann wollen sie dich sehen. Es ist aber besser, wenn ich da bin. Ich habe auch gelesen, dass du mir Sachen schicken möchtest. Du kannst sie in die Schule schicken, das ist ganz einfach. Aber schicke keine Sachen, für die ich bei der Post viel Geld zahlen muss. Ich werde versuchen, von der Schule aus mit dir in Kontakt zu kommen. Ich werde drei Monate in der Schule sein.

Giuliano und Roberto sind immer noch in Barsaloi. Jetzt ist Barsaloi sehr grün und es gibt viel Milch. Unsere Familie ist nicht mehr in Barsaloi, sondern ungefähr zwei Kilometer von dort entfernt in Richtung Lpusi. Wir haben nicht mehr so viele Ziegen wie früher. Deine schwarze Ziege und die männliche mit den weißen Tupfen sind sehr groß geworden. Eines Tages in den Ferien werde ich meine Familie und die Tiere fotografieren und dir die Fotos schicken. Ich habe das kleine Radio von Lketinga bekommen und jetzt habe ich es in der Schule. Das ist die einzige gute Sache, die er mir gegeben hat. Ich habe auch ein paar von deinen Kleidern mitgenommen, vor allem Röcke, die Mama jetzt anzieht. Ich habe sie gestohlen, als ich ging, weil Lketinga sie mir nicht geben wollte.

Schreibe mir bitte die Adresse von deinem Bruder Marc, so dass ich ihm auch ein paar Worte von mir und meiner Familie schicken kann, damit er uns nicht vergisst. Wenn er nach Barsaloi kommen möchte, wie wir das einmal besprochen haben, bin ich bereit, ihn willkommen zu heißen und herumzuführen.

Viele Grüße an die Familie und alle Freunde und unsere liebe Schwester Napirai. Ich bete immer ganz fest, dass du Erfolg haben wirst in deinem Leben in der Schweiz.

Dein Bruder James

PS. Noch ein paar Worte von meiner Familie: Alle wünschen dir und Napirai eine glückliche Zeit in der Schweiz und hoffen, euch hier einmal wieder zu sehen, auch wenn ihr nur zu Besuch kommt.

Dieser Brief macht mich glücklich. Ich bin froh, dass mich die Menschen in Barsaloi nicht verachten, sondern auch später noch willkommen heißen wollen. Das ist vor allem für Napirai wichtig. Mir fällt ein Stein vom Herzen und am liebsten würde ich meiner Schwiegermama einen Kuss auf ihren rasierten schwarzen Kopf drücken. Erleichtert schreibe ich zurück.

Zwei Tage später erhalte ich von einer Deutschen, die in Kenia lebt, einen Brief. Ihm entnehme ich, dass sie mich flüchtig kannte. Sie wolle Lketingas Auto kaufen und brauche auf den beiliegenden Formularen einige Unterschriften von mir. Das Auto habe einen Brandschaden gehabt und sei beschädigt. Sie wolle es trotzdem kaufen und reparieren lassen. Ich glaube kaum, was ich lese. Der schöne teure Wagen ist halb ausgebrannt! Dabei möchte Lketinga doch, wie ich vom Inder erfahren habe, den Shop behalten! Wie will er denn ohne Auto für den Warennachschub sorgen? Und wie geht es ihm? Hat er sich womöglich dabei verletzt? Schon wieder neue Aufregung! Ich könnte heulen, obwohl mir die Sache mit dem Auto egal sein sollte. Trotzdem überlege ich, wie er das wieder geschafft hat. Vermutlich hat er den Wagen mit rauchenden Massai voll gestopft, als er sie zu einer Aufführung fuhr, oder er hat nie Öl und Wasser nachgefüllt.

Diese und ähnliche Überlegungen gehen mir durch den Kopf, als ich die Formulare studiere. Gerne würde ich jetzt nach Kenia telefonieren, um mit Lketinga zu sprechen. Aber niemand von denen, die ich kannte, besitzt ein Telefon. Die meisten haben nicht einmal Stromanschluss in ihren Hütten, obwohl sie in der Nähe der Küste und des Tourismus leben. Das spärliche Licht wird durch Petroleumlampen erzeugt. So kann ich nichts anderes tun, als die Papiere wegzuschicken und gespannt abzuwarten, was noch alles passiert.

Wir leben uns ein

*E*nde Februar zeigt mir meine Mutter ein Zeitungsinserat, in dem allein erziehende Frauen zur Gründung
eines entsprechenden Vereins in unserer Umgebung gesucht werden. »Melde dich doch dort, damit du wieder
unter Leute kommst und neuen Kontakt findest«, meint
sie fürsorglich. Nach einigem Zögern melde ich mich
tatsächlich an. Mitte März erhalte ich eine Einladung zu
einem Sonntagsbrunch, bei dem sich alle kennen lernen
sollen.

Das Treffen findet in einer gemütlichen Waldhütte
am Rande eines Dorfes statt. Als ich mit Napirai ankomme, haben sich schon ein paar Frauen mit ihren
Sprösslingen versammelt. Einige Kinder toben ausgelassen herum, während andere an ihren Müttern kleben. Napirai kennt keine Scheu, geht auf die Kinder
zu und beobachtet sie aufmerksam. Auch sie wird neugierig gemustert, da sie das einzige farbige Kind ist.
Immer mehr Frauen kommen an, bis wir eine Gruppe
von ungefähr zwanzig Erwachsenen sind. Überall sind
die Tische gedeckt und es duftet nach Kaffee. Die zwei
Organisatorinnen stellen sich selbst und den Verein
vor. Die Absicht ist, sich einmal im Monat zu einem
Frühstücksbrunch zu treffen, um gemeinsam über Probleme zu diskutieren und einander zu helfen. Die Stär-
keren unter uns sollen die Schwächeren unterstützen.

Langsam sollen nach außen soziale Kontakte aufgebaut werden. Dann stellen sich alle kurz vor und erzählen, warum sie allein erziehend sind. Zum Teil kommen sehr traurige Schicksale zum Vorschein, die mich tief bewegen. Ein Teil der Frauen wirkt selbstbewusst, andere sind schüchtern und gehemmt. Einige sind schon Jahre allein, andere wiederum erst, wie ich, ein paar Monate. Als ich meine Geschichte erzähle, wollen die meisten mehr und mehr wissen. Viele finden mein Leben außergewöhnlich, verrückt und unglaublich schwierig. Ich dagegen empfinde die Probleme der anderen Frauen teilweise als viel größer. Viele kämpfen um Geld oder um das Sorgerecht für ihre Kinder. Wieder andere leiden noch sehr unter der Trennung von ihrem Mann, vor allem diejenigen, die verlassen wurden. Meine Lage erscheint mir viel leichter. Ich lebe von dem wenigen Bargeld, das ich noch habe, und warte nur auf meine Arbeitsbewilligung, um endlich anfangen zu können. Das Problem, mit meinem Mann um Unterhaltszahlungen kämpfen zu müssen, stellt sich mir nicht.

Während ich meine jetzige Situation betrachte, erinnere ich mich an mein Leben in Afrika, das teilweise einem Überlebenskampf bis an die Grenze des Todes gleichkam. Dort war ich zum größten Teil auf mich allein angewiesen, konnte die Maa-Sprache kaum und hatte keine Verbindung zur zivilisierten Außenwelt. Es gab Tage, an denen ich mit niemandem auch nur ein einziges Wort gewechselt habe. Eine Flucht aus unserem Dorf im kenianischen Hochland wäre mir nie möglich gewesen, denn keine Frau hätte es gewagt, mir zu helfen, indem sie meine kleine Napirai während der halsbrecherischen Fahrt durch den Dschungel gehalten hätte. Auch nicht für viel Geld, weil sie nie mehr zu ihrem Stamm hätte zurückkehren können. Massai-Männer stehen einer Frau, die flüchten will, erst recht nicht zur Seite.

Hier dagegen kann man mit allen sprechen, wird verstanden und erhält meistens auch Hilfe. Man muss sich nur in Bewegung setzen. Nein, für mich ist das Leben, seitdem ich allein erziehende Mutter in der Schweiz bin, viel einfacher geworden und es wird noch leichter werden, sobald ich arbeiten kann, davon bin ich überzeugt. Einige Frauen warnen mich, ich solle nicht so euphorisch sein, denn Jobs für Frauen in unserer Situation gäbe es nicht so viele. Außerdem müsste ich eine Betreuung für Napirai organisieren. Dass ich sie mit ihren knapp zwei Jahren immer noch stille, finden einige Mütter anscheinend recht seltsam. Ich werde das alles schon sehen, wenn es so weit ist, denke ich und lasse mich nicht beunruhigen.

Eine Frau namens Madeleine setzt sich zu mir und erzählt, sie fliege Ende April nach Kenia, um sich endlich Urlaub zu gönnen und sich von der Scheidung zu erholen. Nachdem sie vorhat, an die Südküste zu reisen, vereinbaren wir, dass ich sie vorher zu Hause besuchen werde. Sie will einige Informationen über Kenia und ich werde ihr aufzeichnen, wo sich unser Shop befindet, damit sie vorbeischauen und sich eventuell mit Lketinga unterhalten kann. Sie macht auf mich einen positiven Eindruck, und auch zwei, drei andere Frauen, vor allem aber eine der Organisatorinnen, die später unsere gewählte Präsidentin wird und vor Energie strotzt, fallen mir auf. Mit ein paar wenigen komme ich überhaupt nicht ins Gespräch. Die Zeit vergeht wie im Flug und schon packen alle mit an, um abzuspülen und das Geschirr wegzuräumen. Die Hütte wird geputzt und dann verabschieden wir uns bis zum nächsten Treffen in vier Wochen.

Auf dem Nachhauseweg gehen mir viele Gedanken und die verschiedenen Lebensgeschichten durch den Kopf. Auf jeden Fall hat mir dieses Treffen gut getan. Zum einen habe ich wirklich Interesse, mit einigen dieser Frauen auch außerhalb der Gruppe einen Kontakt aufzubauen. Zum anderen ist mir klar geworden, dass ich nicht so lange warten kann, bis ich völlig mittellos dastehe. Zum ersten Mal wurde ich mit den Problemen von allein erziehenden Frauen konfrontiert. Vor den Jahren in Afrika war ich eine erfolgreiche Geschäftsfrau ohne Kinderwunsch und in Kenia ist es normal, dass viele Frauen allein für ihre zahlreichen Kinder aufkommen müssen. Ich habe mir also bisher nie viele Gedanken über dieses Thema gemacht. Heute aber konnte ich sehen, dass nicht wenige Frauen sich wie gelähmt ihrem Schicksal ergeben. Das will ich auf keinen Fall!

Wieder zu Hause erzähle ich meiner Mutter von meinen Eindrücken und teile ihr mit, dass ich mich der Gruppe anschließen werde, zumal auch Napirai es genossen hat, mit den vielen Kindern herumzutoben. Morgen will ich bei der Fremdenpolizei nachhaken, was los ist, denn immerhin sind wir nun schon fünf Monate hier.

Als ich am nächsten Morgen anrufe, spüre ich mit jeder Faser meines Körpers, dass dies ein ganz wichtiger Moment ist. Meine Mutter sitzt mit Napirai auf dem Sofa und schaut mich angespannt an, während sie sicher betet.

Nachdem ich mit der zuständigen Stelle verbunden worden bin, erkläre ich der Frau am anderen Ende der Leitung mein Anliegen. Freundlich meint sie, sie werde nachschauen, ich solle warten. Dieses Warten vergesse ich mein ganzes Leben nicht mehr! Mein Herz klopft bis in den Hals hinauf und meine Brust wird eng und enger. Die Sekunden oder Minuten erscheinen mir wie eine Ewigkeit. »Lieber Gott, bitte hilf uns noch dieses eine Mal!«, bete ich in Gedanken und drücke für mich und mein kleines Mädchen die Daumen. Endlich höre ich die Stimme der Dame: »Ihr Name ist Corinne Hofmann, zur Zeit wohnhaft in Wetzikon mit Ihrer Tochter Napirai, geboren am 1. Juli 1989, ist das richtig?«

»Ja«, würge ich heraus.

»Ihr Antrag ist angenommen. Sie bekommen im Verlauf der nächsten Tage noch alles schriftlich bestätigt.« Ich halte die Luft an, doch dann sprudelt es aus mir heraus: »Danke, vielen Dank, Sie machen mich zum

glücklichsten Menschen der Welt. Auf Wiedersehen!«
Ich drehe mich um und rufe überschwänglich: »Wir
können bleiben! Gott sei Dank!«

In diesem Moment fühle ich mich wie neu geboren
und tanze mit Napirai durch die Wohnung. Sie lacht
und kreischt, obwohl sie natürlich nicht weiß, weshalb
ihre Mama so aus dem Häuschen ist. Meine Mutter
weint Tränen der Erleichterung. Vor lauter Freude kann
ich kaum einen klaren Gedanken fassen. Jetzt wird alles
gut. Mit aller Kraft werde ich mich dafür einsetzen,
möglichst schnell eine Arbeit und eine Wohnung zu
finden. Telefonisch informiere ich meine Geschwister
und teile ihnen mein Glück mit. Auch an James schreibe
ich gleich einen Brief. Ich bin ganz außer mir vor Aufregung. Seit der Geburt meiner Tochter habe ich mich
nicht mehr so gefreut wie über diesen einen Satz, ausgesprochen von einer mir völlig fremden Frau. Er bedeutet für mich ein neues Leben! Ob ihr das Ausmaß dieser wenigen Worte wohl bewusst ist? Ach was,
verscheuche ich den Gedanken, Hauptsache, ich habe
mein Ziel erreicht. Sobald ich die schriftliche Bestä-
tigung erhalten habe, werde ich ein Stellengesuch im
»Tages-Anzeiger« aufgeben.

Am Abend freut sich auch Hanspeter über die gute
Nachricht. Beim Essen diskutieren wir, was ich arbeiten
könnte. Ich schlage vor, den ersten Versuch bei einem
Kiosk zu starten. Wenn ich die Frühschicht übernäh-
me, könnte ich bereits mittags zu Hause bei Napirai
sein. Meine Mutter bietet mir an, sich zwei bis drei

Tage um Napirai zu kümmern, da sie sich inzwischen sehr an ihre Enkelin gewöhnt hat und gerne mit ihr zusammen ist. Mit Hanspeter erstelle ich eine Kostenübersicht, was alles auf mich zukommt, wenn ich in eine eigene Wohnung ziehe. Dabei stelle ich schnell fest, dass ich, wenn ich nicht am Hungertuch nagen möchte, doch einen Vollzeit-Job annehmen muss. Schließlich muss ich die gesamte Wohnungseinrichtung neu anschaffen, da ich überhaupt nichts mehr besitze. Keinen Teller, kein Besteck, kein einziges Handtuch, von Möbeln ganz zu schweigen. Deshalb kommt nur eine Außendienstaufgabe in Frage, weil ich mir dann die Zeit einteilen und mit einer Provisionsbeteiligung schnell mehr verdienen könnte. Meine Mutter erinnert mich an den ehemaligen Chef in der Versicherung. Doch obwohl mich das Angebot sehr gefreut hatte, verwerfe ich die Idee, weil ich in dieser Branche hauptsächlich abends arbeiten müsste. Ich möchte erst versuchen, etwas Spannendes tagsüber zu finden, und werde deshalb inserieren.

Selbstverständlich muss ich noch an meinem äußeren Erscheinungsbild arbeiten. Ein neuer Haarschnitt ist dringend nötig und zwei, drei Kostüme sollte ich mir auch besorgen. Doch dafür gibt es ja Secondhand-Shops. Unter Umständen muss ein Auto gekauft werden, was hier in der Schweiz, im Gegensatz zu Kenia, kein allzu großes Problem sein dürfte. Gebrauchtwagenhändler gibt es an jeder Ecke und ein erschwingliches Auto ist sicher leicht zu finden.

Die größte Schwierigkeit sehe ich in meinem mangelnden Selbstvertrauen. Wieder auf fremde Menschen zuzugehen und ihnen etwas schmackhaft zu machen, erscheint mir im Moment noch sehr mutig. Auch die Vorstellung, mich im Stadtverkehr bewegen und mir unbekannte Straßen suchen zu müssen, flößt mir Schrecken ein. Doch was ich früher konnte, werde ich auch heute bald wieder können. Alles scheint mir nun leichter lösbar zu sein als noch vor vier Monaten. Wenn ich daran denke, dass es in Kenia Momente gab, in denen ich vor Schwäche nicht mehr allein stehen konnte und mir 50 Meter als schier unüberwindbare Distanz erschienen, stehe ich heute im Vergleich dazu wie ein »Kraftprotz« da. Ich werde es schaffen, davon bin ich überzeugt!

Ein paar Tage später erhalte ich schriftlich die erneute Niederlassungsbewilligung. Allerdings gilt es noch, die Frage meiner Heirat zu klären. In der Schweiz ist diese nämlich nicht rechtsgültig, wie man mir mitteilt. Da ich die deutsche Staatsangehörigkeit besitze, muss das in Berlin entschieden werden und die Schweiz wird sich dann dem Entscheid von Deutschland anschließen. Es ist also nicht geklärt, ob ich in Europa als verheiratet oder ledig gelte. Doch darüber mache ich mir im Augenblick keine Gedanken. Was das noch für Folgen haben wird, erlebe ich erst ein knappes Jahr später. Im Moment aber bin ich einfach glücklich.

Mein Stellengesuch ist aufgegeben und so warte ich

hoffnungsvoll auf ein gutes Angebot im Außendienst. Auch die Wohnungsinserate studiere ich, aber die Preise und die dürftige Auswahl dämpfen meinen Optimismus. Natürlich muss ich nicht gleich bei meiner Mutter ausziehen, doch allmählich möchte ich, vor allem wenn ich arbeiten gehe, in den eigenen vier Wänden leben.

Gut zwei Wochen nach unserem ersten Treffen in der Gruppe der allein Erziehenden ruft Madeleine an und lädt mich mit Napirai zu einem Kaffeeklatsch ein. Sie wohnt nur ein paar Minuten Autofahrt entfernt im Nachbardorf, das oberhalb von Wetzikon liegt. Auf Anhieb gefällt mir die Wohnanlage. Sie besteht aus vier sich gegenüberliegenden Häuserblocks, auf jeder Seite zwei. In der Mitte befindet sich eine große Grünfläche mit einem Kinderspielplatz, auf dem ein paar Kleinkinder herumtollen. Das würde Napirai natürlich gefallen! Mich begeistert zusätzlich der nahe gelegene Wald mit dem rauschenden Bach.

Madeleine freut sich über unseren Besuch. Ihr Sohn ist zehn Jahre alt und beschäftigt sich mit einer Engelsgeduld mit Napirai. Ausführlich erzählen wir einander unsere Lebensgeschichten und als sie hört, dass ich gerade meine definitive Aufenthaltserlaubnis in der Schweiz wieder bekommen habe, freut sie sich sehr für uns. Ich teile ihr meine Zuversicht mit, bald eine Arbeit zu finden. Nur mit einer Wohnung würde es wohl schwieriger werden, denn ich suchte eine in einer Siedlung wie dieser hier. Madeleine bietet sich an, bei der Verwaltung nachzufragen, doch solle ich mir noch keine Hoffnung machen, denn es bestehen Wartelisten auf diese günstigen Wohnungen. Aber dieser Flecken hat es mir wirklich angetan und ich werde nicht so schnell aufgeben.

Ich zeige ihr noch Fotos von meinem Mann und unserem Shop in Kenia und bitte sie, ihn in ihrem Urlaub aufzusuchen, um ihm einen Brief von mir zu geben. Auch solle sie versuchen, über Sophia etwas herauszufinden. Es scheint mir wie ein bedeutungsvoller Zufall, dass ich ausgerechnet bei meiner ersten aushäusigen Unternehmung jemandem begegnet bin, der nach Kenia fliegt. Mit etwas Wehmut wünsche ich ihr beim Abschied einen schönen Urlaub. Zu Hause schwärme ich meiner Mutter von der Wohngegend vor. Für mich steht fest, dass ich nicht weitersuche, solange ich keinen negativen Bescheid von der Verwaltung bekommen habe.

In den folgenden Tagen tröpfeln per Post vereinzelte Arbeitsangebote herein. Das meiste ist unbrauchbar. Entweder gefällt mir das zu vertreibende Produkt nicht oder die Firmen wollen keinerlei Garantielohn zahlen, worauf ich mich in meiner Situation nicht einlassen kann. Als ich die Hoffnung auf den Erfolg des Inserates schon aufgeben will, erhalte ich ein Angebot aus Zürich. Es geht um Seidenfoulards und Krawatten, die an Unternehmen als Werbegeschenke verkauft werden sollen. Ich schaue mir die beigelegten Prospekte an und spüre,

dass das meine Chance ist. Sofort rufe ich an und vereinbare einen Vorstellungstermin.

Jetzt kommt es auf mich an. Die erste Stelle nach dem
langen Auslandsaufenthalt zu bekommen, wird besonders schwer sein. Ich besorge mir eine anständige Stadt-
karte von Zürich und kaufe ein schönes Kostüm. Dass
ich so lang und dünn bin, hat den Vorteil, dass mir die
meisten Warenhauskleider passen und gut stehen. Beim
Friseur lasse ich mir zum ersten Mal in meinem Leben
die Haare kurz schneiden und rot färben. Ein Paar neue
Stöckelschuhe, nicht zu hoch, geben meinem Aussehen
den letzten Schliff. Mein Massai-Leben, in einer »Kuh-
fladenhütte« an der Feuerstelle auf dem Boden kauernd
und Ugali kochend, sieht mir niemand mehr an. Meine
Mutter bestätigt diesen Eindruck, weil sie mich im ersten Moment kaum erkennt. Auch Napirai staunt mich
unsicher an. Nur meine Stimme scheint ihr vertraut zu
sein. Doch als ich ihr die Brust zum Stillen anbiete,
stürzt sie wie gewohnt auf mich zu. Wohlig saugt sie
sich an und ist nun ganz sicher, dass sie bei ihrer Mama
gelandet ist.

Da ich zu dem Vorstellungsgespräch möglichst entspannt erscheinen möchte, beschließe ich, nicht mit dem
Auto, sondern mit dem Zug nach Zürich zu fahren.
Aber schon am Bahnhof erlebe ich meine erste Nieder-
lage. Ich möchte die Fahrkarte am Schalter lösen, doch
steht dort eine große Menschentraube. Weil bis zur Ab-
fahrt nicht mehr viel Zeit bleibt, frage ich den Mann am
Schalter kurz, ob ich auch im Zug nach Zürich ein Billett

kaufen könne. Er schaut mich verdutzt an und sagt: »Nein, in der S-Bahn geht das nicht. Sie müssen am Automaten auf dem Bahnsteig lösen.« In zwei Minuten kommt der Zug. Ich haste zum angegebenen Gleis und suche den entsprechenden Kasten. Als ich ihn entdecke, kann ich nur verwirrende Zahlen und Pfeile erkennen. Wie ein Steinzeitmensch stehe ich da und weiß nicht, wie ich zu einer Fahrkarte komme. Mit herablassender Nachsicht erklärt mir ein Jugendlicher den Automaten. Ich könnte in den Boden versinken vor Scham. Wie tollpatschig ich doch geworden bin während meines vierjährigen Lebens im Busch!

Die Orientierung in Zürich stellt die nächste Herausforderung dar. Mit Mühe frage ich mich durch. Völlig durchgeschwitzt in meinem schönen neuen Kostüm komme ich bei der vereinbarten Adresse an. Zum Glück habe ich noch zehn Minuten Zeit, mich etwas zu beruhigen.

Im Präsentationsraum strahlen die Foulards in den tollsten Farbkombinationen um die Wette. Ich werde von einer etwa 50-jährigen Frau begrüßt. Nachdem ich mich kurz vorgestellt habe, ruft sie ihren Mann, der wohl für die Einstellung zuständig ist. Es erscheint ein kleiner, älterer, doch vitaler Herr. Er zeigt mir gleich die verschiedenen Qualitäten und Stoffe. Ich bin mir nicht sicher, was ich von dem Paar halten soll, doch die Artikel sind schön und auf jeden Fall gut zu verkaufen, das erkenne ich sofort. Der Mann bittet mich in sein Büro und wir unterhalten uns. Als er erfährt, dass ich erst vor kurzem aus dem Ausland zurückgekommen bin, ist er nicht sehr begeistert, da ihm natürlich Referenzen fehlen. Wohlweislich erzähle ich nur von meiner Geschäftstätigkeit im Souvenirbereich in Mombasa. Die Frage, ob ich verheiratet sei, beantworte ich mit nein, da sowieso noch nicht geklärt ist, wie ich künftig registriert werde. Er wertet das positiv, denn Ehemänner würden häufig auf ihre Frauen im Außendienst mit Eifersucht reagieren. Nach Kindern werde ich nicht gefragt und so erwähne ich meine Tochter vorläufig auch nicht. Am Schluss unterhalten wir uns über das Gehalt. Erstaunlicherweise ist er mit meinem Vorschlag sofort einverstanden, sofern es zu einem Arbeitsverhältnis kommt. Er habe noch einen anderen Interessenten und auch ich solle mir das Ganze nochmal überlegen. Ich sage ihm gleich, dass ich keine Bedenkfrist brauche und sobald wie möglich anfangen möchte. Er lacht und meint: »Ich rufe Sie in den nächsten Tagen an.«

Obwohl ich nicht weiß, wie seine Entscheidung ausfällt, mache ich mir auf dem Weg zur Straßenbahn bereits Gedanken, wie ich vorgehen könnte, denn es besteht kein Kundenstamm und ich müsste alles neu aufbauen. Bis jetzt verkaufte er nur an Kleidergeschäfte als Wiederverkäufer. Ich aber soll die teuren Markenprodukte bei der Industriekundschaft als Firmenwerbegeschenke einführen. Der Job reizt mich, denn an Stelle von nüchternen Versicherungsverträgen könnte ich schöne Produkte präsentieren. Die Heimreise gestaltet sich problemlos. »Siehst du, Corinne, so wird dir jeder

Arbeitstag das Leben hier wieder näher bringen und einfacher machen«, schmunzele ich in mich hinein.

Zu Hause stürzt sich Napirai auf mich und schiebt mir den Pullover hoch, um an meiner Brust zu saugen. Oh, wie ich mein Mädchen mit ihren braunen Kraushaaren und ihren dunklen Kirschaugen liebe! Das wird schon eine Umstellung, wenn wir den Tag nicht mehr zusammen verbringen können. Aber ich weiß, dass sie es bei meiner Mutter wirklich gut hat, denn sie liebt sie wie eine eigene Tochter.

Nun müssen wir noch eine Tagesmutter suchen, die Napirai die restlichen zwei Tage in der Woche versorgen kann. Am liebsten hätte ich jemanden mit Kindern, denn Napirai vermisst das Spielen mit Gleichaltrigen. In Wetzikon gibt es eine Familienberatungsstelle, die ich am nächsten Tag aufsuche, um mich zu erkundigen, wie ich am besten eine Familie finden kann. Die ältere Dame dort ist sehr nett und hilfsbereit und verspricht mir, sich umzuhören und mich so bald wie möglich zu informieren. Dankbar und erleichtert schlendere ich anschließend durch das Dorf und denke nicht ohne Staunen darüber nach, wie einfach mein Leben wieder geworden ist. Mit jedem kann ich sprechen und jeder versteht mich. Überall kann ich mich erkundigen oder erhalte sogar Hilfe. Seltsamerweise wird mir mit zunehmender zeitlicher Distanz immer klarer, wie hart und schwierig mein Leben in Kenia war. Nur weil mich meine große Liebe zu Lketinga so beflügelte, habe ich es damals nicht so empfunden.

Nun ist in puncto Arbeit, Wohnung und Kinderbetreuung alles auf den Weg gebracht und ich kann nur noch auf die einzelnen Bescheide warten. Ich spüre, dass sich mein Leben in kurzer Zeit von Grund auf verändern wird und bin voller Neugier.

Am Abend ruft mich Madeleine an und erzählt, dass zur Zeit leider keine Wohnung frei wird und für jede Wohnung eine Warteliste existiert. Trotzdem gibt sie mir die Adresse der Verwaltung. Vielleicht sei es besser, wenn ich mich persönlich melden würde. Ich bedanke mich und wünsche ihr nochmals schöne Ferien in Kenia, denn sie fliegt am nächsten Tag ab. Enttäuscht versuche ich, die Nachricht zu verdauen und beschließe, noch ein paar Tage abzuwarten.

Von meinem hoffentlich zukünftigen Arbeitgeber habe ich seit dem Vorstellungsgespräch nichts mehr gehört. Da ich auch keine anderen Angebote erhalten habe, bin ich entschlossen, um diesen Job zu kämpfen. Deshalb rufe ich an und frage nach. Der vitale, ältere Herr drückt sich um eine klare Antwort ein wenig herum. Ich frage ihn kurzerhand, wo sein Problem sei. Nun, er wisse nicht so recht, ob ich die geeignete Person sei. Er würde es zwar mit mir versuchen, aber nicht zu dem vereinbarten Lohn, da ich schließlich keine Berufspraxis habe. Ich müsse meine Gehaltsforderung deutlich reduzieren. Ungehalten erkläre ich ihm, dass ich mein verlangtes Geld auf jeden Fall wert bin. »Wer in Afrika erfolgreich Geschäfte gemacht hat, wird auch hier erfolgreich sein!« Nach einigem Hin und Her gibt er mir die Zusage, dass ich am 1. Mai anfangen könne. Zwei Tage später halte ich den Vertrag in Händen. Die erste Stelle, für die ich mich beworben habe, habe ich erhalten. Wenn ich kein Glückskind bin!

Wieder auf eigenen Füßen

Mir bleiben zwei Wochen Zeit, mich vorzubereiten und ein Fahrzeug zu besorgen. Obwohl ich mich auf die Herausforderung freue, habe ich manchmal auch Bedenken, ob ich überhaupt noch fähig bin, mich in der Geschäftswelt zu behaupten. Es folgen sehr hektische Tage. Ich finde einen alten Ford, den ich mir gerade noch leisten kann. Da die verschiedenen Versicherungen eine Menge Geld verschlingen, geht mein »Notgroschen« langsam zu Ende. Es muss endlich wieder etwas verdient werden.

Drei Tage vor meinem ersten Arbeitstag ruft mich kurz vor Mittag die nette Frau von der Familienberatungsstelle an. Wir hätten Glück, denn es habe sich ein nettes Ehepaar aus Wetzikon gemeldet, das einen Jungen im Alter von Napirai habe. Sie habe schon ein Gespräch geführt und nun solle ich mit Napirai einmal die Familie aufsuchen. Schließlich seien gleiche Erziehungsansichten und gegenseitige Sympathien wichtig. Ich rufe bei der Familie an und wir vereinbaren einen Termin. Während unseres Besuches wird mir das ruhige, ausgeglichene Ehepaar immer sympathischer. Auch die beiden Kinder scheinen sich gut zu verstehen. Schon nach kurzer Zeit sitzen sie auf dem Fußboden und spielen einträchtig mit den Spielsachen des Jungen. Nachdem wir uns ausgiebig beschnuppert haben, vereinbaren wir, dass ich Napirai Donnerstag und Freitag vorbeibringen werde. Die restlichen Tage wird ihre Großmutter für sie sorgen. Nun ist vieles geklärt und ich kann meinen Job antreten.

Der erste Arbeitstag vergeht wie im Flug. Wir haben ausgemacht, dass ich eine Woche im Laden eingearbeitet werde, um die Produkte und die verschiedenen Muster und deren Namen kennen zu lernen. Alles ist neu und aufregend. Erst im Auto auf dem Nachhauseweg merke ich, wie müde ich plötzlich bin. Ich könnte auf der Stelle einschlafen. Während ich mit meiner Müdigkeit kämpfe, kommt mir der Arzt des Krankenhauses in Wamba in den Sinn. Er sagte mir damals, auf Grund meiner schweren Hepatitis werde ich lange Zeit nicht mehr arbeiten können und auch nach Jahren wahrscheinlich nur mit halber Kraft, denn mein körperlicher Gesamtzustand sei völlig desolat und es würde viel Zeit vergehen, bis meine Abwehrkräfte wieder aufgebaut seien. »Das ist sicher nur die Umstellung«, versuche ich mich zu beruhigen und die Erinnerung an meine damaligen Krankheiten zu verdrängen.

Zu Hause empfängt mich Napirai ungeduldig und zerrt wie üblich an meiner Bluse. Ich habe immer noch relativ viel Milch und die Brüste sind gespannt, was mich im Laufe des Tages immer wieder gestört hat. So beschließe ich schweren Herzens, in den nächsten Tagen langsam abzustillen. Alles sei bestens gelaufen, beruhigt mich meine Mutter. Nur nach dem Mittagsschlaf hätte Napirai kurz geweint, weil sie meine Brust nicht hatte.

Sie kennt weder Schnuller noch Fläschchen und jetzt noch damit anzufangen, halte ich für Unsinn. Für einen kleinen Moment meldet sich in mir ein schlechtes Gewissen, denn ich bin nicht gewohnt, dass Napirai weint, außer wenn sie sich körperlich wehgetan hat. In Kenia hört man selten Kinder weinen und schon gar nicht quengeln, wie es mir hier in letzter Zeit häufig aufgefallen ist.

Der einwöchige Einführungskurs bekommt mir gut. Ich habe mit verschiedenen Leuten zu tun und mein Selbstvertrauen, das anscheinend nur ich als unterentwickelt empfinde, wächst von Tag zu Tag. Zum ersten Mal seit meiner Rückkehr spüre ich, dass ich auch als Frau wahrgenommen werde. Allzu lange habe ich mich nur noch als Mutter gesehen. Nun aber, wenn ich in den Mittagspausen in das nahe gelegene Restaurant zum Essen gehe, fällt mir der eine oder andere anerkennende Blick auf. Einmal überlege ich für einen kurzen Moment, wann ich das letzte Mal Sex hatte und stelle fest, dass ich es nicht mehr so genau weiß. Bei meinem Mann und mir stand Sexualität nicht im Mittelpunkt. Obwohl ich ihn sehr erotisch fand, musste ich schon zu Beginn unserer Beziehung zur Kenntnis nehmen, dass bei den Samburu weder geküsst noch gestreichelt wird. Sex ist bei ihnen kein Spiel, sondern dient ausschließlich der Fortpflanzung und allenfalls der männlichen Befriedigung. Einen Orgasmus der Frau kennen sie nicht. Ein Grund hierfür ist unter anderem auch die schreckliche Beschneidung der Mädchen. Diese grausame Verstümmelung der weiblichen Genitalien werde ich nie begreifen. Selbst Lketinga konnte es sich kaum erklären, warum den Frauen so etwas angetan wird. Die kurze Dauer der Liebesakte zwischen uns störten mich bald nicht mehr, denn ich liebte meinen Mann aus tiefstem Herzen und war lange Zeit einfach nur glücklich, bei ihm leben zu können.

Während ich die Männer im Restaurant betrachte, gelingt es mir nicht, mir eine Beziehung oder gar Sex vorzustellen. Der Gedanke, mich nach mehr als fünf Jahren mit einem »Weißen« einzulassen, erfüllt mich mit Furcht und überfordert offensichtlich meine »stillgelegten« Fantasien. Oder liegt es nur daran, dass ich einfach nicht verliebt bin und wichtigere Aufgaben habe? Dennoch stelle ich fest, dass mir die ungewohnte Aufmerksamkeit gut tut, und so genieße ich sie während der kurzen Mittagszeit aus gesicherter Distanz, zumal sie nicht aufdringlich ist.

Als ich Napirai zum ersten Mal bei der Tagesmutter abgeben muss, zerreißt es mir fast das Herz. Ihre Mundwinkel beginnen zu zittern und ihre dunklen Augen füllen sich mit Tränen. Weinend stammelt sie immerzu »Mamaaaa« und streckt ihre Ärmchen nach mir aus. Die Pflegemutter nimmt Napirai auf den Arm und spricht beruhigend auf sie ein, während sie liebevoll ihre Löckchen streichelt. Sie wird es hier gut haben, spüre ich bei diesem Anblick erleichtert und gehe dennoch schweren Herzens arbeiten. Erst im Geschäft werde ich durch die neue Aufgabe abgelenkt. Heute fange ich an, telefonisch Termine zu vereinbaren. Es ist nicht einfach, das Interesse der zuständigen Personen zu gewinnen, doch bis zum Abend stehen einige wenige Termine fest. Sofort nach der Arbeit fahre ich zur Pflegefamilie und stürme förmlich in meinen Stöckelschuhen die drei Stockwerke hoch. Napirai öffnet mit ihrer Ersatzmami die Tür und an ihrem verschmierten Gesichtchen ist zu erkennen, dass sie wohl gerade Abendbrot gegessen hat. Sie stürzt nicht mehr sofort auf meinen Pulli los, sondern nimmt meine Hand und zieht mich plappernd in das Zimmer, in dem die beiden Kinder offenbar bis vor kurzem gespielt haben. Sie wirkt fröhlich und zufrieden und mir fällt ein Stein vom Herzen. Als wir nach Hause zu meiner Mutter kommen, gibt es ein großes Hallo, denn es war das erste Mal, dass Napirai so lange von ihr fort war.

Meine Mutter überreicht mir zwei Briefe aus Kenia. »Oh, gleich zwei«, staune ich und nehme an, der zweite sei von Sophia. Im ersten schreibt James, dass er sich sehr freut, weil wir uns in der Schweiz ansiedeln dürfen. Alle hätten für uns gebetet und nun hätte es genützt. Auch bedankt er sich im Namen von Mama für das Geld, das sie durch die Mission bekommen habe. Es ist ein liebevoller Brief und ich bin froh, dass alles so gut klappt. Der zweite, laut Briefkopf schon vor drei Wochen geschrieben, ist von Lketinga. Ich bin sehr überrascht, denn es ist das erste Lebenszeichen von ihm seit unserem Telefonat vor einem halben Jahr.

Liebe Corinne Leparmorijo

Jambo! Wie geht es dir, meine Frau? Ich hoffe, du bist okay. Mir geht es gut, aber ich vermisse dich und meine Tochter sehr. Ich hoffe, du hast gehört, dass mein Auto gebrannt hat, aber ich weiß nicht, wie es passiert ist. Eine Seite war ganz kaputt. Die meisten Probleme habe ich mit dem Shop, in dem ich noch arbeite. Seit du im Oktober zurückgegangen bist, haben wir kein Geschäft mehr gemacht. Ich habe die Shop-Miete nicht bezahlt, nur die Hälfte vom Februar, 5000 Kenia-Schillinge. So warte ich, um im Mai 21 000 Ksh zu zahlen. Wegen der Golfkrise machen wir kein Geschäft.

Alle haben diesen Ort verlassen. Den Indienshop gibt es nicht mehr. Geblieben sind nur Doktor Kulumba und das chinesische Restaurant. Ich habe jetzt das Auto verkauft und dafür einen kleinen Toyota Saloon gekauft.

Ich habe es für 80 000 Ksh verkauft, aber die Person, die es gekauft hat, hat nie alles bezahlt, sondern nur 67 000 Ksh. Deshalb, bitte, darfst du mich nicht vergessen. Schicke mir Geld, damit ich die Shop-Miete bezahlen kann. Ich fahre jetzt Taxi für die Touristen, die noch kommen. Ich hoffe, du bekommst einige Briefe von meinem Bruder, oder nicht?

Wir haben viel Regen in Mombasa. Es ist jetzt unser Winter. Viele Grüße von den Kamau-Massai, sie vermissen dich und Napirai. Sie nennen mich

immer Papa Napirai. Dann erinnere ich mich so
sehr an meine Tochter. Wenn ihr nicht zurück-
kommt, lass es mich wissen, dann will ich mei-
ner Tochter ihre Kleider und Puppen schicken.
Schreibe mir, was du jetzt machst. Arbeitest du
oder bist du nur bei deiner Mama zu Hause?
Ich wollte nicht, dass Priszilla für mich schreibt,
weil sie nie schreiben will, was ich sage. Sie
schreibt nur nach ihrem Kopf. Deshalb hat mir bei
diesem Brief ein Freund geholfen.
Viele Grüße an meine Tochter. Ich vermisse sie
und ihre Liebe zu mir. Ich vermisse euch beide.
Viele Grüße an die ganze Familie
Lketinga Leparmorijo

Meine erste Reaktion auf den Brief ist Wut. Ich verstehe
nicht, dass er mich um Geld bittet, nachdem ich ihm
alles, was ich hatte, überlassen habe. Für kenianische
Verhältnisse war er vor einem halben Jahr steinreich.
Andererseits ist mir auch klar, dass er den Laden nicht
allein organisieren kann. Noch einmal lese ich den Brief
und werde sehr traurig. Ich spüre, dass er uns wirklich
vermisst und uns auch brauchen würde. Bilder tauchen
in mir auf und mir gehen die schönen Zeiten durch den
Kopf, als wir glücklich durch den Busch gezogen sind.
Ich sehe Lketinga vor mir, wie er mir stolz alle Wurzeln
und Sträucher erklärte, wie er mir am Fluss, abgeschirmt
von neugierigen Blicken, zärtlich den Rücken wusch,
mit einer Engelsgeduld meine Haare einseifte und sie

mit dem spärlichen Flusswasser mit Hilfe einer Dose ausspülte. Wie er besorgt nach Essen suchte, als ich krank und schwach war. Oder wie er mich auch bei den größten Problemen anstrahlte und sagte: »No problem, my wife.« Immer mehr verliere ich mich in positiven Erinnerungen, während die vielen schrecklichen Szenen im Hintergrund verschwimmen. Doch wenn ich meinen Verstand gebrauche, weiß ich, dass es ein Zurück nicht geben kann. Ich würde mein Leben wegwerfen!

Eines steht fest: Ich kann und will ihm nicht helfen, denn ich habe kein Geld mehr übrig. Ich bin gespannt, was Madeleine mir berichten wird, wenn sie aus dem Urlaub zurück ist.

Sonntag Abend ruft sie mich an und hat eine schlechte und eine gute Nachricht. Der Urlaub habe ihr sehr gefallen und sie sei traurig, dass alles schon wieder vorbei ist. »Hast du Lketinga den Brief gegeben?«, frage ich dazwischen. »Nein, ich war zwei Mal beim Laden, aber er war immer geschlossen. Überhaupt wirkt dort alles wie ausgestorben und in deinem ehemaligen Geschäft befinden sich nur noch wenige Artikel. Ich glaube ehrlich gesagt nicht, dass dort noch gearbeitet wird«, erzählt sie mir. Es gibt mir doch einen Stich ins Herz, dass das, was ich mit mühevoller Arbeit aufgebaut habe, so heruntergewirtschaftet wurde. Sophia habe sie nicht angetroffen, aber erfahren, dass sie verreist sei. Ich bin etwas enttäuscht, dass sie mir nicht mehr berichten kann, aber zumindest weiß ich nun, dass das gewünschte Geld für den Shop nicht mehr nötig ist.

Nun aber kommt die erfreuliche Nachricht, die mein jetziges Leben betrifft. Sie habe gehört, dass im gegenüberliegenden Block eine Zweieinhalb-Zimmer-Wohnung frei würde, die vielleicht noch nicht vergeben ist. Die Aussicht, unter Umständen eine Wohnung in meiner Traumsiedlung erhalten zu können, elektrisiert mich. Sofort setze ich mich hin und schreibe an die Verwaltung einen langen Brief, in dem ich meine Situation schildere. Ich bitte um eine Chance für mich und meine Tochter Napirai. Zwei Tage später rufe ich an. Die Sachbearbeiterin kann sich gleich an mein Schreiben erinnern, meint aber, es gäbe eine lange Warteliste. Nachdem ich ihr noch einmal eindringlich meine besondere Notlage geschildert habe, bittet sie mich freundlich, ihr eine Nacht Bedenkzeit zu lassen, sie werde mir morgen Bescheid geben. Wieder folgt ein Stoßgebet zum Himmel. Auch meine Mutter ist aufgeregt und schlägt vor: »Lass uns schnell dort hinfahren! Schließlich möchte ich sehen, wofür ich beten soll.« Wir sind begeistert, als wir den Gartensitzplatz sehen. Napirai könnte dort auf dem Rasen spielen und im Sommer würden wir ein Planschbecken für sie aufstellen. Schon schmieden meine Mutter und ich Pläne. Es wäre zu schön, wenn ich diese Wohnung bekäme!

Am nächsten Tag stehen meine ersten Außendienstbesuche an. Mit zwei beladenen Taschen erscheine ich bei verschiedenen Firmen und zeige die Krawatten und Foulards. Soforterfolge gibt es leider keine, da alle erst das Firmenbudget für Werbegeschenke abklären müssen. Ich solle mich in drei bis vier Wochen wieder melden. Obwohl fast jeder der Kunden für sich persönlich etwas kauft, bringt das natürlich noch nicht den erhofften Umsatz und die damit verbundenen Provisionen. Na ja, es sind meine ersten Versuche und mir ist klar, dass ich viel Aufbauarbeit leisten muss.

Am Abend sitzen wir nervös beim Essen und warten auf den Anruf der Wohnungsverwaltung. Langsam verstreicht die Zeit und meine Hoffnung beginnt bereits zu schwinden, als es kurz vor zehn klingelt. Tatsächlich, es ist die nette Dame von der Wohnungsverwaltung. Sie entschuldigt sich für den späten Anruf und fragt mich, ob ich denn schon eine Arbeit hätte und welche. Ich bin sofort wieder hellwach und gebe freudig Auskunft. Dann höre ich einen tiefen Atemzug und sie sagt: »Gut, ich mache bei Ihnen eine Ausnahme, denn seit ich Ihren Brief gelesen habe, gehen Sie und Ihre Tochter mir nicht mehr aus dem Kopf. Ich werde Ihnen den Vertrag zustellen. Den genauen Einzugstermin kann ich Ihnen allerdings noch nicht mitteilen, weil die Erben der verstorbenen Vormieterin noch einiges regeln müssen.« Mit Tränen in den Augen bedanke ich mich und kann mein Glück kaum fassen. Sogar meine Mutter glaubt langsam: »Trotz allem bist du wirklich ein Glückspilz, ich gratuliere dir. Aber jetzt werden eine Menge Ausgaben auf dich zukommen.« Ich entgegne, dass ich doch nur das Nötigste zum Leben brauche. Sofort rufe ich Madeleine an und gemeinsam freuen wir uns auf meinen baldigen Einzug. Da ich keine

Möbel besitze, wird der Umzug leicht zu bewerkstelligen sein.

Ein paar Tage später ruft mich ein mir unbekannter Mann an. Es stellt sich heraus, dass es ein Sohn der Vormieterin ist. Er hätte durch die Verwaltung von meiner Geschichte erfahren und wolle mir einen Vorschlag unterbreiten. »Ich habe gehört, dass Sie in die Wohnung meiner verstorbenen Mutter ziehen werden, und soviel ich weiß, besitzen Sie nichts, weil Sie gerade aus dem Ausland zurückgekommen sind. Nun möchte ich Ihnen vorschlagen, sich die Wohnungseinrichtung anzuschauen. Was Sie haben möchten, können Sie übernehmen. Den Rest lasse ich vom Sperrmüll abholen. Als Gegenleistung müssten Sie die Endreinigung übernehmen. Ist Ihnen das recht?« Ich bin überwältigt und gerührt. Dankend nehme ich an und wir vereinbaren einen Besichtigungstermin. Langsam wird mir mein Glück fast unheimlich. Zur Besichtigung kommt meine Mutter als Beraterin mit. Als ich die Wohnung betrete, bin ich sofort begeistert und weiß, dass wir uns hier wohl fühlen werden. Nach meinen kenianischen Hüttenbehausungen erscheinen mir das große helle Wohnzimmer, das Schlafzimmer, die offene Küche und das kleine Bad wie ein Palast. Die Möblierung ist zwar etwas altmodisch, aber mich stört das überhaupt nicht, da alles sauber und gepflegt aussieht und sich mit etwas Geschick mehr Farbe hineinzaubern lässt. Eine komplette Kücheneinrichtung, vom Porzellangeschirr mit Goldrand bis zur Bratpfanne, von der Knoblauchpresse bis zum Schneebesen, ist vorhanden und im Wandschrank im Korridor stapeln sich Handtücher und Bettwäsche. Schnell ist mir klar, dass ich hier einziehen und gleich wohnen kann. Es fehlen nur Napirais und meine Kleider. Und das alles, ohne einen Franken aus der Hand zu geben! Wieder danke ich dem lieben Gott für all das Glück, das ich in diesem letzten Monat erfahren durfte.

Während ich begeistert die Räume inspiziere, kommt mir plötzlich der Gedanke, dass mir mit dieser Wohnung eventuell etwas zurückgegeben wird. Bevor ich nämlich endgültig nach Kenia aufbrach, hatte ich eine ähnliche kleine Wohnung. Da ich überzeugt war, dass ich nie wieder zurückkehren würde, übergab ich die Wohnung mit der kompletten Einrichtung einem Studenten für den Preis meines Flugtickets. Auch er konnte damals sein Glück kaum fassen. Ich sehe den jungen Burschen, der das Technikum besuchen wollte, mit seiner Mutter noch vor mir, wie sie mich erstaunt fragten, ob ich wirklich nichts mehr brauche. »Nein, dort, wohin ich gehe, braucht man das alles nicht«, sagte ich lachend.

Und so betrachte ich das heute als »Retourgeschenk«. Ich bedanke mich nochmals bei dem netten Herrn und erkläre ihm, wie unendlich viel leichter er mir mein Leben mit dieser Geste macht. Er wirkt fast verlegen und verabschiedet sich schnell. Auf der anderen Seite öffnet sich die Tür und meine zukünftige Nachbarin erscheint. Ich stelle mich vor und sage ihr, wie sehr ich mich freue hier einzuziehen. Als noch zwei Mädchen den Kopf zur

Tür herausstrecken, ist mir klar, dass wir auch für Napirai das Paradies gefunden haben.

Die Arbeitswoche vergeht schnell und ich kann die ersten größeren und kleineren Erfolge verbuchen. In der letzten Nacht im Haus meiner Mutter kann ich vor Aufregung lange nicht einschlafen. So dankbar ich auch bin, dass ich hier Unterschlupf finden konnte, freue ich mich doch sehr auf meine Unabhängigkeit. Endlich werde ich mit Napirai eine eigene Wohnung haben, in der ich schalten und walten kann, wie ich will. Während ich meinen nächtlichen Gedanken nachhänge, kommt mir in den Sinn, dass ich schon einmal in einer ähnlichen Situation war. Als ich in Barsaloi mit Lketinga die letzte Nacht in Mamas beengter Hütte verbrachte, in der wir ein Jahr zusammen gelebt hatten, konnte ich vor Freude auf den Umzug in unsere eigene, neue, größere Manyatta ebenfalls kaum ein Auge zutun. Ich erinnere mich, mit welchem Stolz ich unsere neue Behausung mit den wenigen Sachen, die ich damals besaß, eingerichtet habe. Eine seltsame Begebenheit, die sich dabei ereignet hat, fällt mir auf einmal ein. Während ich meine Kleider verstaute, entdeckte ich an der getrockneten Kuhmistwand eine kleine graue Schlange. Erschrocken und mit einer Art Reflex erschlug ich das arme Tier mit einem Stein von der Feuerstelle. Als meine Schwiegermama am nächsten Tag davon erfuhr, schien sie nicht sehr begeistert zu sein. Lketinga erklärte mir dann, dass, wenn eine junge Frau beim Bezug ihrer Manyatta eine Babyschlange vorfinde, dies bedeuten würde, dass sie schwanger ist. Deshalb darf man diese kleinen Schlangen nicht töten. Mir tat das Missgeschick zwar sehr Leid, doch war ich mir sicher, dass meine Schlange keine Vorbotin einer Schwangerschaft war. Schließlich hätte ich ja davon etwas merken müssen. Ein paar Wochen später allerdings stellte sich heraus, dass ich genau zu diesem Zeitpunkt bereits schwanger war. »Eine Schlange wird uns morgen sicher nicht erwarten«, denke ich noch, bevor ich endlich einschlafe.

Am nächsten Tag ziehen wir mit unseren wenigen Habseligkeiten in die neue Wohnung ein. Es sind kaum mehr Gegenstände als bei einem nomadischen Umzug meiner Schwiegermama. Nur verstaute sie ihre Sachen nicht in einem Auto, sondern ihr Hab und Gut wurde von einem Esel transportiert. Zuerst wurden die größeren, brauchbaren Äste der Manyatta abgebaut und links und rechts am Esel so befestigt, dass dazwischen die zusammengerollten Kuhfelle der Schlafstätte und die selbst gefertigten Sisalmatten der Dachabdeckung Platz fanden. Rund herum hängte sie ihre wenigen Töpfe, Tassen und Kalebassen. Schon war alles bereit für den langen Fußmarsch durch die Steppe.

Bei uns dauert der Umzug nur knapp eine Stunde. Meine Mutter hat mir eine schöne große Grünpflanze geschenkt, die den Raum lebendiger gestaltet. Auch hat sie uns zum Einstand einen Korb mit Lebensmitteln mitgegeben. Napirai inspiziert alles Neue und weiß nicht so recht, ob sie sich freuen soll. Nach dem Einräumen gehe ich mit ihr auf den Spielplatz, wo sich neben dem Sandkasten auch eine Rutschbahn befindet. Spielende Kinder jeden Alters beäugen uns etwas unsicher und flüstern oder kichern miteinander. Der Kontakt zu andersfarbigen Menschen scheint hier noch ungewohnt zu sein, denn Napirai wird ausgiebig bestaunt. Zwei Kinder rennen sogar weg und kurz darauf sehe ich sie mit ihren Müttern auf den Balkonen stehen. Vom Rest der Kinderschar versuche ich, wenigstens die Namen zu erfahren. Später, als Madeleine zu uns stößt, wird es etwas lebendiger unter den Kindern und sie muss erklären, wer wir sind.

Am Abend koche ich in der neuen Wohnung ein Nudelgericht. Madeleine wird mit ihrem Sohn zu uns kommen und wir wollen ein bisschen Einweihung feiern. Zum ersten Mal koche ich wieder in einer europäischen Küche, denn meine Mutter wollte niemanden in ihr Revier lassen. Ich genieße es, den Schalter des Kochherdes zu drehen, um die gewünschte Platte zu erhitzen, und den Wasserhahn zu öffnen, um den Topf mit Wasser zu füllen. Alles funktioniert unglaublich einfach und schnell. Um diese Aufgaben in unserer Manyatta zu erledigen, brauchte ich zwei bis drei Stunden. Zuerst musste ich zum Fluss hinuntergehen, dort das Wasser mit einer Dose in einen Kanister füllen und dann nach Hause schleppen. Anschließend suchte ich in der Steppe Holz, um damit mühsam ein Feuer zu entfachen. Natürlich gab es kein Zeitungspapier, stattdessen fand man mit etwas Glück Glutreste unter den

Feuersteinen, die durch Pusten wieder zum Leben erweckt werden mussten. Bis sich die ersehnte Flamme entfachte, verbreitete sich beißender Rauch in der Hütte, der einem die Tränen in die Augen trieb und die Luft zum Atmen nahm. Und nun stehe ich hier in meiner Schweizer Wohnung, vollführe zwei Handgriffe und der Topf steht auf dem Herd! Immer wieder erlebe ich diese einfachen Dinge als bewusste Glücksmomente und bin dankbar, auch die andere Seite erlebt zu haben.

Madeleine bringt eine Flasche Rotwein mit und nun können wir richtig feiern. Wir staunen, wie sehr das erste Treffen der allein Erziehenden bereits unser Leben verändert hat. Morgen sehen wir uns alle wieder. Ich bin gespannt, wie unser zweites Treffen verläuft und ob auch andere ähnlich gute Erfahrungen miteinander gemacht haben.

Die Organisatorinnen freuen sich über diese positiven Erfahrungen und meinen: »Genau das wollen wir erreichen. Jede von uns hat ein Beziehungsnetz und kann vielleicht einer anderen helfen. Exakt so soll es funktionieren!«

Mit einer Frau, die neu zu der Gruppe gestoßen ist, komme ich ins Gespräch und kann mich nur wundern. Sie zieht ihre drei Kinder allein auf und lebt auf 1200 Metern Höhe in einem kleinen Dorf mit etwa 50 Einwohnern in einem uralten Haus. Alles muss sie selbst machen, Holz hacken, für warmes Wasser und die Heizung das Feuer im Holzofen schüren und das Haus reparieren. Zum Einkaufen muss sie einen Fußmarsch von zwei Stunden zurücklegen und alles im Rucksack den Berg hinaufschleppen. Im Winter schaufelt sie Berge von Schnee. Seit ihrer Scheidung vor einigen Jahren kommt sie kaum mehr unter Leute. Dass hier in der Schweiz eine junge Frau freiwillig so abgeschieden und altherkömmlich lebt, beeindruckt mich sehr. Ich nehme mir vor, sie am nächsten freien Wochenende zu besuchen, denn ich möchte mich selber überzeugen, wie sie das alles schafft.

Später unterhalte ich mich noch mit einer hübschen Frau, die zwei Töchter hat. Auch sie ist vor kurzem aus dem Ausland zurückgekommen und lebt zur Zeit wieder bei ihren Eltern, nachdem ihre Ehe gescheitert ist. Da sich ihre beiden Mädchen mit Napirai gut verstehen, vereinbaren wir, ein Wochenende gemeinsam zu verbringen. Schnell geht dieser Sonntag zu Ende und jede von uns geht wieder ihren eigenen Weg. Diesmal habe ich in der Gruppe erfahren, dass ich Anspruch auf eine Kinderzulage vom Arbeitgeber habe, und deshalb beschließe ich, meinen Chef, sobald sich eine günstige Gelegenheit bietet, über die Existenz meines Kindes aufzuklären.

Am Ende des zweiten Außendienstmonats habe ich eine zündende Idee. Der Umsatz steigt bisher zu langsam, was daran liegt, dass in den großen Firmen selten sofort bestellt wird. Da ich aber immer wieder die Erfahrung mache, dass fast jede Person, mit der ich in Kontakt komme, für sich persönlich etwas bestellt, kommt mir die Idee, Direktverkäufe an das Personal in Banken, Versicherungen und anderen großen Unternehmen zu organisieren. Mein Chef meint, ich solle es probieren, er werde mich bei einem eventuellen Verkauf unterstützen.

Der Einfall erweist sich als Erfolg. Jetzt bekomme ich Termine, um im Vorfeld die Kollektionen zu zeigen und einen gemeinsamen Verkaufstag zu bestimmen. Bald schon findet der erste Verkauf in einer Bank statt und es läuft hervorragend. Die Männer erwerben gleich mehrere Markenkrawatten und meistens auch noch Foulards und Schultertücher für ihre Ehefrauen. Allerdings finden die Verkäufe normalerweise am Ende der Arbeitszeit statt und so muss auch ich abends länger bleiben. Dafür ist der Umgang mit den Interessenten sehr entspannt und angenehm, da sie sich schon in Feierabendstimmung befinden. Auf Grund der beträchtlich gestiegenen Umsätze hat sich am Ende des Monats mein Gehalt ansehnlich verbessert.

Mittlerweile ist es Hochsommer geworden und ich versuche immer, so früh wie möglich nach Hause zu kommen, um mit meiner Tochter noch draußen spielen zu können. In der neuen Wohnung haben wir uns wunderbar eingelebt. Die Nachbarskinder haben ihre helle Freude an Napirai und es herrscht ein emsiges Hin und Her zwischen den Wohnungen. Einmal sind alle Kinder bei mir, das andere Mal verschwindet Napirai für

Stunden nach drüben. Es geht fast so turbulent zu wie in Kenia und wir sind glücklich. An schönen Abenden sitzt Madeleine bei uns und wir schwatzen oft bis in die Nacht hinein. Napirai schläft ohnehin besser, wenn sie noch Stimmen hört. Sie kann bei jedem Lärm einschlafen, dagegen gar nicht, wenn alles mucksmäuschenstill ist. Mit dem zusätzlich verdienten Geld habe ich einen Kohlegrill und für Napirai ein Planschbecken gekauft. Nun treffen sich die Kinder der halben Siedlung bei uns, was für wunderbare Fröhlichkeit sorgt. Wenn es regnet, ziehen wir Gummistiefel an und streifen durch den nahe gelegenen Wald. Meistens schließen sich ein oder zwei andere Kinder an. Ich sauge den Duft nasser Erde förmlich in mich hinein und freue mich über die grünen Wiesen und Wälder. Bei schönem Wetter bauen wir eine Feuerstelle im Wald und grillen mitgebrachte Würste. Das mögen alle Kinder. Ich selbst liebe den Geruch des Feuers, denn er erinnert mich an das Manyattaleben in Kenia. Meine Gedanken drehen sich jedes Mal um eines meiner vielen Erlebnisse an der Feuerstelle.

Oft grille ich auch zu Hause auf dem neuen Holzkohlengrill. An den Wochenenden ist immer etwas los. Entweder fahren wir mit Madeleine oder mit anderen Frauen aus der Gruppe an einen See zum Baden und Picknicken, oder wir gehen in die Berge und unternehmen kleine Wanderungen. Da immer mehrere Kinder und Frauen dabei sind, macht es allen Freude, und so manche wird von dem einen oder anderen Problem abgelenkt. Schon lange habe ich keine so schöne Sommerzeit mehr verbracht. Alles hat sich sehr schnell zum Guten gewendet. Der einzige Wermutstropfen ist, dass ich nicht weiß, wie es Lketinga geht, denn James hat nichts mehr von ihm gehört, seit er den Shop endgültig aufgegeben hat.

Über die Hürden der Bürokratie

Anfang September werde ich aus meinem euphorischen Hochgefühl abrupt herausgerissen. Es geht um meinen Antrag auf ein Familienstammbuch, den ich schon ganz vergessen hatte. Was ich nun lesen muss, zieht mir fast den Boden unter den Füßen weg. Nach deutschem Recht gelte ich noch als verheiratet, was bedeutet, dass Napirai den Familiennamen des Vaters tragen muss, es sei denn, beide Eltern hätten sich auf einen anderen Namen geeinigt. Außerdem ist der Name erst rechtsgültig, wenn er in einem deutschen Familienstammbuch oder in einem Personalausweis eingetragen ist. Zusätzlich soll ich die Geburtsurkunde meines Ehemannes vorlegen. Wie, um Gottes willen, soll ich eine Geburtsurkunde herbeizaubern, die es gar nicht gibt? Auf einem Formular muss ich tausend Fragen über Lketingas Eltern beantworten. Wie soll ich mir nur all die nötigen Informationen beschaffen von einem Ehemann, von dem mir nicht einmal bekannt ist, wo er sich zur Zeit aufhält?

In meinem Kopf dreht sich alles und mir wird schlecht. Niemals würde Lketinga sein Einverständnis geben, dass Napirai meinen Namen trägt. Die Aufenthaltsgenehmigung in der Schweiz habe ich aber nur auf Grund der Tatsache erhalten, dass wir beide den gleichen Namen und die gleiche Nationalität haben. Ich drehe fast durch vor Angst, dass man mir Napirai wegnehmen könnte. Sollte unsere schöne neu aufgebaute Welt nur wegen ein paar idiotischer Paragraphen einstürzen? Oder sollte Lketinga, der mit unbekanntem Aufenthalt 10 000 Kilometer von uns entfernt lebt, etwa der gesetzliche Vertreter von Napirai sein?

Ich kann es kaum glauben, gehe die Fragen wieder und wieder durch und weiß nicht, wie ich sie jemals beantworten soll. Am liebsten würde ich alles in den Papierkorb werfen. Aber Napirai wird irgendwann einmal einen Personalausweis brauchen und dafür benötigt sie eine anerkannte Geburtsurkunde. Die aber muss in Kenia bestätigt werden. Mein Gott, wie kann das gehen? Langsam weiß ich überhaupt nicht mehr, was ich tun soll. Völlig verzweifelt rufe ich bei meiner Mutter an, die mich zwar zu trösten versucht, mir aber auch nicht weiterhelfen kann.

Da keiner meiner Bekannten über einen solchen Fall Bescheid weiß, rufe ich beim deutschen Generalkonsulat in Zürich an und vereinbare einen Termin. Der zuständige Herr empfängt mich freundlich und zuvorkommend, doch er kann mir auch nicht viel dazu sagen. Die Gesetze seien eben so. Ich solle versuchen, über Lketingas Bruder mehr über die Familie zu erfahren. Dann würde er sehen, was er mit den Angaben anfangen könne und wie weit sie reichen würden.

Erschöpft und schwitzend verlasse ich das Konsulat und weiß im Moment nur, wie schwer alles sein wird. Ich denke an meine geliebten kenianischen Verwandten und daran, wie einfach und archaisch sie leben. Wie kann ich diesen Menschen erklären, dass wir das alles in unserer zivilisierten Welt brauchen? Sie, die nicht einmal ihren Geburtstag kennen und nicht verstehen, warum dieser überhaupt gefeiert wird, sollen nun sogar Angaben über Tote machen! Mir erscheint das absurd.

Weil ich aber keine andere Möglichkeit sehe, schreibe ich James einen langen Brief. Ich bitte ihn, all die vielen Fragen, so gut es geht, zu beantworten und sein Schreiben, falls möglich mit Schreibmaschine, von der Mission bestätigen zu lassen. Ich erkläre ihm noch, wie Leid es mir täte, so viel Aufregung ins Dorf bringen zu müssen, aber für Napirai und mich sei dies alles sehr wichtig. Ohne viel Hoffnung schicke ich den Brief ab. Es wird sicher mehr als zwei bis drei Monate dauern, bis ich Bescheid bekomme, da James um diese Zeit in der Schule ist und erst zu Weihnachten nach Hause kommen wird. Napirais Geburtsurkunde und die Heiratsurkunde werden vom Konsulat nach Kenia geschickt, um sie beglaubigen zu lassen. Auch das wird eine Ewigkeit dauern.

Trotz dieser Aufregungen kehrt langsam der Alltag zurück und ich verdränge mögliche schlechte Nachrichten. Irgendwie wird sich auch dieses Problem lösen lassen.

Ein paar Wochen vor Weihnachten laufen meine Personalverkäufe prächtig, da sich die Produkte hervorragend als Geschenke eignen. Mein Chef ist mit mir sehr zufrieden und least für mich einen schönen neuen Wagen, weil mein alter Ford immer häufiger mitten in der Stadt stehen bleibt, wodurch sich schon etliche Terminprobleme ergeben haben. Bei jeder Autopanne jedoch bin ich beeindruckt, wie schnell und unkompliziert geholfen wird. Entweder hält ein anderer Autofahrer oder man ruft den Pannendienst und erhält innerhalb kürzester Zeit Hilfe. Wie anders waren doch die Probleme in Kenia! Da standen wir oft stunden-, wenn nicht tagelang draußen im Busch und niemand kam vorbei, um zu helfen. Mit der Zeit musste ich lernen, allein am Motor herumzubasteln oder die ewigen Reifenpannen selbst zu reparieren. Nur wenn der Landrover einmal im Schlamm oder in tiefem Sand stecken blieb, konnten mir die Einheimischen helfen, indem sie im Busch Holz für eine harte, griffige Unterlage schlugen.

Stolz fahre ich mit dem neuen Wagen zu meiner Arbeitsstelle. Über Nacht hat es geschneit und die Straßen sind voller Matsch. Ich fühle mich sicher, da mir mein Chef beteuert hat, dass ich mit den Allwetter-Reifen auch bei winterlichen Verhältnissen fahren könne. Dennoch fahre ich vorsichtig und langsam. In einer Rechtskurve jedoch gehorcht mir der Wagen nicht mehr, rutscht auf dem matschigen Schnee einfach geradeaus und bleibt erst nach dem Aufprall auf ein geparktes Auto stehen. Ich bin geschockt. Noch nie in meinem Leben hatte ich einen Unfall. Dabei bin ich weiß Gott in Kenia die verrücktesten Wege gefahren, auf die sich sonst kaum jemand wagte. Ich kann mir nicht erklären, wie das passieren konnte, zumal ich um die Kurve förmlich geschlichen bin. Das schöne neue Auto ist an der vorderen Seite schwer beschädigt und das geparkte Auto sieht auch nicht besser aus. Es öffnen sich verschiedene Wohnungstüren und Fenster und bald steht eine aufgebrachte Frau vor ihrem neuen, nun aber demolierten Auto. Alles tut mir schrecklich Leid und ich muss ständig daran denken, dass mir mein Chef den Kopf abreißen wird. Als der Mann der Geschädigten erscheint, der sich, welch eine Ironie, als Karosseriespengler erweist, sieht er gleich, dass ich keine Winterreifen auf dem Wagen habe. Ich glaube, ich höre nicht richtig und werde langsam hysterisch. Er beruhigt uns zwei Frauen und meint: »So schlimm, wie alles aussieht, wird es schon nicht sein.« Auch mein Chef reagiert am Telefon gelassen und sagt, er schicke einen Abschleppwagen vorbei. So endet meine erste Woche mit dem neuen Wagen. Ich erhalte einen Ersatz, bis mein Auto repariert ist. Den Rest würden die Versicherungen erledigen, beruhigt mich mein Chef. So einfach geht das hier.

Beim Organisieren und Durchführen der Personalverkäufe komme ich immer mehr mit anderen Menschen zusammen. Auch werde ich öfter von dem einen oder anderen Mann zum Essen oder auf einen Drink eingeladen. Bisher habe ich immer abgelehnt. Doch nun habe ich jemanden getroffen, der mir gefällt, und ich nehme seine Einladung an. Wir verabreden uns zum Essen und so gehe ich zum ersten Mal seit meiner Rückkehr aus Kenia mit einem Mann aus, während Napirai bei meiner Mutter übernachtet. Schon während des Essens, beim Erzählen, merke ich, dass mein Vorleben nicht auf allzu viel Begeisterung stößt. »Ach, du hast auch schon ein Kind?«, ist eine der spannenden Bemerkungen seinerseits, wobei der Tonfall alles sagt und der Abend entsprechend schnell endet. Ein anderes Mal muss ich mir anhören: »Aha, du stehst wohl eher auf Schwarze?« Auch wenn ich erzähle, dass ich nur einen afrikanischen Mann kenne, nämlich meinen Ehemann, bleibt doch ein komischer Beigeschmack hängen. Einmal kommt gar die Frage: »Hast du schon einen Aidstest gemacht?« Ich bin jedes Mal total ernüchtert und so enden die »Affären« meist, bevor sie richtig beginnen können. Bald bin ich es leid, nur wegen eines Abendessens mit oft unerfreulicher Unterhaltung meine Tochter zum Übernachten wegzugeben. Eher genieße ich es, für Freundinnen zu kochen und unsere Feste zu Hause zu feiern. Oder ich treffe mich ab und zu mit früheren Kolleginnen und Kollegen aus Rapperswil, wenn dort in einem Restaurant Live-Musik gespielt wird. Da kann ich Napirai mitnehmen, worüber sie sich immer freut. Sie liebt es, inmitten vieler Menschen zu sein, und im Restaurant steht sie direkt vor der spielenden Band und tanzt fröhlich vor sich hin. Die Leute amüsieren sich über sie. Manchmal geht sie von Tisch zu Tisch und schaut die Menschen einfach nur an. Wenn sie wieder an unseren Platz zurückkommt, bringt sie oft ein kleines

Geschenk mit. Ich muss lachen, obwohl ich mich manchmal frage, ob diese Sympathie ihrer Hautfarbe gilt oder der Tatsache, dass sie so neugierig und fröhlich ist. Sitzen wir aber um elf Uhr nachts immer noch zufrieden im Lokal, höre ich hin und wieder die Bemerkung: »Ein Kind gehört um diese Zeit ins Bett!« Ja, und die Mutter wohl gleich mit, denke ich mir. Meine Tochter ist glücklich, bei mir zu sein und freut sich wie ich an der Musik und unserem Zusammensein. Außerdem können wir am Wochenende ausschlafen. Im Süden nehmen die Menschen die Kinder auch mit und bekanntlich sind dort die meisten Leute lustiger. Ich lasse mich nicht beeindrucken und bleibe mit meinem Kind sitzen, bis ich merke, dass sie wirklich müde wird. Zufrieden fahren wir dann nach Hause.

Bei einem der nächsten Gruppen-Treffen erwähne ich diese Bemerkungen und sofort entwickelt sich eine rege Diskussion. Viele verunsicherte, allein stehende Frauen haben nicht genügend Mut und bleiben deshalb mit ihren kleinen Kindern allen Veranstaltungen fern, bis ihnen zu Hause die Decke auf den Kopf fällt. Nein, ich lebe und erziehe meine Tochter so, wie es mir mein Gefühl sagt.

Wieder stecken wir mitten in der Vorweihnachtszeit und alles ist tief verschneit. In unserer Wohnsiedlung werde ich gefragt, ob ich mit Napirai den Nikolaustag in einer Waldhütte mitfeiern möchte. Es werde ein Nikolaus mit Esel und allem, was dazugehört, vorbeikommen. Jeder beteiligt sich mit einem geringen Betrag. Ich sage zu und bin gespannt, wie Napirai darauf reagieren wird. Zehn Erwachsene treffen sich mit ihren Kindern in der Hütte. Alles ist festlich dekoriert und gedeckt mit Nüssen, Mandarinen, Kerzen und Wein. Nach etwa einer Stunde hören wir das Bimmeln von Glöckchen und dann ein Poltern an der Tür. Die Kinder sind aufgeregt und springen zu ihren Eltern. Napirai schaut mich überrascht an und dann wieder wie gebannt auf die Tür. Es erscheinen zwei rote Nikoläuse und ein schwarz gekleideter Schmutzli, der Knecht Ruprecht, mit Rute. Einen Moment lang wird es still in der Hütte. Erst als wir Erwachsenen die Nikoläuse begrüßen, fangen die Kinder an zu lachen oder sie verkriechen sich schnell bei ihren Eltern. Napirai staunt und fragt: »Mama, wer ist das?« Spielerisch erkläre ich ihr das Ganze und dann hören wir uns die Sprüche für die jeweiligen Kinder an, bevor sie ihre gefüllten Säckchen beim Nikolaus abholen können. Napirai aber will nur zu dem schwarz gekleideten Mann hin. Sie hat keinerlei Interesse an den roten Nikoläusen, sondern stellt sich vor den Knecht Ruprecht hin und versucht, ihm in den aufgeklebten langen, schwarzen Bart zu fassen. Die Situation ist für alle so komisch, dass ein Riesengelächter entsteht. Die meisten Kinder machen einen Bogen um diesen Mann, und Napirais Interesse gilt ausschließlich ihm. Wir lachen Tränen. Mir ist klar, dass dies etwas mit Afrika zu tun hat. Sicher erinnert sie sich an ihre afrikanische Herkunft und immer noch sind ihr dunkle Menschen vertraut.

Bei der Gelegenheit fällt mir eine komische Situation ein, als wir vor etwa einem halben Jahr beim Einkaufen waren. Wir fuhren die Rolltreppe hoch, als uns auf der anderen Seite ein farbiger Mann entgegenkam. Napirai saß im Einkaufswagen, zeigte mit dem Finger auf den Mann und rief laut: »Papa!« Der Mann lächelte uns an, während ich einen hochroten Kopf bekam.

Und nun hängt sie an dem verkleideten schwarzen Knecht Ruprecht. Ich bin sicher, wenn sie erwachsen ist, wird sie ihren Vater besuchen wollen. Unsere Niko-lausfeier geht dem Ende entgegen und wir räumen die Hütte gemeinsam auf. Napirai trägt auf dem Nach-hauseweg stolz ihr Säcklein, das mit Nüssen, Lebkuchen und Schokolade gefüllt ist.

Einige Tage später erhalte ich einen Brief von James, in dem er berichtet, dass es allen einigermaßen gut geht. Aber seit fast einem Jahr hat es nicht mehr geregnet und Menschen und Tiere leiden Hunger. Wegen der Dürre sind schon viele gestorben. Es wächst kein Gras mehr und deshalb verenden die Kühe und die Menschen ha-ben keine Milch, die für sie ein Hauptnahrungsmittel ist. Seiner Familie geht es aber auf Grund der finanziel-len Hilfe, die sie durch mich und meinen Bruder Marc erfahren, wesentlich besser. Er bedankt sich nochmals überschwänglich und grüßt uns von der ganzen Familie. Über meine Anfrage wegen des Familienstammbuches schreibt er nichts und so weiß ich nicht, ob sich unsere Briefe gekreuzt haben oder ob mein Brief verloren gegangen ist. Ich werde noch etwas abwarten. Von Lketinga wisse er immer noch nichts, doch nach Mombasa möchte er nicht fahren. Er werde mich informieren, sobald er etwas Neues höre. Über die kommende Weihnachtszeit sei er für zwei Monate zu Hause und feiere wieder eine größere Zeremonie. Dafür müsse er noch eine Kuh kaufen, habe aber kein Geld. Er hoffe auch in diesem Fall auf meine Unterstützung.

Weihnachten feiern wir bei meiner Mutter und Hanspeter. Auch diesmal häufen sich die Geschenke für meine Tochter und mich plagt ein schlechtes Gewissen angesichts der Not und Dürre auf der anderen Seite der Erde.

Zu Silvester hat uns die Vorsitzende der Gruppe für allein Erziehende zu sich nach Hause eingeladen. Alle bringen wieder etwas mit: Salate, Pizza, Kuchen, Fleisch, Wein oder Champagner. Schließlich sind wir etwa dreizehn Erwachsene und doppelt so viele Kinder jeden Alters. Wir essen vom herrlichen Buffet und tanzen anschließend in der schön dekorierten Wohnung. Nach zehn Uhr haben wir immer noch so viel Essen übrig, dass wir überlegen, was zu tun ist. Da kommt die Idee auf, bei einer Radiostation anzurufen und eine entsprechende Meldung durchzugeben. Nach einigen vergeblichen Versuchen gelingt es einer von uns, zum Sender durchzukommen. Sie erzählt kurz von unserem Fest, dass wir dreizehn Frauen sind und auf viel Essbarem sitzen geblieben sind. Mitbringen müsse man nur gute Laune. Die Kinder werden nicht erwähnt. Kurz darauf klingelt ununterbrochen das Telefon und es melden sich reihenweise einsame Männer oder gar Männergruppen. Denen, die sich nett anhören, teilen wir die Adresse mit, aber nach etwa zehn Minuten nehmen wir keine weiteren Anrufe mehr entgegen, die Wohnung würde sonst aus allen Nähten platzen. Es dauert nicht lange und die ersten Besucher melden sich an der Wohnungstür. Die älteren Kinder stürmen zur Tür, um zu öffnen. Die Besucher entschuldigen sich und meinen, am falschen Ort geklingelt zu haben. Doch die Kinder, gut »dressiert«, sagen: »Nein, nein, kommt nur rein. Unsere Mütter sitzen oder tanzen im Wohnzimmer.« Alle werden so empfangen. Die einen sind erstaunt und bleiben trotz der Kinder da. Andere verabschieden sich gleich an der Tür. Um Mitternacht sitzen acht Männer herum und lassen sich geduldig von den Kindern Hüte und Pappnasen aufsetzen, die zuvor aus dem Tischfeuerwerk geplatzt sind. Gegen zwei Uhr nachts machen allerdings auch die aufgewecktesten Kinder schlapp und so beenden wir das außergewöhnliche und lustige Silvesterfest.

Zu Hause lege ich die schlafende Napirai ins Bett und sinniere über mein vergangenes Jahr. Es hat sich so viel verändert, aber ich fühle mich glücklich. Ich sitze in einer gemütlichen Zweieinhalb-Zimmer-Wohnung und empfinde sie auch nach fast einem Jahr als riesengroß im Vergleich zu meinen vorherigen Behausungen. Noch heute betrachte ich manchmal den Kühlschrank eine ganze Weile, bevor ich mir etwas Essbares herausole.

Einfach so, aus Achtung und Respekt. Ja, wir haben es geschafft und ich danke dem lieben Gott für alles, was mir im vergangenen Jahr widerfahren ist, und bin gespannt, wie das kommende Jahr 1992 wird.

Gleich zu Beginn des Jahres habe ich einen Untersuchungstermin bei meinem Hausarzt. Ich muss meine Blut- und Leberwerte kontrollieren lassen. Der Arzt, der meine Geschichte vom ersten Besuch her kennt, ist überrascht, wie gut erholt ich nach diesem Jahr aussehe. Das ist nicht verwunderlich, denn ich habe fast zehn Kilo zugenommen. Zwar bin ich immer noch sehr schlank, wirke aber nicht mehr mager. Bei den Blutwerten findet er nur noch wenige Malaria-Erreger, was bei der Häufigkeit, mit der ich diese schwere Tropenkrankheit hatte, höchst ungewöhnlich ist. Auch über die Leberwerte ist der Arzt verblüfft und kann es kaum glauben, dass ich als fast gesund einzustufen bin. Ich erkläre ihm, dass ich mich hier in der Schweiz nie mit meiner Krankheit auseinander gesetzt hätte, sondern mich schon bald als gesund betrachtet habe. »Anscheinend hat Ihre Einstellung viel dazu beigetragen, denn Sie haben sich in der kurzen Zeit so gut erholt, wie ich es noch nie erlebt habe«, sagt er erfreut und entlässt mich als gesund.

Der Januar ist kalt und nass. Die Termine laufen nicht so gut wie in der Weihnachtszeit. Die Menschen wirken abweisend und mürrisch. Auch mein Chef meckert, dass der Umsatz höher liegen könnte. Mir dagegen ist klar, dass im Januarloch nicht allzu hohe Erwartungen gestellt werden können. Das weiß ich noch aus meinen früheren Tätigkeiten. Er müsste das ebenfalls wissen, zumal er schon über 40 Jahre im Geschäft ist, wie er mir einmal stolz mitteilte. Im Moment bin ich jedenfalls um jede kleine Bestellung froh. Im Februar geht es bestimmt wieder bergauf.

Die einzige große Abwechslung ist der Karneval, der im Dorf gefeiert wird. Napirai macht das erste Mal mit und hat sich als Hexe verkleidet. Sie zieht mit einer Freundin los und freut sich über die närrischen Dinge, die um sie herum passieren. Ansonsten hat sie sich wunderbar bei der Pflegefamilie eingelebt. Es kommt sogar vor, dass sie noch gar nicht nach Hause möchte, wenn ich erscheine, weil sie so ins Spiel mit den anderen Kindern vertieft ist. Obwohl mich das am Anfang ein wenig schmerzt, bin ich auf der anderen Seite überglücklich, dass es ihr dort so gut gefällt.

Endlich erhalte ich den maschinengeschriebenen Brief aus Barsaloi. Ich bin überwältigt, dass James das zu Stande gebracht hat. Die ganze Familie freue sich und Mama habe vor Rührung sogar geweint, als sie erfuhr, dass sie hier in der Schweiz offiziell in ein Familienstammbuch eingetragen werden soll. Mit allem habe ich gerechnet, nur nicht mit dieser Reaktion. So laufen auch mir Tränen über das Gesicht, während ich meine Schwiegermama plötzlich wieder sehr vermisse. Nahezu alle Fragen sind beantwortet und das Schreiben ist von der Mission gestempelt. Sie bedauern nur, dass keine Geburtsurkunde und auch kein genaues Geburtsdatum von Lketinga existieren. Aber sogar über den verstorbenen Vater bekomme ich Auskunft. Oh, wie ich mich freue und der Schwiegermama danke für ihr Verständnis!

Voller Zuversicht gehe ich zum deutschen Konsulat und präsentiere dem Herrn den Brief. Wieder füllen wir unzählige Formulare aus. Einiges, was immer noch nicht klar genug aus dem Brief hervorgeht, muss ich eidesstattlich versichern. Erneut wird alles nach Berlin geschickt und es heißt weiter abwarten. Jedenfalls wird mir klar, dass dies keineswegs der letzte Besuch im Konsulat war.

In meiner Arbeit gibt es in Zürich schon bald keine Versicherung oder Bank mehr, bei der ich noch nicht vorstellig war. In Basel habe ich es sogar geschafft, am gleichen Tag einen Termin bei der Chemiefirma Sandoz und am Nachmittag bei Hoffmann La Roche zu bekommen. Das muss mir erst mal jemand nachmachen, denke ich zufrieden. Mitte März besuche ich spontan eine Bank, mit der ich ausgemacht hatte, dass ich alle drei Monate vorstellig werden kann. Die zuständige Einkäuferin hatte auch immer eine ganze Menge der teuren Markenfoulards bestellt. Ich betrete das Gebäude und frage nach ihr. Ganz überrascht erscheint sie und sagt: »Ja, wissen Sie denn nicht, dass ich vor drei Wochen in Ihrem Laden war und dort die Bestellung aufgegeben habe? Ich brauchte schnell einige Tücher und habe versucht, Sie telefonisch zu erreichen. Man hat mir angeboten, doch gleich selber im Geschäft vorbeizuschauen und deshalb habe ich dort alles ausgesucht und bin wieder für ein paar Monate eingedeckt.« Das erstaunt mich, denn davon habe ich nichts gewusst. Ich lasse mir aber nichts anmerken, verabschiede mich freundlich und verlasse die Bank. Zu Hause schaue ich meine Abrechnungen durch, finde aber keinen Vermerk über die Bestellung. So rufe ich am nächsten Tag meinen Chef an und frage nach. Erst versucht er, sich herauszuwinden, aber dann erklärt er, diese Bestellung gehe mich nichts an, weil die Dame im Geschäft nachbestellt hätte und nicht bei mir. Ich bin anderer Meinung, da es sich um eine von mir aufgebaute Kundschaft handelt und ihre Nachbestellungen meinem Umsatzkonto gut geschrieben werden müssten. Schließlich machen die Provisionen einen Bestandteil meines Lohnes aus. Er sieht das nicht ein und ich werde immer wütender, da ich annehmen muss, dass Ähnliches schon mehrmals geschehen ist. Es entsteht ein unschönes Wortgefecht. Ich kann nicht begreifen, dass er so uneinsichtig ist und stattdessen versucht, mir meine Kundschaft abspenstig zu machen. Da habe ich mit den Personalverkäufen zusätzlich oft bis in die Nacht hinein gearbeitet und nun fällt er mir derart in den Rücken. Ich bin furchtbar enttäuscht und fühle mich auf unverschämte Weise ausgenützt. So etwas kann ich nur schwer ertragen, reagiere dementsprechend und kündige auf der Stelle. »Ja, ja, dann machen Sie das doch!«, lacht er höhnisch und legt den Hörer auf. Nach kurzem Überlegen wird mir klar, dass er mich wirklich loswerden möchte, da ich ihm alle Kontakte hergestellt habe und er mein Gehalt nun einsparen könnte. Ich bin so wütend und enttäuscht, dass mir die Tränen hochsteigen. Verzeihen kann ich vieles, aber nicht, wenn mich jemand ungerecht behandelt. Also schreibe ich nur acht Monate, nachdem ich so erfolgreich meinen ersten Job begonnen hatte, meine Kündigung. Ich werde wieder etwas finden, davon bin ich überzeugt. Ein Zeugnis muss er mir auf jeden Fall schreiben und wehe, wenn das nicht korrekt ist! Schließlich haben sich eine ganze Reihe von Firmen, bei denen ich Personalverkäufe durchgeführt habe, schriftlich für die gute Organisation und meinen persönlichen Einsatz bedankt.

Eine Woche später bringe ich den Wagen und die Kollektion zurück, nicht ohne vorher ausgemacht zu haben, dass ich mein ausstehendes Gehalt erhalten werde. Außerdem möchte ich mein Arbeitszeugnis vorab zum Gegenlesen bekommen. Es klappt erstaunlich gut und so trennen wir uns mit wenigen Worten. Obwohl ich in meinem ersten Job bis zu diesem Zwischenfall eine gute und glückliche Zeit hatte, bin ich froh, die Konsequenzen gezogen zu haben. Denn mir ist klar, dass es später ein noch unschöneres Ende genommen hätte.

Jetzt stehe ich also ohne Auto und ohne Arbeit da, aber mit einer Wohnung, die es neben allem anderen zu zahlen gilt. Am Abend fahre ich nach Rapperswil. Ich brauche Ablenkung und muss nachdenken.

Napirai schläft das erste Mal bei den Nachbarsmädchen, was ihr sehr gefällt. Im Laufe des Abends treffe ich alte Bekannte und erzähle von meiner Kündigung. Einer von ihnen gibt mir den Tipp, bei einer ihm bekannten Firma, die Werbeartikel vertreibt, nachzufragen. Wenige Tage später treffe ich mich mit den zuständigen Leuten. Das Angebot ist nicht überwältigend, doch es ist besser als nichts und man könnte einiges daraus machen. Es handelt sich um verschiedene Werbeprodukte wie bedruckte Feuerzeuge, Kugelschreiber, Mappen etc. In Bezug auf die Kundschaft sind keine Grenzen gesetzt. Jede Firma ist ein potentieller Kunde. Aber ich muss wieder ganz von vorne anfangen, da in meinem Gebiet noch keine Kundschaft aufgebaut ist.

Eine Woche nach unserem Gespräch beginne ich mit der neuen Arbeit. Es erweist sich als nahezu unmöglich, Termine zu bekommen. Also klappere ich mit einem geleasten Auto Handwerksbetriebe, Büros, Restaurants etc. ab und versuche, die Artikel mit der entsprechenden Firmenwerbung zu verkaufen. Da unsere Preise eher im unteren Bereich liegen, läuft es recht gut und viele bestellen gleich an Ort und Stelle. Nach zwei bis drei Monaten hat es sich herumgesprochen, dass ich gute und brauchbare Sachen anbiete. Deshalb werde ich weiterempfohlen und bald rufen die ersten Kunden von sich aus an. In dieser Branche ist es unkomplizierter, Kontakt zu den Leuten zu finden. Es kommt vor, dass ich bei einer Firma hineinschneie, in der die Angestellten gerade Pause haben. Dann werde ich fröhlich begrüßt und zum Kaffee eingeladen, während sie sich die Produkte anschauen. Der Verkaufsstil unterscheidet sich sehr von dem in meinem vorherigen Job, doch ich fühle mich wohl und lerne viele Menschen kennen.

Mein Bekanntenkreis hat sich mittlerweile beträchtlich erweitert, vor allem kenne ich eine Reihe mir sympathischer Frauen, und es fällt mir nicht schwer, Begleitung für eine abendliche Unternehmung zu finden. Am liebsten gehe ich tanzen. In den Lokalen beobachte ich die Menschen, wie sie dicht gedrängt um die Bars stehen oder sitzen und sich bei der lauten Musik kaum unterhalten können. Mir scheint, alle warten auf etwas. Zwischen mir und der Menschenmenge ist eine unsichtbare Wand. Ich habe das Gefühl, ich sei da, aber nicht dabei. Ich fühle mich nicht wie mittendrin, sondern eher wie außen vor. Ich kann mir dieses Empfinden selbst kaum erklären, da mir viele Leute vorgestellt werden und sich hin und wieder sogar ein Flirt entwickelt. Aber es erscheint mir alles unwirklich und oberflächlich. Andererseits staune ich und bin zeitweise fasziniert, wie sich die Szene und die Musik verändert haben.

Wenn ich dagegen an die Busch-Disco denke, die ich ein paarmal in Barsaloi veranstaltet habe, muss ich beim Vergleich fast lachen. Da genügte der hintere Teil unseres Ladens, aus dem wir die Maissäcke entfernten. Ein Transistorradio, das an die Autobatterie des alten Landrovers angeschlossen wurde, war die einzige Musikquelle. Es gab Cola, Bier und gegrilltes Ziegenfleisch. Die Leute, ob jung oder alt, strömten in diese improvisierte Disco. Die meisten waren zum ersten Mal bei solch einer Veranstaltung und staunten wie große Kinder. Sogar die Alten hockten in ihre Wolldecken gehüllt am Boden und lachten. Nur die Frauen blieben draußen, was aber die Männer nicht vom ausgelassenen Tanzen abhielt. Alle waren glücklich und es gab ein Gefühl von »Miteinander«. Damals empfand ich diese Mauer zwischen mir und den anderen nicht. Es war ein tiefes Erleben, hier erscheint es mir jedoch wie ein weiteres Konsumieren. Trotzdem gehe ich aus, lasse mich von der neuen Musik berauschen und tanze manchmal stundenlang.

Napirai wächst heran und ist ein sehr aufgewecktes und fröhliches Mädchen. Wir haben eine tiefe Beziehung zueinander, obwohl ich sie schon seit langem nicht mehr stille. Aber wir teilen uns immer noch das Schlafzimmer und das große Bett.

An einem Wochenende fahre ich mit ihr nach Biel, um mein ehemaliges Brautkleidergeschäft, das ich vor meiner Auswanderung nach Afrika einer Freundin verkauft hatte, aufzusuchen. Während der Fahrt überlege ich hin und her, ob ich auch Marco, meinen damaligen Lebenspartner, den ich wegen Lketinga verlassen hatte, anrufen soll. Weil ich mich bis Biel nicht entscheiden kann, parke ich zuerst in der Bieler Altstadt, wo sich meine ehemalige Boutique befindet. Meine Nachfolgerin Mimi weiß nichts von meiner Rückkehr, da wir uns schon vor längerer Zeit aus den Augen verloren haben. Ich steige die Treppen zum Laden hinunter und bemerke, dass sich einiges verändert hat. Im Geschäft stehen zwei Kundinnen, mit denen sich Mimi unterhält. Als sie zu uns aufschaut, entweicht ihr ein ungläubiges: »Non, c'est pas vrai! Corinne, bist du es wirklich? Ich glaube es nicht! Wie kommst du denn hierher?« Irritiert und fassungslos starrt sie mich an, während ich sie mit einem Kuss begrüße.

»Ach, das ist eine lange Geschichte, aber lassen wir das. Zuerst musst du mir sagen, wie du mit dem Geschäft klarkommst«, ermuntere ich sie. Natürlich wird nun Napirai ausführlich bestaunt. Als die Kundinnen den Laden verlassen haben, erzählen wir uns unsere Lebensgeschichten. Nach Übernahme der Boutique hat sie ihren jetzigen Lebensgefährten kennen gelernt, was mich sehr freut, denn davor war sie nach ihrer Scheidung jahrelang allein gewesen. Dann folgt meine Geschichte, die auch in Kurzfassung etwas länger dauert. Am Ende ist sie traurig, dass meine große Liebe so tragisch geendet hat. Spontan fragt sie, ob ich nicht Lust hätte, sie und ihren Freund mit meiner Tochter in St. Raphael in Südfrankreich zu besuchen. Sie habe sich dort für einige Wochen in einer schönen Villa eingemietet, da ihr Lebenspartner eine Saisonarbeit für Schiffsmotorenrevisionen angenommen habe. Sie fahre in zwei Wochen hinunter und wir seien jederzeit herzlich willkommen. »Die Villa ist wunderschön gelegen, hat einen großen Pool und genügend Platz für uns alle. Dann könntest du mir dein Leben in Kenia noch ausführlicher erzählen.« Ich sage sofort zu, denn Ferien habe ich seit Jahren nicht mehr gemacht, obwohl jeder glaubt, wenn ich meine vier Jahre in Kenia erwähne, das sei ein Urlaub gewesen.

Nachdem sie mir die Adresse aufgeschrieben hat, frage ich nach Marco. Leider hat sie fast keinen Kontakt mehr zu unserem alten Freundeskreis, doch sie weiß, dass Marco umgezogen ist. Also rufe ich ihn kurzerhand an. Seine Stimme klingt weder überrascht noch verärgert und so unterhalten wir uns eine Weile am Telefon, bevor wir uns in einem Restaurant verabreden. Er hat sich kaum verändert. Wir erzählen uns knapp das Wichtigste aus den vergangenen Jahren und so erfahre ich, dass auch er eine gescheiterte Beziehung hinter sich hat und nun die Nase voll hat von Zweisamkeiten, was er offensichtlich ohne Groll mit einem strahlenden Lächeln kundtut. Bald haben wir uns nichts mehr zu erzählen und verabschieden uns, weil es obendrein für Napirai recht langweilig ist.

Auf der Fahrt nach Hause male ich mir in Gedanken die Ferien in Südfrankreich aus und freue mich darauf, zumal in St. Raphael eine Großtante mütterlicherseits lebt, die aus Indochina, dem heutigen Vietnam, kommt und die ich bei dieser Gelegenheit endlich kennen lernen könnte.

Drei Wochen später begeben wir uns mit dem Auto auf die lange Reise. Während der Fahrt singen wir, ich erzähle Geschichten oder wir hören uns Märchen-Kassetten an. Einige hundert Kilometer läuft alles bestens, doch allmählich wird Napirai quengelig, denn sie will nicht mehr im Auto sitzen. Alle Ablenkungsversuche helfen nichts und ich muss von der Autobahn abfahren und uns ein Hotel suchen. Mitten im Juli in Italien, und noch dazu in Meeresnähe, erweist sich dies als ein fast aussichtsloses Unterfangen. Alles ist belegt und darüber hinaus werden wir misstrauisch gemustert. Als ich mich schon auf eine Übernachtung im Auto vorbereiten will, haben wir beim letzten Versuch endlich Glück. Es ist eine alte Pension an einer Durchgangsstraße. Bevor wir das einfache und laute Zimmer beziehen, möchte ich mir mit Napirai noch ein wenig die Beine vertreten. Wir schlendern durch den kleinen malerischen Ort, in dem die Alten vor ihren Häusern auf der Straße sitzen. Immer wieder höre ich: »Che bella bambina, che bella!« Einige sind so entzückt von meiner Tochter, dass sie sie streicheln und berühren wollen. Napirai gefällt das überhaupt nicht und sie quittiert die Zuwendungen mit einem düsteren Blick. Wir ziehen uns in die Pension zurück und essen unsere letzten Brote, bevor wir erschöpft einschlafen.

Am nächsten Tag legen wir die letzten hundert Kilometer bis St. Raphael zurück und finden dank meiner im Außendienst erworbenen Orientierungsfähigkeiten die Villa auf Anhieb. Mimi empfängt uns freudig. Das

Haus ist riesig und hat einen wunderschönen Pool. Am Abend stellt sie mir ihren Lebenspartner vor. Ich bin angenehm überrascht und erfreut. Er ist ein aufgeschlossener, jugendlicher und fröhlicher Mann, der Mimi jeden Wunsch von den Augen abzulesen scheint. Wir verbringen einen gemütlichen Abend. Bereits am zweiten Tag aber passiert fast eine Tragödie. Während ich für den Broteinkauf unterwegs bin, spielt sich zu Hause eine erschreckende Szene ab. Napirai schleicht, ohne einen Ton zu sagen, die Treppe zum Pool hinunter, und als Mimi rein zufällig auf die Terrasse kommt, sieht sie nur noch Napirais Haarbüschel aus dem Wasser herausschauen. Sie rennt zum Pool und zieht das Kind im letzten Moment heraus. Als ich nach 20 Minuten zurückkomme, schreit sie immer noch wie am Spieß. Panisch renne ich die Treppen hoch und sehe ihren roten Kopf. Während Mimi aufgeregt erzählt, was passiert ist, bekomme ich weiche Knie. Tränen laufen mir über das Gesicht, als mir bewusst wird, wie knapp mein Mädchen mit dem Leben davon gekommen ist. Stundenlang halte ich sie und lasse sie in den nächsten Tagen keine Minute mehr aus den Augen. Ich gehe mit ihr ans Meer und sie genießt das Buddeln im Sand. Bei einem Spaziergang durch das Dorf erlebt Napirai zum ersten Mal eine Kirmes mit Karussells, die es ihr schnell angetan haben. Ansonsten verläuft der Rest des Urlaubs ruhig, wenngleich für mich fast etwas zu langweilig. Ich bin es nicht mehr gewohnt, untätig zu sein und so viel Zeit zu haben.

Oft muss ich an Kenia und an meine dortige Familie denken und würde gerne wissen, was aus Lketinga geworden ist und was er nach diesen fast zwei Jahren, seitdem ich fortgegangen bin, über uns denkt. Ich weiß, er lebt noch, aber nicht, wie und wo. James hat mir in seinem letzten Brief mitgeteilt, dass ein anderer Samburu-Krieger von der Küste nach Hause gekommen ist und erzählt hat, Lketinga lebe mal da, mal dort. Er habe sein Auto noch, habe jedoch einen schlimmen Unfall gehabt. Zum Glück sei er mit ein paar Schnittwunden im Gesicht davongekommen. Mich machte dieser Brief traurig, aber ich konnte nichts tun. Ja, und nun sitze ich hier in St. Raphael und empfinde einen Urlaub dieser Art eigentlich als langweilig.

Einzig das Treffen mit meiner Großtante bringt Abwechslung. Ohne Ankündigung stehen wir vor ihrem Häuschen und ich stelle mich vor. Über unseren überraschenden Besuch freut sie sich sehr. Sie ist eine kleine, zierliche alte Dame und man erkennt deutlich ihre asiatischen Wurzeln. Sie erzählt Geschichten aus ihrem aufregenden Leben, das sie vor dem Krieg geführt hat. Ihre Familie war sehr begütert und hatte über 80 Bedienstete, was ich mir kaum vorstellen kann. Als Kind wurden ihr noch die Füßchen gebunden, damit diese schön klein blieben und sie besser zu verheiraten wäre. Später, als sie die Frau des Bruders meines Großvaters wurde und nach Frankreich flüchten musste, waren etliche Operationen nötig, damit sie überhaupt wieder einigermaßen schmerzfrei gehen konnte. Ich bin entsetzt, denn so etwas habe ich noch nie gehört. In gewisser Weise erinnert es mich auch an die schrecklichen Beschneidungen der Mädchen, die immer noch bei den Samburu und auch bei anderen Stämmen durchgeführt werden. Warum werden auf der ganzen Welt immer die Mädchen auf irgendeine Art misshandelt?, frage ich mich traurig. Es folgen weitere Geschichten aus ihrem bewegten Leben, denen ich fasziniert lausche. Nachdem wir uns verabschiedet haben, bin ich froh, diese interessante Frau kennen gelernt zu haben. Wer weiß, ob ich sie noch einmal sehen werde.

Wieder zu Hause erzähle ich meiner Mutter von dem in letzter Sekunde verhinderten Unglück am Pool, damit auch sie Napirai beim Baden nicht mehr aus den Augen lässt. Meine Mutter allerdings bringt ihr noch im selben Jahr das Schwimmen ohne Schwimmhilfe bei, was mit Sicherheit die beste Vorbeugung gegen derartige Unfälle ist.

Unser gewohntes Leben geht weiter. Tagsüber arbeite ich und Napirai verbringt die Zeit bei meiner Mutter oder ihrer Pflegefamilie. Nach den gemeinsamen Ferien fällt es mir wieder sehr schwer, mein Kind »abzugeben«. Doch die Verkäufe laufen gut, deshalb bin ich abgelenkt und habe bald wieder Spaß am Arbeiten. Mit meinem Lohn komme ich immer gerade über die Runden. Manchmal bleiben mir am Monatsende sogar ein paar Hunderter übrig, die ich für einen eventuellen Urlaub und die Steuern spare.

Wieder einmal besuche ich spontan einen Neukunden. Als ich sein Geschäft betrete, lacht er und ruft: »Ja, schon wieder eine Vertreterin! Was wollen Sie mir denn andrehen? Der hier probiert es auch schon.« Dabei zeigt er auf einen sympathischen Mann. Locker begrüße ich die beiden und bemerke dabei, dass wir nicht dieselben Produkte anbieten, da er auf T-Shirts mit Firmenwerbung spezialisiert ist. Wir diskutieren hin und her und bald können wir beide ein größeres Angebot vorlegen. Als ich mich verabschieden will, lädt mich der Kollege zu einem Kaffee ein, da er sich mit mir noch kurz unterhalten möchte. Im Restaurant unterbreitet er mir ein Jobangebot und meint, wenn ich Lust hätte, könnte ich gerne bei ihnen anfangen. Sie seien ein Unternehmen, das hochwertige bedruckte und bestickte T-Shirts, Sweater und Hemden vertreibt. Es ließe sich gutes Geld verdienen und ein tolles Team würde mich ebenfalls erwarten. Ich höre gespannt zu und nehme auch gerne die Visitenkarte entgegen, aus der sich erkennen lässt, dass er der Außendienstleiter ist. Da ich aber mit meiner derzeitigen Arbeit voll zufrieden bin, äußere ich mich dementsprechend. Sollte sich jedoch etwas ändern, so würde ich mich bei ihm melden.

Zu Hause finde ich einen Brief vom deutschen Konsulat vor. Da die Frage hinsichtlich des Familienstammbuches immer noch offen ist, öffne ich das Kuvert mit einem unguten Gefühl. Doch als ich die zwei Blätter gelesen habe, bin ich einmal mehr überglücklich. Anscheinend waren die Angaben aus Kenia ausreichend, denn ich halte eine Abschrift des Familienstammbuches in der Hand, in dem Napirai mit meinem Familiennamen eingetragen ist. Das bedeutet vor allem, dass sie endgültig die deutsche Nationalität besitzt und somit in der Schweiz keine Probleme mehr auf uns zukommen. Endlich bin ich mir sicher, auch die letzte Hürde genommen zu haben. Nun muss ich später nur noch die Scheidung einreichen. Da ich aber in keiner Beziehung lebe, ist dies im Moment nicht das Wichtigste, damit warte ich noch. Anlässlich der guten Neuigkeit feiere ich am Wochenende mit zwei Freundinnen und ihren Kindern ein herbstliches Grillfest.

Kurz darauf jedoch folgt eine schlechte Nachricht. Napirais Tagesmutter eröffnet mir, dass sie wieder schwanger ist. Wenn ihr zweites Kind da sei, habe sie leider für Napirai keine Zeit und keinen Schlafplatz mehr zur Verfügung. Diese Mitteilung macht mich im ersten Moment sehr traurig, weil sich Napirai bei ihr so wohl fühlt und ihr sicher nachtrauern wird. Doch ich beruhige mich und denke, wir haben noch ein paar Monate Zeit und es wird sich schon wieder etwas ergeben.

Jetzt im Herbst gehen die Werbeartikel gut und die ersten Bestellungen für Kundengeschenke zu Weihnachten laufen an. Ich verdiene zeitweilig sogar mehr als im ersten Job und so kann ich mir im Januar 1993 sogar einen Skiurlaub mit meiner Mutter und Hanspeter in Frankreich leisten. Die beiden fahren jedes Jahr dorthin und diesmal schließen wir uns an, zumal Napirai ihre erste

Skiausrüstung unter dem Weihnachtsbaum vorgefunden hat. Es sind wunderschöne Ferien. Der Himmel ist jeden Tag tiefblau und der Schnee knirscht vor Kälte. Nach fast zehn Jahren Pause genieße ich das Skifahren wieder sehr. Napirai, die halbtags in einer Skischule übt, hängt schon nach zwei Tagen allein an einem Tellerlift, der sie allerdings fast vom Boden hebt. Am fünften Tag treffen wir die gesamte Skischule auf dem Berggipfel und ich sehe gerade noch, wie Napirai in der Kolonne und im Schneepflug langsam nach unten fährt. Ich bin sprachlos, was mein dreieinhalbjähriges Massaikind schon alles schafft, und bin mächtig stolz auf sie.

Wie immer zu Jahresbeginn läuft die Arbeit zäh an. Januar und Februar sind einfach keine Erfolgsmonate. Dazu kommt das trostlose Wetter. In dieser tristen Zeit schickt mir eine Bekannte eine Einladung zu einem Essen mit Freunden. Ich solle unbedingt kommen, denn es handle sich um eine bunt zusammengewürfelte Gruppe und viele seien gespannt auf meine Geschichte. Neugierig gehe ich hin und erlebe einen anregenden Abend. Es wird viel diskutiert und erzählt und ich habe bald einen aufmerksamen Zuhörer gefunden, der auch mein Interesse geweckt hat. Beim Abschied tauschen wir unsere Adressen aus und bereits zwei Tage später ruft er mich an. Wir verabreden uns zu einem Treffen zu zweit. Es ist der Beginn meiner ersten Beziehung seit meiner Rückkehr. Er scheint keine Vorurteile gegenüber meinem Vorleben zu haben, ist sehr engagiert und arbeitet viel im Ausland. Wir sehen uns nicht häufig, doch das stört mich nicht, da ich meine Tochter sowieso nicht allzu viel weggeben möchte. Manchmal glaube ich aus seinen Reden Bedauern darüber herauszuhören, dass wohl kaum jemand zwischen meiner Tochter und mir Platz fände. Zudem gelingt es Napirai nicht, eine tiefere Beziehung zu ihm aufzubauen. Sie mag ihn zwar, aber er kann nicht richtig auf Kinder eingehen, wahrscheinlich weil er keine eigenen hat. Er ist etliche Jahre älter als ich und, wie ich immer deutlicher merke, ein eingefleischter Junggeselle. Durch seine zum Teil langen Auslandsaufenthalte entfremden wir uns immer wieder aufs Neue und irgendwie plätschert diese Beziehung zwei Jahre später dem Ende entgegen. Es ist von beiden Seiten wohl keine große Liebe gewesen oder vielleicht bin ich einfach noch nicht bereit für eine neue Partnerschaft.

Mittlerweile habe ich eine neue Pflegefamilie für Napirai gefunden. Es ist ein Ehepaar mit einem gleichaltrigen Mädchen. Obwohl die Kleine zu Beginn nicht sehr begeistert war, die Aufmerksamkeit ihrer Mutter mit jemand anderem teilen zu müssen, sind die beiden inzwischen dicke Freundinnen. Ich bewundere diese Mutter, mit welcher Geduld und Ausdauer sie mit den Kindern bastelt, malt, ihnen Geschichten erzählt oder im Garten mit ihnen Pflanzen eingräbt. Oft ist meine Tochter nur schwer aus dem Spiel zu reißen, wenn ich sie abhole. Aber schließlich möchte ich mein Kind selbst noch für ein paar Stunden genießen. Häufig warten auch die Nachbarsmädchen auf sie. Manchmal schlafen alle bei uns und ich begnüge mich damit, auf dem Sofa zu nächtigen. Ein Heidenspaß ist es, wenn alle in einer Wanne baden. Auch Napirais Geburtstage sind sehr gefragt. Da treffen sich jedes Mal an die zwölf Kinder und einige Erwachsene auf unserer Terrasse und wir veranstalten eine Kinderparty. Natürlich wird alles schön dekoriert und ich organisiere verschiedene Spiele. Es wird gegrillt und mein Nudelsalat findet reißenden Absatz. An Napirais Geburtstag nehme ich mir jedes Mal frei, komme was wolle.

An diesem Tag erinnere ich mich immer an die aufregende Geburt im Missionsspital in Wamba. Meine Freundin Sophia, die gleichzeitig mit mir ihr erstes Kind erwartete, und ich waren die Sensation für die Einheimischen. Vor uns hatten in diesem Spital noch nie weiße Frauen Kinder zur Welt gebracht und natürlich wurden wir besonders neugierig beobachtet. Als dann meine Wehen begannen und ich im »Gebärsaal« lag, waren die Plätze an den scheibenlosen Fenstern bei den schwarzen Frauen sehr begehrt. Allerdings waren meine Wehen so stark, dass ich davon nicht viel mitbekam. Erst als mein Mädchen endlich geboren war, erlebte ich bewusst, wie Sophia hereinstürzte, um mir zu gratulieren, und dabei eine brennende Zigarette im Mund hatte, während ich noch im Gebärstuhl lag und ohne Betäubung genäht wurde. Ja, denke ich, das können sich die Frauen hier in der Schweiz nicht vorstellen, und wann immer ich davon berichte, staunen sie.

Im Übrigen fällt mir immer häufiger auf, dass die Frauen förmlich an meinen Lippen hängen, wenn ich von meiner ehemaligen Liebe und dem damit verbundenen Leben erzähle. Oft kommt es vor, dass wir einen geplanten Ausflug verschieben und zu Hause hängen bleiben, damit ich aus meinem Leben bei den Samburu erzählen kann.

Scheidung von Lketinga

Während eines erneuten Treffens in der Gruppe der allein Erziehenden erzählt eine Teilnehmerin von ihrer kürzlich überstandenen Scheidung, die sich Jahre hingeschleppt hatte. Ich frage nach, wie so etwas in die Wege geleitet wird, da ich keine Ahnung habe. Allmählich verspüre auch ich den Wunsch, »reinen Tisch« zu machen und mich um meine eigene Scheidung zu kümmern. Ich rufe, wie mir geraten wurde, den zuständigen Friedensrichter an und schildere meine Situation, wobei ich erwähne, dass ich meinen Mann bereits drei Jahre nicht mehr gesehen habe. Auf Grund meiner Erzählungen sowie der Tatsache, dass Lketinga irgendwo in Kenia lebt und wir keinen persönlichen Kontakt herstellen können, erübrigt sich das normale Ehegespräch. Er wird mir die Formulare zuschicken, damit ich die Scheidung einreichen kann. Zum Schluss fügt er hinzu, dass ihm solch eine Situation noch nie untergekommen sei und er sich erst informieren müsse, wie man das regeln kann. Als ich die Formulare Tage später studiere, bin ich erleichtert, wie einfach das Ganze zu sein scheint. Allerdings überrascht es mich, dass auch Auskunft über meine Jugendzeit, die Familie, ja sogar über meine Geschwister verlangt wird. Alle Schulen müssen aufgelistet und Angaben zum heutigen Arbeitsverhältnis gemacht werden. Dann sollen Auskünfte zur

Beziehung erfolgen, unter anderem wo, wann und in welchem Alter man sich kennen gelernt habe. Na ja, da habe ich so einiges aufzuschreiben. Die Spalte, in der man die Geldforderungen für das Kind angeben soll, streiche ich durch und erkläre, dass ich auf jede Unterstützung verzichte. Wie sollte Lketinga Unterhalt zahlen, wenn ich doch seiner Familie von hier aus, wenn es möglich ist, etwas Geld zukommen lasse? Dann stecke ich alles in einen Briefumschlag und schicke ihn in gespannter Erwartung ab. Verlieren kann ich ja nicht viel, denke ich mir dabei.

Die Freizeit während des Sommers verbringen wir mit verschiedenen Aktivitäten. Einmal kommt Madeleine mit einem Inserat zu uns, in dem eine Busfahrt nach Südtirol mit dreitägigem Aufenthalt in einem Hotel mit Schwimmbad angeboten wird. Da wir nicht viel Geld zur Verfügung haben und dieses Angebot sehr günstig ist, melden wir uns an. Hauptsache wir sind ein paar Tage weg. Schon beim Besteigen des Busses merken wir, dass wir mit Abstand die jüngsten Teilnehmer sind, von den Kindern ganz zu schweigen. Napirai fragt prompt in für alle hörbarer Lautstärke: »Mama, warum gehen nur Omas in die Ferien?« Ich erkläre ihr, dass ältere Menschen viel Zeit für Ferien haben, weil sie nicht mehr arbeiten müssen. Mir fällt nichts Besseres ein. Während der Fahrt tragen unsere Kinder zur Unterhaltung aller Reisenden bei. Vor allem Napirai sitzt mal hier, mal dort bei einer Oma und alle freuen sich. Es werden drei quirlige Tage, die nicht viel kosten, an denen die Kinder aber voll auf ihre Kosten kommen.

Ein anderes Mal besorge ich mir das uralte Zweierzelt meiner Mutter und fahre mit meiner Tochter zu dem nicht allzu weit entfernten Walensee zum Zelten. Es ist ein einfacher Campingplatz mitten im Wald. Wir haben das kleinste und lustigste Zelt und bauen es auf einer kleinen Anhöhe auf. Ich ziehe einen schmalen Graben außen herum, wie ich das in Kenia um die Manyatta tat, damit bei Regenfällen das Wasser einigermaßen ablaufen konnte. Die Mühe hat sich gelohnt. In der Nacht tobt ein heftiges Gewitter über den See. Napirai und ich liegen auf dem Bauch und schauen uns das Spektakel aus dem kleinen Zelt an, da an Schlafen bei dem Donner sowieso nicht zu denken ist. Die Blitze zucken lang gezogen über den See und erhellen für kurze Momente die ganze Umgebung. Wir sind fasziniert. Tags darauf ist es schwierig, trockenes Feuerholz für unsere Würstchen zu finden. Der Boden ist tropfnass und viele Zelte sind abgebrochen und verschwunden. Aber wir geben nicht auf und werden gegen Mittag mit den ersten Sonnenstrahlen belohnt. Später sammle ich dürre Äste von den Bäumen, da diese am schnellsten in der Luft getrocknet sind. Tatsächlich haben wir bald unser Feuer und kurz darauf das verspätete Mittagessen. Napirai freut sich sichtlich darüber, mit ihrer Mama so herumhängen zu können.

Als ich nach den Sommerferien wieder zur Arbeit komme, eröffnen mir meine Arbeitgeber, dass sie sich trennen und der Firmensitz verlegt wird. Für mich bedeutet das, dass ich nun für die Bestellungsbesprechungen nicht mehr schnell vorbeigehen kann, sondern einige Stunden Anfahrt in Kauf nehmen müsste. Ich bin nicht begeistert, weil mir dadurch viel Zeit mit Napirai verloren geht, und teile ihnen mit, dass ich unser Arbeitsverhältnis neu überdenken müsse.

Zu Hause suche ich die Visitenkarte des Außendienstchefs der Firma, die T-Shirts vertritt, und rufe dort an, allerdings ohne mir große Hoffnungen zu machen, dass er sich noch an mich erinnern kann. Er ist jedoch sehr erfreut und wir vereinbaren einen Termin in der Firma. Als ich einige Tage später das Gebäude betrete, bin ich beeindruckt, wie gepflegt und professionell alles aussieht. Die großen Maschinen, mit denen im Siebdruckverfahren die unterschiedlichen Motive auf die T-Shirts gedruckt werden, faszinieren mich. Auch die Stickerei-Abteilung ist interessant. Bei einer Tasse Kaffee sprechen wir natürlich auch über die Verdienstmöglichkeiten. Der Grundlohn bliebe in diesem Job in etwa gleich, aber ich bekäme eine höhere Provision und dazu noch pauschales Spesengeld. Alles in allem hätte ich einiges mehr als jetzt. Der Fall ist sofort klar und wir vereinbaren, dass ich so schnell wie möglich anfangen werde.

Mein altes Arbeitsverhältnis kann ich innerhalb von vier Wochen auflösen und bereits am 1. Oktober 1993

126

beginne ich den dritten Job seit meiner Rückkehr. Ich bin hoch motiviert, da mir die Arbeit mit den neuen Möglichkeiten großen Spaß macht und ich mich mit dem Chef gut verstehe. Vor allem die gestickten Firmen-Logos finden erfreulichen Absatz. Auch von meiner vorherigen Kundschaft kann ich dabei profitieren und verkaufe zum Teil sensationelle Stückzahlen. Keine Minute bereue ich den Stellenwechsel und stelle mit Genugtuung fest, dass mich bisher jeder neue Arbeitsplatz nur weitergebracht hat.

Eines Abends im November finde ich einen Abholschein von der Post vor. In dem Einschreiben befindet sich eine Vorladung zu einem Gerichtstermin, bei dem meine Ehescheidung verhandelt werden soll. Jetzt, da ich es schwarz auf weiß vor mir sehe, kommt es mir doch recht seltsam vor. Ich werde wahrscheinlich von einem Mann geschieden, der davon keine Ahnung hat. Die Verhandlung soll am 30. November 1993 um 17.00 Uhr stattfinden. Persönliches Erscheinen, mit oder ohne Vertreter, wird vorausgesetzt.

O Gott, ich habe keinen Anwalt! Brauche ich einen?, frage ich mich selbst. Oder soll ich meine Mutter oder gar Madeleine bitten mitzukommen? Aber dann entscheide ich mich, allein zu gehen, da nur ich die ganze Geschichte wirklich kenne. Meine Schlagfertigkeit ist in den Jahren im Außendienst gut geschult worden und mein gestärktes Selbstbewusstsein ist mit dem der ersten Monaten nach meiner Rückkehr aus Kenia, in denen ich mich nicht einmal mehr auf die Straße traute, nicht zu vergleichen.

Am besagten Tag nehme ich meine beiden Lohnabrechnungen mit, damit ersichtlich ist, dass ich uns beide gut ernähren kann, und eine Liste über meine Lebenshaltungskosten sowie ein paar Fotos von meinem Mann und unserem damaligen Leben. Da ich noch nie in einem Gerichtsgebäude war, beschleicht mich nun doch ein beklemmendes Gefühl. Vor mehreren Türen warten jeweils kleinere und größere Menschengruppen, die sich meist um einen Anwalt in Robe scharen. Als einzelne Person mit meinem dünnen Aktenmäppchen komme ich mir etwas verloren vor. Als ich aufgerufen werde, betrete ich gespannt den Raum, in dem bereits vier Personen warten. Ich setze mich auf die Bank vor den Richter. Erst werden die Personalien geklärt und dann muss ich mein Leben mit Lketinga in Kurzfassung erzählen.

Da mir schnell klar ist, dass sich der Richter unter dem Stamm meines Mannes nichts vorstellen kann, frage ich am Ende meiner Erzählungen, ob ich ihm zum besseren Verständnis ein paar Fotos vorlegen solle. Nach kurzem Zögern willigt er ein. Ich lege ihm sechs Bilder auf das Pult. Eines zeigt meinen Mann in Kriegsbemalung mit Speer, ein anderes eine Ochsenschlachtung vor der Manyatta und ein drittes uns beide mit unserer Tochter Napirai. Er räuspert sich und fragt ungläubig: »Dies ist also Ihr Mann?« Die anderen Damen und Herren stehen auf und kommen zum Tisch, um sich ebenfalls die Fotos anzuschauen. Es entsteht eine kurze Diskussion zwischen ihnen und dann fragt mich der Richter, ob er die Fotos bis zur endgültigen Entscheidung zu den Akten nehmen dürfe. Ich bin einverstanden und werde bis zur nächsten Vorladung entlassen. Als ich das Gebäude verlasse, fühle ich mich schon etwas befreiter.

Zwei Wochen später, also Mitte Dezember, erhalte ich die nächste Vorladung. Jetzt wird es ernst. Dieselben Personen erwarten mich. Erneut werde ich gefragt, ob ich nichts von meinem Ehemann gehört habe und nach wie vor seinen genauen Aufenthaltsort nicht kenne. Ich antworte unter Eid, dass ich bis zum heutigen Tag keine zusätzlichen Angaben machen kann. Dann werde ich gefragt, ob ich auf Unterhaltszahlungen klagen möchte, was ich verneine. Zum Schluss verliest der Richter, dass unter den gegebenen Umständen die Ehe der Parteien zu scheiden sei mit folgenden Nebenregelungen: Die aus dieser Ehe hervorgegangene Tochter Napirai wird unter die elterliche Gewalt – was für ein hässliches Wort! – der Mutter gestellt. Es wird vermerkt, dass die Mutter auf Unterhaltsbeiträge verzichtet. Es wird ebenfalls festgehalten, dass die scheidenden Parteien keine Ansprüche aneinander stellen. Es folgen die Kostenfestsetzung des Prozesses sowie die Anweisung, dass das Urteil für Lketinga im hiesigen Amtsblatt veröffentlicht werden muss. Wie absurd!

Zuletzt höre ich nur noch, falls in den nächsten zehn Tagen von den Parteien kein Einspruch erfolge, sei das Urteil rechtsgültig. Mir schwirrt der Kopf und ich stehe

etwas hilflos da, als die vier ihre Unterlagen zusammen-
räumen. Unsicher frage ich: »Ja, bin ich nun geschieden?
Ist jetzt wirklich alles vorbei? Kann ich gehen oder muss
ich irgendwo etwas abholen oder bezahlen?« Der Be-
zirksrichter nickt kurz und ist verschwunden. Langsam
gehe ich aus dem Raum und kann kaum glauben, dass
alles so einfach über die Bühne gegangen ist. Allmählich
wird mir klar, dass dies der Tatsache zu verdanken ist,
dass Lketinga sozusagen verschollen ist. Erst draußen
in der Dezemberkälte überkommt mich eine große
Freude, dass mir Napirai niemand mehr wegnehmen
kann, solange ich nicht nach Kenia reise. Sofort fahre ich
zu meiner Mutter, die sich mit mir freut und uns zum
Abendessen einlädt.

Erinnerungen holen mich ein

Kurz vor Weihnachten erhalte ich meine Lohnabrechnung für Dezember. Inklusive Weihnachtsgeld ist es eine sehr erfreuliche Summe. Jetzt könnte ich mir mit Napirai wirklich einmal wunderschöne Ferien leisten, überlege ich kurz und mache mich gleich auf den Weg in ein Reisebüro. Ich möchte in ein Land fliegen, in dem es jetzt sonnig und warm ist und in dem keine Malaria-Gefahr besteht. Nach einigen Beratungen entscheide ich mich für einen Flug in die Dominikanische Republik. Ich freue mich darauf, zwei Wochen verwöhnt zu werden und das Zusammensein mit meiner Tochter in vollen Zügen zu genießen, mit ihr zu essen, wonach uns gerade ist, und so lange wie möglich im Meer zu plantschen. Wie Napirai wohl reagieren wird, wenn sie wieder von vielen schwarzen Menschen umgeben ist? Ob sie sich dann an ihren Papa erinnert?

Noch vor unserer Abreise bekomme ich einen Brief aus Barsaloi. James entschuldigt sich, dass er so lange nicht geschrieben hat, aber sie hätten schwere Zeiten gehabt. Erst wären bei den fürchterlichen Kämpfen gegen die Rebellen, die ihnen fast alle Tiere gestohlen haben, viele Menschen umgekommen. Und jetzt hätte es endlich geregnet, aber Barsaloi sei nun voll von Moskitos. Malaria zu bekommen sei nur eine Frage der Zeit. Er habe eine Anstellung in der neuen Schule in Barsaloi erhalten und sei glücklich über die Arbeit. Im Moment aber kämen nicht viele Kinder zur Schule, da wegen der Malaria schon einige gestorben sind. Auch in dem kleinen »Barsaloi-Hospital« hätte es Malaria-Tote gegeben. Dennoch sei er froh, dass er überhaupt Arbeit gefunden hat und die Kämpfe nun vorbei sind. Allerdings sei alles viel teurer geworden. Kleider, Reis, Zucker, selbst Mais seien zehnmal teurer als noch zu meiner Zeit. Unglaublich! Er möchte jetzt im Dezember nach Mombasa reisen, um nach Lketinga zu sehen. Sobald er Neuigkeiten habe, wird er wieder schreiben.

Zum einen bin ich sehr froh über diesen Brief, denn ich hatte lange nichts mehr gehört, zum anderen mache ich mir Sorgen um meine ehemalige Familie, weil ihr Leben im Moment besonders schwer zu sein scheint. Ich erinnere mich an meine eigenen schrecklichen Malaria-Attacken. Durch die ständigen Wechsel von Fieberanfällen und Schüttelfrost ist man innerhalb kürzester Zeit ein Wrack. Zudem hat man Durchfall und muss sich trotz leeren Magens unaufhörlich übergeben, bis man nur noch apathisch und kraftlos im Bett liegt. Mein Gott, ich wünsche diese Krankheit niemandem und hoffe, dass es in Barsaloi bald ein Ende dieser Plage geben wird. Außerdem bin ich gespannt, ob James Lketinga in Mombasa finden wird und was er im nächsten Brief von ihm zu berichten weiß. Immerhin habe ich seit mehr als drei Jahren nichts mehr von ihm erfahren.

Endlich ist es so weit. Napirai und ich besteigen zum ersten Mal seit unserer Flucht aus Kenia wieder ein Flugzeug, diesmal allerdings in Richtung Porto Plata. Der Flug dauert lang, doch Napirai bekommt Spielsachen im Flugzeug und malt vor sich hin, bis sie einschläft. Während wir nach der Ankunft durch den Flughafen laufen, fühle ich mich sofort an die Landung in Mombasa vor einigen Jahren erinnert, als mich die Atmosphäre augenblicklich gefangen nahm. Plötzlich ist alles wieder präsent und ich weiß im Moment nicht, spüre ich Mombasa oder Porto Plata. Kleine Busse warten auf uns, die uns zum Hotel bringen. Ich schaue aus dem Wagen und sehe die unebene, von Palmen eingefasste Straße und die vielen schwarzen Menschen in ihren bunten Kleidern. Die Luft ist schon am Morgen schwül. Wie ich das liebe! Vor meinen Augen taucht klar und deutlich die Zeit in Kenia auf. Bei jedem Schlagloch erinnere ich mich an die unglaublichen Straßenverhältnisse im Norden Kenias. Alles dreht sich in meinem Kopf, aber ich fühle mich geborgen und glücklich, obwohl mir Tränen über die Wangen laufen. Meine Gefühle überschlagen sich und die verdrängte Vergangenheit holt mich schon in den ersten paar Minuten ein. Ich bin froh, dass nicht allzu viele Touristen im Bus sind, denn ich schäme mich meiner Tränen.

Napirai schaut aus dem Fenster und ist am meisten von den vielen Palmen beeindruckt. Bis zur Ankunft im Hotel hat sich meine Gefühlslage wieder beruhigt. Die

Hotelanlage ist sehr schön. Sie liegt direkt am Meer und unser Zimmer ist groß, gemütlich und hell. Beim anschließenden Hotelempfang bemerke ich, dass nur wenige Familien mit Kindern da sind, dafür umso mehr verliebte Paare. Für Napirai gibt es einen Kinderclub und ich werde viel lesen und Briefe schreiben. Das Buffet ist ein Traum und wir probieren möglichst viele der exotischen Speisen aus. Die Angestellten des Hotels haben große Freude an Napirai und glauben, sie sei Dominikanerin. Ich werde gleich gefragt, ob wir hier ihren Vater besuchen, und muss über ihre enttäuschten Gesichter lachen, wenn ich sie aufkläre, dass Napirai aus Kenia stammt. Bereits nach zwei Tagen hat sie sich gut eingelebt. Mit zwei, drei anderen Kindern wirbelt sie durch das Hotel und bald sehe ich sie nur noch selten.

Einmal erzählt sie mir nach dem Abendessen, dass sie heute Mittag eine Frau mit ganz langen blonden Haaren kennen gelernt hätte, die sie mir unbedingt zeigen möchte, und hüpft schon wieder davon. Fünf Minuten später wird eine große blonde Frau von Napirai an meinen Tisch geführt. Andrea ist, wie ich erfahre, mit ihrem Freund hier und beide stammen aus Süddeutschland. Sie lädt mich ein, mich zu ihnen zu setzen, da sie eine kleine Gruppe verschiedener Paare seien und es sicher auch für mich unterhaltsam sei. Napirai ist von Andrea begeistert, schon allein wegen der langen blonden Haare, die sie ständig durch ihre kleinen braunen Finger gleiten lässt. Im Laufe des Urlaubs muss ich mir einige

Male den sehnlichsten, aber unerfüllbaren Wunsch meiner Tochter anhören: »Mama, ich möchte auch solche Haare!« Von nun an unternehmen wir viel gemeinsam, denn Andreas Freund liest lieber stapelweise Hefte am Pool, als sich mit seiner netten Frau zu unterhalten. Ich kann das nicht verstehen und weiß nur, dass es besser ist, allein Ferien zu machen, als zu zweit allein zu sein.

Wenngleich ich es in der ersten Woche sehr genieße, einfach nur herumzuhängen und zu faulenzen, werde ich in der zweiten Woche unruhig und würde gerne mehr unternehmen. Obwohl mich zu Beginn alles daran erinnerte, ist dieses Land mit Kenia nicht zu vergleichen. Kenia ist wilder, vielseitiger und vor allem tierreicher. Irgendwie vermisse ich Kenia und ziehe automatisch immer wieder Vergleiche. So bin ich nicht allzu traurig, als der Urlaub zu Ende geht.

Zu Hause gehe ich mit voller Energie meinem neuen Job nach. Die bedruckten und bestickten T-Shirts kommen überall gut an, sei es als Werbegeschenk oder als Uniform in verschiedenen Unternehmen. Mittlerweile ist der Boom so groß, dass viele Gastronomiebetriebe flippige T-Shirts und bestickte Mützen als Werbeträger sogar verkaufen können. Das Geschäft blüht und damit stimmt die Haushaltskasse. So kann ich einer Frau aus unserer Gruppe, die sich mit ihren zwei Kindern nicht einmal den Bus leisten kann, einen Hunderter zustecken, und durch meine Beziehungen bin ich auch in der

Lage, der einen oder anderen Mutter eine bessere Arbeit zu verschaffen.

Ich lerne interessante Frauen kennen, mit denen ich mich häufig auch privat treffe. Eine von ihnen ist Hanni, die sich immer wieder meine Afrikageschichten anhört, während ich ihr die Kollektion zeige. Sie ist so begeistert von den Erzählungen, dass sie mir jedes Mal rät, mein Leben in Buchform zu fassen. Ich lache und sage: »Hanni, erstens kann ich das nicht und zweitens habe ich einen Vollzeitjob, und dazu noch eine Tochter und einen Haushalt.« Für mich ist das Thema damit erledigt, doch Hanni wird auch in den kommenden Monaten keine Ruhe mehr geben.

Mitte Februar 1994 erhalte ich erneut einen Brief aus Kenia. Voller Neugier öffne ich ihn und lese zuerst wie immer die lieben Grüße von der ganzen Familie. Dann schreibt James, dass er in Mombasa gewesen sei und Lketinga gefunden hätte. Er sei in einem sehr schlechten, abgemagerten Zustand gewesen und hätte viele Probleme gehabt. Er besitze kein Auto mehr, ja nicht einmal mehr ordentliche Kleider. Er, James, hätte ihm erst einmal welche kaufen müssen und habe ihn nun nach Hause begleitet. Jetzt sei er bei Mama. Lketinga wolle wieder heiraten, doch James denke nicht, dass das möglich sein wird, weil er für eine Heirat nicht genug besitzt. Weiter schreibt er, dass das monatliche Geld, das ich für Mama auf die Mission einbezahlt hatte, seit diesem Monat aufgebraucht sei. Mama wolle sich bei mir nochmals bedanken für die lang andauernde Unterstützung. Dann bittet er um einen erneuten Geldbetrag, da Mama Augenprobleme habe, die nur ein Arzt lösen kann. Er werde wieder schreiben, sobald es Neues zu berichten gäbe, speziell über Lketinga.

Ich bin beruhigt, dass Lketinga nun endlich, nach so langer Zeit, wieder zu Hause wohnt. Gleichzeitig bin ich traurig, dass nichts, aber auch gar nichts von dem einstigen Reichtum übrig geblieben ist. Trotzdem hoffe ich, dass er einen Weg finden wird, um wieder heiraten zu können. Komisch, denke ich, vor nicht einmal zwei Monaten wurde ich von Lketinga geschieden, nachdem ich über drei Jahre nichts mehr von ihm gehört hatte, und jetzt taucht er zu Hause auf und spricht seinerseits von Heirat. Wie seltsam das Schicksal doch ist!

Die Zeit vergeht wie im Flug. Die Wochenenden sind meistens für meine Freundinnen und ihre Kinder reserviert. Jetzt im Winter gehen wir öfter Schlittschuhlaufen oder an den Hängen am Dorfrand Schlitten fahren, was uns vor allem nachts großen Spaß macht. Danach sitzen wir alle in meiner warmen Wohnung und quatschen, während die Kinder am Boden spielen.

Eines Tages, es geht auf den Frühling zu, klingelt das Telefon und ich bin erstaunt, die Stimme von Andrea, der Deutschen mit den langen blonden Haaren, zu vernehmen. Im Urlaub tauscht man ja oft Adressen aus, wenn die Ferien dem Ende zugehen, aber in der Regel hört man dann nichts mehr voneinander. Andrea möchte uns nun besuchen. Napirai freut sich sehr. Bereits eine Woche später trifft sie bei uns ein, allerdings ohne ihren Lebenspartner. Wir tauschen Urlaubsfotos aus und erzählen einander viel. Dabei erfahre ich, dass sie in ihrer Beziehung nicht mehr recht glücklich ist, da ihr Freund nahezu keine Zeit für sie hat. Napirai schlägt vor, sie solle uns einfach mehr besuchen kommen. Sie werde ihr dafür wunderschöne Frisuren machen. Andrea ist zwar von dieser Aussicht nicht allzu sehr begeistert, doch verspricht sie ihr, bald wieder zu kommen. Bereits einige Wochen später löst sie dieses Versprechen ein, nachdem ich sie gefragt hatte, ob sie Lust und Zeit hätte, bei einer Geschäftseröffnung von Freunden, die auch gute Kunden sind, mitzuhelfen. Sie war sofort einverstanden und so bewältigen wir gemeinsam die Organisation einer gelungenen Unternehmung. Dieser Abend wird ihr Leben verändern, denn sie verliebt sich. Ein halbes Jahr später wird sie in die Schweiz ziehen und ein Jahr darauf verheiratet sein. Wir pflegen weiterhin eine gute Freundschaft, die später auch mein Leben nochmals drastisch verändern wird.

Anfang 1995 trifft ein erfreulicher Brief von James ein. Er schreibt, dass Lketinga eine junge Frau geheiratet hat, die auch gleich schwanger wurde. Über diese Neuigkeit bin ich überglücklich und sehr erleichtert, dass er wieder Vater werden wird. Seine Frau sei ein Mädchen, das nahe bei unserer Manyatta gewohnt habe. Er werde mir ein Bild schicken, sobald er die Möglichkeit hat, sich einen Fotoapparat zu borgen. Ich bin sehr gespannt, wer dieses Mädchen ist, denn wenn sie in unserer Nähe gelebt hat, werde ich sie sicher erkennen. Ich freue mich so sehr für Lketinga, dass ich umgehend einen Antwortbrief schreibe und auch Geld überweise, damit er sich eine Kuh für die Hochzeit kaufen kann. Wie das Kind der beiden wohl aussehen wird? Ob vielleicht eine Ähnlichkeit mit Napirai zu erkennen ist? Im Moment muss ich meine Neugier zügeln und mich in Geduld üben. Auch wenn es James gelingt, einen Fotoapparat zu organisieren, wird das Entwickeln weitere zwei Monate dauern.

Meine Arbeit macht immer noch viel Spaß, unter anderem auch deshalb, weil mein Umsatz nach wie vor erfreulich steigt. Allerdings bekommen wir im Verlauf des Frühlings einen neuen Mitarbeiter, der zur Unterstützung der Geschäftsleitung eingesetzt werden soll. Schon bei der ersten Begegnung merke ich, dass er ein völlig anderer Typ als mein jetziger Chef ist und ich kann mir nicht vorstellen, wie die beiden zusammenarbeiten sollen. Aber mir kann es egal sein, denn ich arbeite sozusagen selbstständig und bin selten im Betrieb. Ich habe andere Probleme, denn Napirai wird nach den Sommerferien in den Kindergarten gehen. Das bedeutet, dass ich einen neuen Betreuungsplatz suchen muss, weil ihre jetzige Tagesmutter nicht in unserer Gemeinde wohnt. Wieder haben wir großes Glück, denn meine Tochter kann bei einer Familie unterkommen, die sie bereits kennt. Die neuen Pflegeeltern haben vier eigene Kinder, ein Mädchen und drei Jungen. Auch hier dauert es nicht allzu lange, bis Napirai sich zu Hause fühlt, obwohl es am Anfang für sie eine große Umstellung ist, die Aufmerksamkeit mit so vielen anderen Kindern teilen zu müssen. Im selben Jahr ziehen auch meine Mutter und Hanspeter in unser Dorf.

Endlich kommt der große Tag, an dem Napirai zum ersten Mal in den Kindergarten geht. Stolz trägt sie ihr Täschchen und den Sicherheitsleuchtstreifen quer über der Brust. Im Kindergarten begrüßt uns eine ältere Dame, die sich als die Kindergärtnerin vorstellt. Etliche Eltern sind schon da. Als einzige Einelternfamilie werden wir eher von der Seite her beobachtet als offen empfangen. Vor allem Napirai wird von den Kindern ungeniert beäugt, was ihr mit einem Mal nicht geheuer ist. Auf jeden Fall möchte sie nicht, dass ich sie allein zurücklasse. Solch ein Verhalten ist eher ungewöhnlich bei ihr. Gott sei Dank legt sich diese Scheu in den folgenden Tagen. Es kommt jetzt öfter vor, dass sie gleich bei der Pflegefamilie oder bei meiner Mutter übernachten will, was mich dazu verleitet, häufiger auszugehen.

So manchen Abend bin ich mit Hanni unterwegs. Erst gehen wir essen und anschließend tanzen. Anscheinend kennt diese Frau Gott und die Welt. Wo wir auch hinkommen, trifft sie Leute und ich werde wie meistens als »die aus Afrika« vorgestellt, worauf natürlich gleich eine Menge Fragen gestellt werden. Auch fünf Jahre nach meiner Rückkehr ist das Interesse an meiner Liebesgeschichte nach wie vor ungebremst, und Hanni schimpft zum wiederholten Mal, ich solle endlich alles zu Papier bringen.

Ich will meine Geschichte aufschreiben

*I*hre Sticheleien zeigen langsam Wirkung und immer öfter beschäftige ich mich mit der Idee, meine Geschichte aufzuschreiben. Zögernd nehme ich eines Abends einen karierten Schreibblock und einen Bleistift zur Hand und beginne, meine Gedanken neun Jahre zurückzuschicken. Ich erinnere mich, wie ich mit meinem Partner Marco in Mombasa landete, um unseren Urlaub anzutreten, und wie mich diese Aura und die damit verbundenen Eindrücke sofort tief bewegten und ich das seltsame Gefühl hatte, als sei ich nach langer Zeit nach Hause gekommen. Ich konnte mir das zu diesem Zeitpunkt nicht erklären und so traf mich die erste Begegnung mit Lketinga tief bis in mein Innerstes und mein ganzes Lebensfundament stürzte innerhalb von Sekunden ein. Ich sah ihn, und mein bisheriges Leben existierte nicht mehr. Ja, ich sehe, spüre und rieche wieder alles, als geschähe es ein zweites Mal, und meine Hand fängt wie von selbst an, diese Eindrücke aufs Papier zu bringen. Wie ein Film läuft die Geschichte vor meinem inneren Auge ab und ich muss keine Minute überlegen, was ich schreiben soll. Es schreibt einfach! Ich merke nicht, wie die Zeit vergeht. Erst als die Finger schmerzen, schaue ich auf die Uhr und bin erschrocken, weil es schon weit nach Mitternacht ist. »O Gott, ich muss ins Bett. Morgen ist wieder ein arbeitsreicher

Tag«, sage ich zu mir selbst und lege mich behutsam neben die schlafende Napirai. Im Bett finde ich keine Ruhe und in Gedanken schreibe ich noch weiter, bis ich endlich einschlafen kann.

Als ich am nächsten Tag nach der Arbeit meine Tochter abhole, lese ich meiner Mutter die ersten geschriebenen Seiten vor. Sie ist sehr überrascht, aber begeistert. »Willst du jetzt ein Buch schreiben?«, möchte sie wissen. Ich antworte: »Nein, nein, eigentlich möchte ich nur alles aufschreiben, damit Napirai später einmal erfährt, aus was für einer großen Liebe sie entstanden ist und warum ihre Eltern es dennoch nicht geschafft haben, zusammenzubleiben. Wenn mir etwas passieren sollte, könnte ihr niemand genaue Auskunft über ihre Herkunft geben.« Meine Mutter sucht gleich die Briefe, die ich ihr aus Afrika geschrieben habe, und gibt sie mir als Gedächtnisstütze mit.

Zu Hause bereite ich unser Abendessen vor und beschäftige mich anschließend mit Napirai. Um sieben Uhr geht sie zu Bett und ich erledige im Schnelldurchlauf meinen kleinen Haushalt. Dann endlich ist es so weit, dass ich Ruhe und Zeit habe, die am Vortag geschriebenen Seiten noch einmal durchzulesen. Innerhalb kürzester Zeit bin ich wieder in die Vergangenheit eingetaucht und schreibe automatisch weiter. Ich sehe Lketinga vor mir, während ich ihn als großen, schönen, sehr exotischen, fast femininen Mann mit sehnigem Muskelbau und wilden, glühenden Augen beschreibe. Das Licht der untergehenden Sonne verleiht seinem braunen Körper und seinem bemalten Gesicht mit den langen roten Haaren, die zu feinen Zöpfchen geflochten sind, einen besonderen Glanz. Sein langer Körper, nur mit einem roten Hüfttuch und ein paar farbigen Perlenketten bekleidet, wirkt schlicht und doch ergreifend schön. Aufs Neue empfinde ich die Bewunderung und die Anziehung, während ich meine Erinnerungen niederschreibe.

Plötzlich klingelt das Telefon. Aus der Vergangenheit aufgeschreckt, nehme ich den Hörer ab und melde mich ziemlich schroff. Es ist Madeleine, die fragt, ob sie mit einer Flasche Wein herüberkommen könne, um etwas zu besprechen. Normalerweise freue ich mich, doch jetzt möchte ich nicht in die Realität zurückgeholt werden. Schon höre ich Madeleine sagen: »Hey, Corinne, was ist los mit dir? Hast du Besuch und störe ich dich gerade?« Etwas beschämt über mein Verhalten sage ich: » Ja klar, komm rüber, ich muss dir auch etwas zeigen.« Kurz darauf klopft es an meiner Tür und Madeleine schlüpft strahlend mit einer Flasche Rotwein unterm Arm an mir vorbei ins Wohnzimmer. Auf ihre Frage, warum ich so zerstreut sei, hole ich die beschriebenen Blätter und beginne vorzulesen. Als ich fertig bin, ist sie fasziniert und meint: »Gut, wirklich gut! Aber wenn ich daran denke, wie viel Zeit du brauchen wirst, um das alles aufzuschreiben, werden wir wohl in Zukunft an den Abenden kürzer treten müssen. Auf jeden Fall bin ich gespannt, wie es weitergeht!«

Innerhalb der nächsten zwei, drei Monate verschlechtert sich in der Arbeit das Betriebsklima drastisch, so dass der »alte« Chef kündigt und die Firma verlässt, was viele, auch mich, verunsichert. Schon bald bläst ein anderer Wind im Betrieb. Einmal komme ich zur Sitzung und finde die Sekretärin vom Empfang in Tränen aufgelöst vor. Ein anderes Mal tobt ein lautes Wortgefecht. Mit den Bestellungen läuft auch nicht mehr alles rund und die ersten größeren Reklamationen seitens meiner Kundschaft treffen ein. Ich hoffe immer noch, dass sich die Lage wieder entspannen wird. Wichtiger allerdings ist mir zur Zeit mein abendliches Schreiben, das sich langsam fast zur Sucht entwickelt.

Ende August finde ich in der Post eine Einladung zu einem Klassentreffen im Oktober. Ich freue mich und bin neugierig, was aus all meinen Klassenkameraden und -kameradinnen geworden ist. Seit dem Ende der Schulzeit habe ich niemanden mehr gesehen. Besonders auf meine damalige Freundin Therese bin ich gespannt. Als ich bei dem Treffpunkt ankomme, sind schon viele ehemalige Mitschüler und Mitschülerinnen da. Dass ich zu Beginn kaum jemanden erkenne, ist mir fast peinlich. In meinem eleganten schwarzen Lederkostüm und mit den feuerroten Haaren komme ich mir ungebührlich auffallend vor. Die anderen erscheinen mir wesentlich dezenter. Nach dem Aperitif geht es zum Restaurant, wo gegessen werden soll. Es ist in Hufeisenform aufgedeckt, so dass sich die etwa 20 Teilnehmer anschauen können. Erst jetzt bemerke ich einen Neuankömmling. Das ist ja Markus! Er sitzt neben einer ehemaligen Lehrkraft.Wie schon früher in der Schule erheitert er mit seinen frechen Sprüchen die Runde und steckt alle mit seinem sonnigen, herzlichen Lachen an. Er hat sich zu einem attraktiven Mann entwickelt. Gefallen hat er mir allerdings schon in der dritten Klasse. Ich dagegen war ihm zu lang und zu dünn. Deshalb beantwortete er auch meine schwärmerischen Briefchen nicht, wie ich später erfuhr. Während des Essens unterhält er sich mit dem ehemaligen Lehrer provokativ über mein Aussehen und ruft für alle vernehmbar: »Corinne, so hättest du mir früher schon gefallen!« Worauf ich antworte: »Selber schuld, du hattest deine Chance vor 25 Jahren!« Viele lachen, einige verstehen den Witz nicht. Leider taucht meine ehemalige Freundin Therese nicht auf. Auch einige andere, die mich interessiert hätten, sind nicht gekommen. Nach dem Essen bilden sich schnell ein paar Grüppchen und es wird diskutiert, gelacht und getrunken. Markus ist der Mittelpunkt bei den Frauen. Er sieht sehr gut aus und hat eine witzige und dabei intelligente Art zu unterhalten. Auch ich lausche gespannt seinen Erzählungen. Er betreibt ein Ingenieurbüro, ist verheiratet und Vater von zwei Mädchen. Ein richtiger Musterehemann, denke ich und beneide fast ein wenig die mir unbekannte Frau, die mit solch einem Mann zusammen durchs Leben gehen kann. An diesem Abend entsteht in mir die Vorstellung, dass mein nächster Partner genauso fröhlich strahlend, gut aussehend und selbstsicher sein sollte. Wäre er nicht verheiratet, würde ich ihm offen meine Bewunderung mitteilen. So aber verlieren wir uns aus den Augen. Noch lange nach dem Klassentreffen schwärme ich meinen Freundinnen von dieser Begegnung vor.

Napirai hat sich im Kindergarten und in der Pflegefamilie prächtig eingelebt. Sie ist ein aufgewecktes, selbstständiges, aber dennoch sehr anhängliches Mädchen. Ihre dünnen langen Beine und Arme schlingt sie öfters um mich, wenn ich sie am Abend nach Hause hole. Sie ist mein Sonnenschein und ganzer Lebensinhalt.

Langsam bereitet mir das Arbeiten Mühe, da nichts mehr richtig funktioniert. Mittlerweile haben wir häufigen Personalwechsel. Zum einen werden viele Mitarbeiter entlassen, zum anderen gehen einige, durch das Arbeitsklima mit den Nerven am Ende, von selbst. Auch ich mache mir so meine Gedanken, wie es weitergehen soll. Jetzt bin ich schon drei Jahre in dieser Firma und habe mir eine gute Kundschaft aufgebaut. Mit dem Gehalt kann ich jährlich mit meiner Tochter in Urlaub fahren und habe insgesamt einen angenehmen Lebensstandard.

Nach den Weihnachtsfeiertagen beginne ich die Arbeit eher lustlos und mit einem komischen Gefühl im Bauch. Wie üblich nach dem Jahreswechsel fahre ich zuerst in die Firma, um allen Mitarbeitern ein gutes neues Jahr zu wünschen und um zu besprechen, was wir in Zukunft planen. Schon beim Betreten des Gebäudes merke ich, dass etwas nicht stimmt. Der Chef ruft alle vom Außendienst zu einer Sitzung zusammen und erklärt uns, dass es mit der Firma schlecht stehe, es würden Stellen abgebaut und davon sei auch der gesamte Außendienst betroffen. Ich sitze da, als hätte er mir eine Ohrfeige verpasst. Noch kein Jahr ist er im Amt und schon ist die Firma ruiniert und unsere Arbeitsplätze sind weg. Ich frage nach, wie er sich vorstelle, wieder zu neuen Aufträgen zu kommen ohne Außendienstmitarbeiter. Da antwortet er ganz unverfroren, er werde die größeren Kunden nun selbst weiterbetreuen. Die Kleinkunden müssten sich eben anpassen und in der Firma vorbeikommen. So einfach macht er sich das! Ich bin schockiert.

Immerhin kann ich noch so weit klar denken, um so ruhig wie möglich über meine Kündigungszeit zu sprechen. Ich schlage vor, dass ich bereits vereinbarte Termine noch wahrnehme, aber keine neuen Geschäfte mehr angehe, während die Firma mir für die dreimonatige Kündigungsfrist mein Grundgehalt auszahlt, da es nichts Schlimmeres in dieser Situation gibt, als ohne Überzeugung verkaufen zu müssen. Am Ende sind wir wohl beide froh, uns gütlich getrennt zu haben.

Auf dem Heimweg fahre ich wie betäubt durch die Gegend. Ich kann nicht glauben, wie schnell sich das Blatt in der Firma gewendet hat. Ob ich genügend Kraft und Lust haben werde, ein viertes Mal von vorne zu beginnen, weiß ich im Moment nicht. Da ich das starke Bedürfnis habe, mit jemandem Vertrauten meine Lage zu besprechen, besuche ich unterwegs meine Freundin

Anneliese. Sie ist diejenige, die netterweise meine handgeschriebenen Manuskriptseiten in den Computer tippt
und immer ungeduldig auf Nachschub wartet. Aber
auch nach diesem Besuch fühle ich mich müde und
orientierungslos und fahre deshalb zu meiner Mutter,
die sich ebenfalls mein Schicksal anhören muss. Sie
macht ein bekümmertes Gesicht, gibt jedoch zu bedenken: »Bis jetzt hast du doch immer so viel Glück
gehabt. Du schaffst das schon wieder und hast sicher
schnell einen neuen Job! Lass dich nicht entmutigen!«
Zum ersten Mal bin ich mir darüber nicht mehr so sicher
und langsam kommt es mir vor, als würde ich jedes Mal
um die Früchte meiner Arbeit betrogen.

In den folgenden Tagen nehme ich das Arbeiten lockerer und bin um jeden abgehakten Termin froh. Bei
einigen Kunden gehe ich persönlich vorbei, um mich zu
verabschieden. Viele sind enttäuscht über die Situation
und kündigen an, ohne meine Betreuung nichts mehr zu
bestellen. Inzwischen bemühe ich mich bereits um eine
neue Arbeit und studiere die Stelleninserate, finde aber
nichts auch nur annähernd Passendes. So vergehen die
restlichen Tage wie im Flug und plötzlich stehe ich ohne
Job da. Ich hätte nie geglaubt, dass mir so etwas in der
Schweiz passieren könnte. Nun bleibt mir nach sechs
Jahren Vollzeitarbeit erstmals keine andere Wahl, als
mich arbeitslos zu melden. Der Gang zur Gemeinde fällt
mir sehr schwer. Doch entgegen allen Vorurteilen werde
ich zumindest höflich und nett behandelt. Ich erfahre,
dass ich zuerst eine Frist abzuwarten habe, bevor ich

Ende des zweiten Monats 80 Prozent meines durchschnittlichen Verdienstes bekomme. Der Spesenzuschuss für mein Auto wird dabei nicht anerkannt und so belastet mich mein Leasingvertrag zusätzlich. Aber irgendwie wird es schon gehen, denn ich kann meine Ansprüche reduzieren. Noch bin ich überzeugt, schnell wieder Arbeit zu finden, obwohl ich keine genaue Vorstellung habe, welcher Art sie sein könnte. Es ist wie verhext, denn der Arbeitsmarkt scheint zur Zeit wie ausgetrocknet. Auch ein erneutes Inserat bringt keinen Erfolg, dafür aber beträchtliche Ausgaben.

Nachdem ich den ersten Schock überwunden und falsche Hemmungen abgelegt habe, genieße ich die neu gewonnene Freizeit mit Napirai. Mittags koche ich mit viel Liebe für uns und erfahre endlich aus erster Hand die Vorkommnisse und Geschichten aus dem Kindergarten. Vorher hatte ich die großen und kleinen Aufregungen, wenn überhaupt, nur über die Tagesmutter mitbekommen. Diesen Kontakt lassen wir auf keinen Fall abbrechen. Wenn ich Vorstellungsgespräche habe, verbringt Napirai nach wie vor die Zeit bei ihr, denn ich rechne mit einer baldigen Anstellung. Nach zweimonatiger Arbeitslosigkeit jedoch schwinden meine Hoffnungen und ich spüre deutliche Anzeichen von Mutlosigkeit.

In dieser Zeit gibt mir eine Freundin die Adresse einer Kartenlegerin. Obwohl ich davon nicht wirklich überzeugt bin und mir diese zusätzliche Ausgabe eigentlich nicht leisten kann, gehe ich zu ihr, in der Hoffnung, irgendeinen Hinweis über meine berufliche Zukunft zu bekommen. Sie ist etwa 70 Jahre alt und lebt in einem kleinen, alten Haus. Der ganze Garten und alle Fenstersimse sind mit Zwergen dekoriert. Bei diesem Anblick muss ich schmunzeln und trete in gebückter Haltung in das niedrige Wohnzimmer, das mit Fotos, künstlichen Blumen und sonstigem Kitsch überladen ist. Ich setze mich der alten Frau gegenüber an den Stubentisch und bin sehr neugierig, was nun geschehen wird. Zwar bin ich durchaus skeptisch, doch ohne es auszuprobieren, möchte ich das Ganze nicht verurteilen. Während ich die Karten ziehe, setzt sich eine rötliche Katze auf meinen Schoß, und ich habe nun wirklich den Eindruck, in einem Hexenhäuschen zu sitzen. Ich ziehe Karten, eine um die andere, und die Frau beginnt mit der Deutung. Ohne dass ich ihr etwas erzählt hätte, stellt sie als Erstes fest, dass ich wohl mit einem Kind alleine lebe und dies auch noch länger so bleiben wird. Na ja, wegen der Liebe bin ich ja auch nicht gekommen. Ich will wissen, wie es mit einer Arbeit weitergeht und in welche Richtung. Sie schaut immer wieder auf die Karten und bemerkt sachlich, aber doch erstaunt, dass ich eine verrückte Vergangenheit im Ausland gehabt haben muss, die mich bis heute außergewöhnlich stark beschäftigt. Sie schaut mich an und fragt, ob ich viele Briefe schreibe oder auf andere Weise mit der Vergangenheit nicht abschließen könne. Ich antworte kurz, dass ich gerade dabei sei, mein Leben, das ich mit dem Vater meiner Tochter in Afrika geführt habe, aufzuschreiben. »Möchten Sie denn ein Buch schreiben?«

»Ja, aber ob ich es veröffentlichen will, weiß ich noch nicht«, antworte ich ehrlich. Sie hört, wie mir scheint, nicht sehr interessiert zu, sondern mischt noch einmal die Karten, worauf ich wieder welche ziehen soll. Nun wird sie lebendig und meint: »Ich kann nur sagen, machen Sie unbedingt weiter so! Das wird ein großer Erfolg werden, ja, ich sehe sogar, weit über unsere Schweizer Grenzen hinaus!« Lachend wende ich ein: »Ja, ja, kann schon sein, aber das ist noch ein langer Weg. Wie sieht es denn mit einem greifbaren Job in unmittelbarer Zukunft aus?«

»Es wird alles gut werden«, erwidert sie, »nur dürfen Sie nichts überstürzen und müssen etwas Geduld haben.«

Auf der Heimfahrt habe ich den Eindruck, nicht viel schlauer geworden zu sein. Das mit dem Buch mag ja vielleicht stimmen, schön wäre es, doch erst muss ich es fertig schreiben. Jeden Abend, wenn Napirai schläft und ich ungestört bin, tauche ich in meine Erinnerungen ein und versuche sie festzuhalten. Dieses Ritual ist mittlerweile fast zu einem Zwang geworden. Daheim angekommen rufe ich sofort Hanni an, die mein Schreiben mit großem Interesse verfolgt. Ich teile ihr die Neuigkeiten von der Kartenlegerin mit. Sie ist hocherfreut und lacht: »Ich sage dir das schon seit Jahren! Und du wirst sehen, am Ende gibt es auch noch eine Verfilmung!« Wir müssen beide lachen. Ansonsten vermisst sie sowohl meine geschäftlichen als auch privaten Besuche. Ich gehe nämlich nirgendwo mehr hin, da ich jeden Franken zweimal umdrehen muss, um nicht in Schulden zu geraten.

Nach dreimonatiger Arbeitslosigkeit nehme ich einen neuen Job an, obwohl ich von ihm nicht überzeugt bin. Immerhin ist das besser, als jeden Freitag mit meinem Arbeitslosenblatt bei der Gemeinde anzustehen. Es handelt sich dabei um den Vertrieb von Haarschmuck in Drogerien und Warenhäusern. Bald merke ich, dass mein vorgeschriebenes Kundenpensum so hoch ist, dass ich, wenn ich die Arbeit vollständig erledigen will, selten vor sieben Uhr zu Hause bin und deshalb meine Tochter höchstens noch eine Stunde pro Tag sehen kann. Selten habe ich Zeit, mittags überhaupt noch richtig zu essen und sehe bald wieder krank aus, wie meine Mutter besorgt feststellt. Noch während der Probezeit gebe ich den Job auf, weil ich mit den Nerven am Ende bin.

Außerdem nimmt mich das abendliche Schreiben immer mehr in Anspruch, da ich viele Situationen noch einmal intensiv physisch und psychisch durchlebe. Es kommt vor, dass ich mich nach dem Beschreiben eines Krankheitsverlaufes erneut elend und krank fühle. Bei anderen Situationen muss ich mit dem Schreiben aufhören, weil mir die Tränen über die Wangen laufen. Ab und zu muss ich sogar einige Abende eine Pause einlegen, um neue Kräfte zu sammeln, da ich nun mit dem Schreiben nach etwa acht Monaten allmählich zum Ende komme, ohne aber eine genaue Vorstellung zu haben, wo ich aufhören werde.

In einem neuerlichen Brief bedankt sich James für die Fotos von Napirai. Mama und auch Lketinga seien sehr traurig gewesen, als sie die Bilder sahen. Sie vermissen uns immer noch. In dem Brief befindet sich ein Foto von Lketingas Ehefrau. Ich erkenne sie sofort, weil sie als Mädchen oft bei uns im Shop Zucker oder Maismehl einkaufte. Sie war sehr ruhig und eher unauffällig. Ich freue mich für die beiden, vor allem, da James schreibt, dass Lketinga wirklich keinen Alkohol mehr trinkt. Ein Bild von seinem Kind werde ich später bekommen. Es sei ein Mädchen und bereits zehn Monate alt. Auch weniger Schönes erfahre ich aus dem langen Brief. Die Frau des älteren Bruders von Lketinga, Mama Saguna, sei schon seit drei Monaten im Hospital und habe große Probleme mit ihrer Gesundheit. Sie könne nicht nach Hause, bevor nicht die Spitalrechnung beglichen ist. Zudem schulden sie den Somalis Geld für ihren Notfalltransport von Barsaloi nach Wamba. Ich kann mir vorstellen, dass es wahrscheinlich um Leben und Tod ging. Denn bevor dort ein Hospital in Anspruch genommen wird, ist der Patient mehr tot als lebendig. Zuerst werden, wie ich es selbst erlebt habe, alle möglichen Formen der Buschmedizin ausprobiert. Meine Schwiegermama sei jetzt mit den fünf Kindern und dem Neugeborenen seines Bruders zu Hause und sie hätten nicht genug zu essen. James bittet mich erneut um Hilfe in Form von Geld, was mich sehr traurig macht. Zum ersten Mal kann ich nicht helfen, weil ich durch meine Arbeitslosigkeit selbst kein Geld mehr habe. So bitte ich Hanspeter und meinen älteren Bruder um eine Spende, was bei beiden keiner großen Worte bedarf.

Die erneute Arbeitslosigkeit belastet mich diesmal nicht mehr so drastisch. Während des kurzen Arbeitseinsatzes ist mir klar geworden, dass ich Lust hätte, etwas völlig Neues, Anspruchsvolleres zu vertreiben. Mit meinen 36 Jahren könnte ich auch noch eine kleine Zusatzausbildung machen. Täglich durchforste ich die Zeitungen.

Gleichzeitig bin ich damit beschäftigt, Napirai auf ihren ersten Schultag vorzubereiten. Wie schnell doch die Zeit vergeht! Nun kommt meine Tochter bereits in die Schule und der kleine Ernst des Lebens beginnt für sie. Beim Stamm ihres Vaters wäre sie jetzt wahrscheinlich unter brütender Sonne mit der Ziegenherde unterwegs. Ihre schönen Haare wären mit einer Rasierklinge geschoren und sie wäre nur mit einem Kanga bekleidet und mit dem ersten Halsschmuck versehen. Nein, ich bin wirklich froh, dass es anders gekommen ist.

Am ersten Schultag begleiten meine Mutter und ich unsere Napirai stolz zur Schule. In ihrem hübschen Sommerkleidchen, mit ihrer braunen Haut und den schulterlangen Zapfenlocken sieht sie wunderschön aus. Aufgeregt räumt sie den bunten Schulranzen aus, stellt ihr farbiges Etui auf das Pult und hört gespannt der jungen sympathischen Lehrerin zu, die noch dazu langes blondes Haar hat, was Napirai immer noch fasziniert. Meine Mutter und ich sind schon bald nicht mehr von

Wichtigkeit und wir schleichen uns nach gut einer Stunde davon.

In letzter Zeit schreibe ich wie besessen über meine Vergangenheit und fülle Seite um Seite. Eines Abends bin ich schließlich dabei zu erzählen, wie ich mit Napirai vor fünfeinhalb Jahren im Bus von Mombasa nach Nairobi sitze und Lketinga anflehe, endlich meinen vorbereiteten Zettel zu unterschreiben, der seine Einwilligung für unsere dreiwöchige Ausreise beinhaltet. Plötzlich spüre ich, wie ich innerlich zu zittern beginne und sich ein enormer Druck auf meine Brust legt. Ich vernehme deutlich das Hupen des Busfahrers und glaube die Stimme Lketingas zu hören, der traurig und zweifelnd sagt: »I don't know, if I see you and Napirai again.« Dann springt er mit zwei Sätzen aus dem Bus. Wir fahren los und erst als ich das unterzeichnete Papier in Händen halte und mit einem stummen Blick nach draußen alles Vorbeiziehende verabschiede, laufen mir die Tränen über das Gesicht.

Nach diesen letzten Sätzen werfe ich den Bleistift und den Block weit von mir und heule nun wirklich hemmungslos. Ich zittere am ganzen Körper und werde von Schluchzern durchgeschüttelt. In diesem Moment weiß ich: Ich werde keine Zeile mehr schreiben können! Ich schlinge meine Arme um mich, wie um Halt zu suchen, und habe das Gefühl, in ein tiefes Loch gezogen zu werden. Ich weine um mein geliebtes Kenia, um meinen zerstörten Traum von einer großen Liebe und um alles

Schöne und Schreckliche, das ich in einer fast unwirklichen Welt erleben durfte.

Plötzlich steht meine kleine Napirai verschlafen und erschrocken vor mir und fragt mit Tränen in den Augen: »Mama, warum weinst du so? Hast du dir wehgetan? Du weinst doch sonst nie!« Ich ziehe Napirai zu mir auf den Schoß und drücke sie fest an mich, während ich zu sprechen versuche, was mir nicht so recht gelingt, da ich ständig nach Luft schnappen muss. »Ich habe mir nicht wehgetan, mein Schatz, ich weine wahrscheinlich, weil ich es nicht geschafft habe, mit deinem Papa glücklich zu werden.«

»Aber du hast doch mich!«, erwidert mein Kind nun ebenfalls schluchzend. Ich versuche sie zu trösten und streichle ihr lange über den Rücken, bis sie sich wieder beruhigt hat. Dann lege ich sie in unser Bett zurück und verspreche ihr, nicht mehr zu weinen. Im Wohnzimmer schaue ich auf die Uhr und stelle erschrocken fest, dass es nach zwei Uhr nachts ist. Demnach muss ich fast drei Stunden im Schmerz versunken gewesen sein. Nie hätte ich gedacht, dass mich meine afrikanische Geschichte jemals noch einmal so mitnehmen würde. Ich war mir sicher, diesen Lebensabschnitt gut verarbeitet zu haben. Doch anscheinend hatte ich alles nur verdrängt. Seit Jahren habe ich nicht mehr so geweint und nun spüre ich langsam eine tiefe Ruhe in mir aufsteigen und fühle mich matt und betäubt.

Ich nehme mir vor, diesen letzten Block so schnell wie möglich Anneliese zum Abtippen zu bringen, damit ich endgültig abschließen kann. Da ich immer am Boden sitzend geschrieben habe, tut mir nun alles weh. Doch ich habe es geschafft! Unsere Geschichte ist schriftlich festgehalten und mit diesem beruhigenden Gedanken schlafe ich endlich ein. Am Morgen sehe ich kaum aus meinen verquollenen Augen heraus, als ich für Napirai das Frühstück richte. Ich verspreche ihr, dass ich uns etwas ganz Gutes kochen werde und bis zum Mittag auch wieder fröhlich aussehe.

Einige Tage später bringt mir Anneliese die zehn handgeschriebenen Blöcke sowie eine abgetippte und ausgedruckte Version vorbei. Jetzt liegen vier Jahre im kenianischen Busch in einem Ordner vor mir. Ich bin überwältigt. Wir stoßen auf das Gelingen eines eventuellen Buches an und ich verspreche ihr, falls es veröffentlicht wird, sie mit einem tollen Urlaub zu entschädigen. Nun informiere ich meine Familie über mein »Werk« und Eric bietet sich an, das Ganze zu vervielfältigen, damit ich es an verschiedene Verlage schicken kann.

Lernen kann man alles

Wie gewohnt schaue ich den Stellenanzeiger durch und plötzlich bleibt mein Blick an einem großformatigen Inserat hängen. Es wird eine Dame zwischen 24 und 30 gesucht, die über Kenntnisse im Dentalbereich verfügt, um hochwertige Produkte bei Zahnärzten zu vertreiben. Von Vorteil sei Außendienst-Erfahrung, aber nicht Bedingung. Gutes Gehalt und ein Dienstwagen würden selbstverständlich geboten. Beim zweiten Durchlesen denke ich: Das ist genau der Job, den ich mir vorstellen könnte. Lernen kann man alles, und die Erfahrung, die ich im Außendienst erworben habe, ist ein Pfund, das ich in die Waagschale werfen kann. Welcher Zahnarzt würde außerdem einer 24-Jährigen etwas abkaufen? Mit dieser Einstellung melde ich mich bei dem Vermittlungsbüro. Nach einer Woche erhalte ich einen Termin für ein Vorgespräch. Mit dem zuständigen Herrn gehe ich meinen Lebenslauf durch und er scheint besonders von meinem Aufenthalt in Kenia beeindruckt zu sein. Anschließend habe ich eine Stunde Zeit, um einen Computertest auszufüllen. Beim Abschied erklärt mir der Herr, ich müsse abwarten, ob ich in die nächste Runde käme. Immerhin hätten sich über achtzig Bewerber und Bewerberinnen gemeldet. Als ich diese Zahl höre, mache ich mir keine allzu große Hoffnung mehr, da ich dem gesuchten Anforderungsprofil kaum entspreche.

In den folgenden Tagen besuche ich eine Buchhandlung und informiere mich über die verschiedenen Verlage, die für mein Manuskript in Frage kommen könnten. Nur ein Großverlag scheint mir sinnvoll zu sein, da ich keine Lust habe, für ein paar wenige hundert Exemplare meine Lebensgeschichte publik zu machen. Wenn, dann sollte es in Deutschland auf den Markt kommen und die Schweiz wäre damit automatisch auch abgedeckt. Mit einem Zettel voller Adressen verlasse ich den Buchladen und beginne zu Hause gleich, Kontakt mit verschiedenen Verlagen aufzunehmen. Die Ernüchterung lässt nicht lange auf sich warten. Nach einer kurzen mündlichen Beschreibung meiner Geschichte erhalte ich bereits am Telefon reihenweise Absagen. Doch gibt es auch ein paar Verlage, denen ich das Manuskript zustellen kann, unter anderem Lübbe, Scherz, Knaur und Heyne. Ich kopiere ein paar meiner eindrucksvollsten Afrikafotos und schreibe einen Begleitbrief dazu, in dem ich auf unser Telefongespräch verweise. Zum Schluss hefte ich ein neueres Foto von mir an das Begleitschreiben, packe alles zusammen ein und sende es in gespannter Erwartung ab. Ein bis drei Monate müsse ich auf den Bescheid warten.

Ich erhalte eine Einladung zu einem Zweitgespräch im Stellenvermittlungsbüro. Mein Interesse ist sofort wieder geweckt. Wenn ich diesen Schritt weitergekommen bin, stehen meine Chancen offensichtlich nicht schlecht. Wieder unterhalte ich mich mit dem mir bereits bekann-

Mit Napirai in Wamba im Oktober 1989

Mit unserer kleinen Tochter in Barsaloi

Unser späterer Souvenirshop in Mombasa

Zwei Monate nach unserer Rückkehr in die Schweiz

Auf dem zugefrorenen Pfäffikersee im Januar 1991

In der Gruppe allein erziehender Mütter, 1991/1992

Napirai steht zum ersten Mal auf Skiern

Napirai im Juli 1992

Napirai beim Trommeln

Herbstwanderung mit Oma und Hund in den Flumserbergen

Schlittenfahrt im Januar 1995

Am Bergsee im Sommer 1995

Weihnachten 1995

Mit dem Bestseller auf der Frankfurter Buchmesse 1999

Lketinga mit dem Buch »Die weiße Massai« im Sommer 1999

James (2. von links) und Lketinga (3. von links) mit Mama Leparmorijo

Mama Leparmorijo im Sommer 1999

Napirai im Juni 2000

Erstmals wieder auf afrikanischem Boden, März 2003

Die Mama erhält als Geschenk eine Decke, links James, dahinter Lketinga

James und Lketinga hören unser Tonband ab

Am Luganer See im Juni 2003

Auf unserer Terrasse

Vor dem Aufstieg im März 2003

Am Gipfel des 5895 m hohen Kilimandscharo

ten Herrn. Er erläutert mir das Ergebnis des Tests, das ihn offensichtlich beeindruckt hat. Er fragt, ob es mir auch möglich wäre, ab und zu für zirka zehn Tage ins Ausland zu einer Fortbildung zu fahren, was ich natürlich bejahe. Am Ende des Gesprächs fragt er ein wenig verlegen, ob es mir schwer fallen würde, meine roten Haare etwas neutraler zu färben, denn Zahnärzte seien zum Teil recht konservativ, wie auch der zuständige Chef, der mich in den nächsten Tagen empfangen möchte. Ich muss lachen und erwidere: »Sehen Sie, bis jetzt bin ich mit dieser Haarfarbe gut angekommen und habe erfolgreich verkauft. Die roten Haare sind mein Markenzeichen, sie gehören zu meiner Persönlichkeit. Ich denke nicht, dass es schadet, etwas Farbe in alt eingefahrene Situationen zu bringen.«

»Gut, gut, ich habe verstanden, wir werden sehen«, antwortet er. »Sie werden von mir den Termin bekommen, aber es sind noch etwa acht andere Bewerber im Rennen.« Ich bedanke mich und verlasse das Gebäude. Da ich mir sehr wünsche, diesen Job zu bekommen, halte ich bei einer Kirche, lasse mich zu einem Gebet nieder und zünde eine Kerze an.

Nach ein paar Tagen finde ich im Postkasten die Einladung zu einem Besuch bei der Dentalfirma. Es ist ein moderner, großräumiger Pharmabetrieb. Schon beim Betreten des Gebäudes fühle ich mich wohl und meine anfängliche leichte Nervosität legt sich, noch ehe ich vor dem zuständigen Chef stehe. Er ist nur einige Jahre älter als ich und macht einen sympathischen, ruhigen, fast schüchternen Eindruck. In meinem blauen klassischen Kostüm, mit einer Größe von 1,80 Meter und den roten Haaren wirke ich anscheinend etwas erdrückend auf ihn. Im Laufe des Gesprächs aber taut er auf und schon bald muss er über meine Erzählungen schmunzeln. Ich habe den Eindruck, wir fühlen uns beide wohl. Nach einer Stunde ist sein Urteil gefällt. Für ihn bin ich mit meiner Energie und dem ungewöhnlichen Lebenslauf die richtige Person, nur muss noch der »Big Boss« mitentscheiden. Für diesen seien noch zwei weitere Kandidaten interessant, da sie aus dem Dentalbereich kämen. Unter Umständen müsste ich auch mit ihm noch ein Gespräch führen. Diese Unterredung findet zwei Tage später statt. Der »Big Boss« ist ein kleiner schmächtiger Mann, was meine Situation nicht gerade erleichtert. Kaum sitzen wir, torpediert er mich mit Fragen wie: »Warum glauben Sie, eignen gerade Sie sich für diesen Job? Wo sehen Sie sich in zehn Jahren? Wie sieht es mit Ihrer Belastbarkeit aus in Bezug auf Arbeit, Kind, Ausbildung etc.?« Nach zwei Stunden Kreuzverhör werde ich mit dem Satz entlassen, dass ich in etwa einer Woche Bescheid bekomme oder eventuell noch einmal für ein weiteres Gespräch bereit sein müsse. Ich stehe auf, schaue die beiden Herren an und sage mit voller Überzeugung: »Es würde mich sehr freuen, bei Ihnen arbeiten zu können, denke aber, dass es eigentlich nichts Weiteres zu besprechen gibt, und gesehen haben Sie mich ja nun auch. Ich bin, soviel ich weiß, die letzte der drei verbliebenen Kandidatinnen, die Sie prüfen wollten, und deshalb erwarte ich von Ihnen bis Montag Bescheid, da ich noch andere Angebote habe. Ich hoffe auf Ihr Verständnis und wünsche Ihnen ein schönes Wochenende.« Danach drücke ich beiden die Hand und gehe. Ich bin mir nicht sicher, ob mein Auftritt klug war, aber man muss sich auch einmal entscheiden können!

Es ist kurz vor Mittag und so fahre ich zu Hannis Arbeitsstätte, um mit ihr die Mittagszeit zu verbringen. Nachdem Freitag ist, nehmen wir uns vor, heute Abend wieder einmal tanzen zu gehen. Während der Heimfahrt klingelt das Handy und mein zukünftiger Chef ist am Apparat. »Ich gratuliere Ihnen, Frau Hofmann, Sie haben unseren ›Big Boss‹ überzeugt! Jetzt müssen Sie zeigen, was Sie können! Am 1. November beginnen Sie bei uns.« Völlig überrascht antworte ich lachend: »Wow, super! Ich freue mich wirklich sehr und werde mein Bestes geben.« »Ich weiß«, lacht auch er und verspricht, mir den Vertrag in den nächsten Tagen zuzusenden. Wieder einmal habe ich es geschafft! Von achtzig Bewerbern habe ich das Rennen gemacht. Ich bin überglücklich, dass meine Arbeitslosigkeit ein Ende hat und ich darüber hinaus eine gut bezahlte und interessante Stelle gefunden habe.

Im siebten Himmel schwebend komme ich nach Hause und finde im Briefkasten das erste zurückgesandte Manuskript. Es ist mit einem kleinen Anschreiben versehen, in dem steht: »Mit Dank zurück. Wir sehen keine

Möglichkeit einer Herausgabe in unserem Verlagspro-
gramm.«

Ich schaue mein Manuskript an und habe den Eindruck, dass sich niemand die Mühe gemacht hat, wenigstens einmal die Nase hineinzustecken. Alle Blätter sehen wie frisch gedruckt, ordentlich und ungelesen
aus. Sogar mein Begleitbrief liegt noch oben auf! Mir ist
es egal. Ich habe gerade eine tolle Anstellung bekommen
und werde die nächsten Jahre sicher nicht wechseln.
Ich kann mir ein Geschäftsauto aussuchen, erhalte eine
großzügige Spesenvergütung, ein gutes Gehalt und eine
Umsatzbeteiligung. Das gebe ich so schnell nicht wieder auf, denke ich mir und räume das zurückgeschickte
Manuskript in den Keller.

Bevor ich am 1. November die neue Stelle antrete,
kommen nach und nach alle versandten Pakete zurück, immer mit der gleichen Begründung. Ein Verlag
schreibt sogar: Es fehlt der Spannungsbogen! Dieser
Ausdruck erstaunt mich. Da habe ich eine überirdische
Liebe im tiefsten Busch erlebt mit allen Höhen und Tiefen, habe einer Tochter unter verrückten Umständen
das Leben geschenkt, beschreibe gefährliche Szenen im
Busch mit Büffeln und Elefanten und Autopannen, die
mich fast das Leben kosteten, ganz zu schweigen von
der Frau, die sich in meinem Auto ihr totes Baby vor
meinen Augen aus dem Leib riss, so dass ich fast wahn-
sinnig wurde. Ja, wie viel Spannung wollen die Herren
Lektoren denn noch?, frage ich mich, während ich nun
alle Manuskripte wegpacke.

Eigentlich bin ich ganz froh darüber. Wer weiß, was so eine Veröffentlichung mit sich bringen würde. Mir geht es so gut wie schon lange nicht mehr. Ich habe eine intelligente, hübsche Tochter und eine interessante Arbeit. Nachdem ich mir meine afrikanische Geschichte fast therapeutisch von der Seele geschrieben habe, spüre ich, wie sich in mir langsam ein neues Lebensgefühl entwickelt und ich mich verändere. Nur meine Rückenschmerzen erinnern mich fast täglich an die Manuskripte zwei Stockwerke tiefer.

In unserer kleinen Wohnung fühle ich mich inzwischen beengt und denke auch, dass Napirai mit ihren sieben Jahren langsam ein eigenes Zimmer bräuchte. Bei Gelegenheit werde ich mich um eine größere Wohnung bemühen müssen, zumal ich sie mir finanziell jetzt leisten kann. Auch für die Gruppe der allein Erziehenden finde ich kaum noch Zeit und erfahre eines Tages, dass sie aufgelöst wird. Nur der intensive Kontakt zu zwei Frauen ist geblieben.

Ich arbeite mich langsam ein, denn es braucht seine Zeit, bis ich alle Produkte und deren Verwendungszweck kenne. Die zwei anderen Außendienstmitarbeiter sind ausgebildete Zahntechniker und arbeiten beide schon mehr als zehn Jahre in diesem Betrieb. Selbst abends studiere ich Bücher und Prospekte und habe manchmal den Eindruck, mir diese komplizierten Namen und Vorgänge nie merken zu können.

An einem freien Tag löse ich einen Massage-Gutschein ein, den ich vor drei Monaten von meiner deutschen Freundin Andrea zum Geburtstag geschenkt bekommen habe, weil meine Rückenschmerzen nicht nachlassen. Während ich auf dem Massagebett liege, fragt mich die Masseurin, ob ich die Frau aus Afrika sei, die ein Buch geschrieben hat. Offensichtlich hat Andrea schon viel von mir erzählt. Nun möchte sie wissen, wann das Buch erscheint. »Wahrscheinlich nie, weil sich bis jetzt kein Verlag dafür interessiert hat«, gebe ich zur Antwort. »Das muss aber erscheinen«, sagt sie energisch und möchte wissen, ob sie sich bei einem befreundeten Buchhändler nach geeigneten Verlagsadressen erkundigen soll. Etwas zweifelnd nicke ich. Tatsächlich finde ich ein paar Tage danach einen Zettel mit vier verschiedenen Adressen von Kleinverlagen vor. Ich bin unschlüssig, ob ich mich überhaupt melden soll, da meine Welt im Moment völlig in Ordnung ist. Doch auf Druck einiger Freundinnen rufe ich schließlich den ersten Verlag an. Dort erklärt man mir, sie veröffentlichten nur Bücher von ausländischen Autoren. Wenn also mein Mann das Buch geschrieben hätte, könnte theoretisch Interesse bestehen. Daraufhin rufe ich den A1 Verlag in München an. Komischer Name, denke ich noch, als sich eine männliche Stimme meldet. Der Herr hört sich meine Geschichte ruhig an und möchte anschließend wissen, wie ich auf seinen Verlag gestoßen bin. Am Ende des längeren Gesprächs fordert er mich auf, ihm das Manuskript zur Begutachtung zu senden. Als ich es zur

Post bringe, beschließe ich: Das ist das letzte Mal, dass ich so viel Geld für das Porto ausgebe. Es soll fast ein halbes Jahr dauern, bis ich Antwort bekomme.

Die ersten Tage im Außendienst sind sehr angenehm, da ich mit einem der beiden Kollegen auf Tour gehen kann. Ich höre interessiert zu und befürchte manchmal, dass es Jahre dauern wird, bis ich ebenfalls alles so gut und ausführlich erklären kann. Im Januar 1997 werde ich zu einer einwöchigen Fortbildung nach Deutschland geschickt. Es handelt sich dabei um das Kennenlernen und Handhaben von etwa zehn Produkten aus unserem insgesamt etwa hundert Artikel umfassenden Sortiment. Die Ausbildung ist anstrengend, aber lehrreich. Während mir beigebracht wird, was man alles benötigt oder unternehmen kann, um defekte Zähne zu ersetzen, zu flicken oder gar das ganze Gebiss zu richten, muss ich hin und wieder innerlich lächelnd an meine afrikanische Familie denken. Weit auseinander oder hervorstehende Zähne, die bei uns Europäern als Entstellung betrachtet und nach Möglichkeit für viel Geld gerichtet werden, gelten in ihrem Stamm als Schönheitsideal. Auch fehlen bei allen Massai die zwei mittleren unteren Schneidezähne. Diese schlagen sie sich als etwa sieben- bis neunjährige Kinder meist selber aus. Dafür benutzen sie ein spitzes Messer oder einen Nagel, schieben diesen Gegenstand unter das Zahnfleisch und schlagen dann mit einem Stein so lange darauf, bis der Zahn blutend herausfällt. Danach sind die Kinder sehr stolz auf die voll-

167

brachte Tat und ernten von den Erwachsenen große Anerkennung. Warum jeder der Stammesangehörigen dieses Ritual vollzog, hat sich mir nie ganz erschlossen, doch muss es etwas mit der Angst vor Ersticken im Zusammenhang mit einer bestimmten Krankheit zu tun haben. Ja, so unterschiedlich kann Zahnkultur sein.

Zurück in der Schweiz, muss ich allein auf Tour. Wieder versuche ich, telefonisch Termine zu vereinbaren, doch das klappt überhaupt nicht. Fast überall höre ich dasselbe: »Wir haben unsere Produkte schon, aber Sie können uns Prospekte senden, der Chef hat sowieso keine Zeit.« Oder: »Wir wollen keine neuen Vertreter kennen lernen, wir arbeiten schon Jahre mit den uns bekannten zusammen.« Nun, dann muss ich eben persönlich vorbeischauen. Aber bei dieser Art von Kundschaft ist es nicht leicht, an die zuständige Person heranzukommen. In den Praxen geht es meistens hektisch zu und so lautet die Frage immer: »Haben Sie einen Termin?« Manchmal habe ich den Eindruck, dass die Damen wie eine geschlossene Mauer hinter der Theke stehen, als müssten sie ihren Chef vor mir schützen. Hin und wieder erlebe ich auch schöne Situationen, wenn ich zum Beispiel gefragt werde, ob ich einen Kaffee möchte, der Chef habe in zehn Minuten kurz Zeit für mich. Dann bin ich erfreut und hoffe gleichzeitig, dass ich in der Lage sein werde, die anfallenden Fragen zu beantworten. Auf keinem Gebiet war ich bisher so unsicher wie in diesem. Doch mit jeder noch so kleinen Bestellung wächst meine Sicherheit.

168

Als ich an einem späten Nachmittag nach Hause komme, liegt wieder ein Brief von James in meiner Post. Ich freue mich immer, wenn ich schon am Umschlag erkennen kann, dass der Brief aus Kenia kommt. Dieser wurde am 5. Januar 1997 geschrieben.

Hallo Corinne und Napirai
Ich grüße euch, Gott sei mit euch. Ich bete, dass ihr das neue Jahr 1997 erlebt und genießt. Hier in Kenia haben wir keinen Frieden mehr. Die Leute kämpfen jeden Tag. Viele Turkana und Samburu haben Gewehre. So etwas haben wir noch nie erlebt. Es gab einen großen Stammeskampf zwischen dem 24. Dezember und dem 3. Januar. Die betroffenen Plätze waren Baragoi, Marti, Barsaloi, Opiroi und viele mehr. Viele Menschen wurden getötet, elf in Barsaloi, von meiner Familie zwei, ein Mädchen und ein alter Mann, aber niemand aus unserem Kral. Alle unsere Tiere, Ziegen, Kühe, Kamele wurden geraubt, nichts ist geblieben. Alle Leute sind geflohen und leben nun in Maralal. In den Dörfern Barsaloi, Baragoi, Opiroi wohnt niemand mehr. Die Menschen leben wie Flüchtlinge, sie haben nichts zu essen. Auch haben wir nicht genug Platz in Maralal. Es gibt zu wenige Häuser, um darin zu leben. Ich glaube, dass viele Menschen an der Armut sterben werden. Es gibt keinen Unterricht mehr, weil die Leute weggelaufen sind. Auch die Schule in

Maralal ist nun leer. Vielleicht hast du es im Radio gehört oder in den Zeitungen gelesen, dass Banditen mit dem Helikopter kamen und unseren Distrikt-Officer und zwei Polizisten getötet haben. Zwischen Weihnachten und dem neuen Jahr war für uns eine ganz schlimme Zeit. Deshalb haben wir nicht gefeiert. Meine Familie lebt nun in der Nähe von Maralal bei der Schule. Ich hoffe, du weißt noch, wo das ist. Niemand von ihnen hat ein Haus oder Tiere und sie sind auf das Essen von anderen Leuten angewiesen.

Corinne und Napirai, ich hoffe, euch geht es gut. Bitte hilf uns über mein Konto, damit wir etwas zu essen kaufen können. Wenn ich die Chance habe, nach Barsaloi zu kommen, will ich dir die Fotos von einer Zeremonie senden, die letzten Monat stattfand. Doch die Leute dort kämpfen immer noch und es gibt keinen Frieden im Samburu-Distrikt. Die Menschen gehen alle fort.

Ich wünsche dir und Napirai und deinen Freunden ein glückliches neues Jahr 1997. Gott gebe euch Frieden und ein gutes Leben.

Dein James

Alle aus der Familie lassen dich und Napirai grüßen

Bei der Vorstellung, wie schlecht es diesen Menschen geht, läuft mir ein Schauer über den Rücken. Die geliebte Mama musste nach Maralal fliehen, sie, die in ihrem ganzen Leben nur einmal in diesem kleinen Städtchen war. Nie wollte sie in meinem Auto mitfahren, denn das Stadtleben empfand sie als erschreckend. Sie liebte ihr Barsaloi und lebte, außer wenn eine Zeremonie das Umziehen an einen anderen Ort erforderte, ausschließlich und zufrieden um ihre Manyatta herum. Und nun das! Sicher mussten sie durch den gefährlichen Lorroki-Dschungel flüchten, und das mit mehreren Kleinkindern. Während ich mir das Schicksal meiner Samburu-Familie ausmale, wird mir schlagartig klar, dass ich jetzt ebenfalls vor dem Nichts stehen würde, wenn die Beziehung zwischen Lketinga und mir gut gegangen wäre. Spätestens jetzt würde mich die letzte Kraft verlassen. Bei diesem Gedanken spüre ich eine große Erleichterung, in der sicheren Schweiz zu leben, fühle mich gleichzeitig aber unendlich verbunden mit diesen Menschen. Dass es immer diejenigen treffen muss, die ohnehin schon bescheiden leben! Sofort fahre ich zur Bank, um einen größeren Betrag zu überweisen, damit sie Nahrungsmittel und Ziegen kaufen können und bete für sie. Ein tröstender Brief geht ebenfalls zur Post.

Anfang März fahre ich erneut zu einer Fortbildung, diesmal nach Holland. Die neue Produktpalette imponiert mir und ich kann mich von Anfang an gut damit identifizieren. Richtig aufgekratzt komme ich aus Holland zurück und möchte mein Wissen auch anwenden. Weil ich dafür aber einige Minuten Aufmerksamkeit von den Zahnärzten brauche, wechsle ich die Taktik, damit ich nicht schon an der Theke abgespeist werde. Ich besuche in einer Stadt alle Zahnärzte und versuche, einen Termin für die nächsten Tage zu bekommen. Da wir attraktive Einführungsangebote haben, klappt das fast bei der Hälfte der besuchten Praxen. Mein Terminkalender füllt sich und nach einem halben Jahr stellt sich langsam der Erfolg ein.

Eine Nachbarin erzählt mir von einer Neubauwohnung in unserem Dorf, die noch frei ist und die man besichtigen kann. Obwohl mir die Miete zu teuer erscheint, schaue ich sie mir dennoch an. Und natürlich kommt es, wie es kommen musste! Diese Wohnung ist absolut die schönste, die ich in letzter Zeit gesehen habe. Sie hat große Fenster, ist offen und sehr geräumig. Ich bin begeistert, wenngleich ich alles nur mit Taschenlampe besichtigen kann, da noch kein Strom angeschlossen ist. Die Höhe der Miete ist plötzlich unwichtig und meine Entscheidung sofort gefällt. Zum Glück bekomme ich diese Traumwohnung zugesprochen. Am 1. April ziehen wir bereits ein. Der Abschied von der alten Umgebung fällt uns allerdings sehr schwer. Die Mädchen sind eine verschworene Gemeinschaft geworden und auch ich fühlte mich in der Gesellschaft dieser Nachbarn wohl.

Das Einleben in der neuen Wohnung ist alles andere als einfach. Napirai schlief bis jetzt immer bei mir und hat nun zum ersten Mal ein eigenes Zimmer. Statt abends zu schlafen, ruft sie alle fünf Minuten: »Mama, bist du noch da? Ich kann dich nicht hören und sehen! Mama, ich möchte doch lieber wieder in unsere alte Wohnung zurück!« Aber auch diese Probleme legen sich nach ein paar Wochen und ich genieße unsere Behausung wie ein Schmuckstück. Während ich abends vor dem Kaminfeuer sitze, träume ich vor mich hin und denke noch viel an Afrika. Der Geruch von Feuer weckt nach wie vor die Bilder der Erinnerung. Ich sehe, wie ich am Boden vor der Feuerstelle hocke und ein einfaches Essen zubereite oder für Lketinga und seine Kriegerfreunde einen Tee koche. Noch immer spüre ich das wohlige Empfinden in unserer Manyatta, die mir, trotz aller Einfachheit, Schutz bot vor Hitze, Kälte, Regen oder wilden Tieren. Es wird mir bewusst, dass ich in keiner meiner noch so schönen Schweizer Wohnungen ein ähnliches Gefühl der Sicherheit und Geborgenheit gespürt habe. Dennoch muss ich feststellen, dass ich einen gewissen Luxus durchaus wieder genießen kann. Dabei wollte ich doch nach meiner Rückkehr nur noch mit dem Nötigsten leben. Heute habe ich eine moderne Wohnungseinrichtung gekauft. Die Secondhand-Shops besuche ich nur selten und auch sonst häufen sich wieder Gegenstände an, die alles andere als notwendig sind. Ich habe mir den Lebensstandard aus der Zeit vor Afrika zurückerarbeitet und trotz einiger Bedenken bin ich stolz darauf.

Napirai findet schnell Kontakt zu den Mädchen, die in unserer neuen Wohngegend leben, und so lösen sich die »alten« Verbindungen allmählich. Bei der Pflegefamilie fühlt sie sich wie zu Hause und ihre Großmutter wohnt direkt an ihrem Schulweg.

Mein Beruf erfüllt mich ganz und gar. Mittlerweile besuche ich verschiedene Praxen zum zweiten Mal und der Empfang ist nun lockerer und freundlicher. Bei den häufigen Fortbildungen und Kursen nehmen wir als Zuschauer auch an Kieferoperationen teil. Nicht für jeden von uns ist es leicht, den Anblick von Blut und das Bohren im Kiefer zu ertragen. Mir kommt dabei wohl zugute, dass ich bei den Samburu erlebt habe, wie die Männer Blut zur Stärkung tranken, nachdem ein Tier geschlachtet wurde. Nach dieser harten Schule ist für mich der Anblick von Blut nichts Besonderes mehr.

Eines Abends, ich bin gerade beim Verfassen des Tagesberichtes für die Firma, klingelt das Telefon. Es meldet sich die mir bekannte Stimme des Verlegers aus München. Oje, an das Manuskript hatte ich gar nicht mehr gedacht! So viel hat sich durch den neuen Job und den Umzug im letzten halben Jahr geändert. Meine aufgeschriebenen Erlebnisse sind im Moment weit weggerückt. Und nun höre ich, wie der Verleger sagt: »Es sieht gut aus mit Ihrem spannenden Lebensbericht. Doch bevor wir uns endgültig entscheiden, wäre es wichtig, Sie persönlich kennen zu lernen.«

Ich fühle mich fast ein wenig überrumpelt. Vor einem dreiviertel Jahr hätte ich vielleicht Luftsprünge gemacht, aber jetzt weiß ich gar nicht mehr, ob das alles in meinem neuen Leben Platz hat. Dennoch nehme ich das Angebot für ein Kennenlernen an. Wenn mir der Verlag nicht passt, kann ich ja immer noch mein Manuskript zurückziehen. Wochen später trete ich die Zugfahrt nach München an und bin mir nicht sicher, ob ich das Richtige tue. Der Verleger holt mich persönlich am Bahnhof ab und ist mir vom ersten Moment an sympathisch. Im Verlag erwarten mich noch einige andere Leute, unter anderem auch eine quirlige und kompetente Pressefrau, mit der ich mich gleich gut verstehe.

Als ich nach dieser sehr anregenden Begegnung wieder im Zug sitze, spüre ich nun doch eine kleine Vorfreude auf das, was sich daraus entwickeln könnte. Den definitiven Bescheid mit der Ankündigung eines Vertrages erhalte ich ein paar Tage später. Nun hält mich nichts mehr und ich rufe alle an, die mich während des Schreibens moralisch unterstützt haben, um die Neuigkeit loszuwerden. Alle freuen sich, doch was nun geschehen wird, kann sich niemand so recht vorstellen.

Die Weihnachtszeit rückt schon wieder näher und zum ersten Mal kann ich die ganze Familie in unsere große Wohnung einladen. Wir feiern ein fröhliches, harmonisches Fest und erleben besinnliche Tage, die nur durch einen Brief aus Kenia getrübt werden.

Wegen der anhaltenden Kämpfe kann die Familie immer noch nicht in ihr Dorf zurückkehren. Aber dank unserer Unterstützung konnten sie Lebensmittel und Ziegen kaufen, die James unter den Angehörigen gerecht verteilt hat. Endlich liegen auch Fotos von Napirais Halbschwester bei. Auch sie ist ein hübsches Mädchen, doch sieht sie mit ihrem rasierten Kopf Napirai nicht sehr ähnlich. Allerdings haben beide Mädchen die gleichen Augen. Auf den Fotos, auf denen James während der Zeremonie abgebildet ist, die ihm nun erlaubt zu heiraten, sehe ich ihn zum ersten Mal mit der traditionellen Bemalung und nur mit einem Kanga bekleidet. Er kommt mir fremd vor, denn ich hatte ihn bisher nur in Schuluniform oder in seinen »normalen« Kleidern gesehen. Die wenigen Fotos tragen jedes Mal dazu bei, dass mein innerer Kontakt zu Kenia nicht abreißt.

Sensationeller Bucherfolg

*A*m 1. Februar 1998 unterzeichne ich den Vertrag für mein Buch »Die weiße Massai«, ohne zu ahnen, dass dieser Schritt mein Leben in einem halben Jahr in jeder Hinsicht völlig verändern wird und die Ereignisse wie eine Lawine über mich hereinbrechen werden.

Der Frühling und auch der Sommer verlaufen ruhig und angenehm. In meiner Arbeit bin ich nun sattelfest und verkaufe recht gut, da meine Stammkundschaft kontinuierlich wächst. Ich liebe meinen Beruf, verdiene auf leichte und angenehme Weise gutes Geld und bin mit meiner derzeitigen Situation sehr zufrieden. Immer wieder geht mir durch den Kopf, wie hart und entbehrungsreich dagegen unser Leben wäre, wenn wir in Kenia geblieben wären.

Mitte August erhalte ich ein Päckchen vom Verlag. Beim Öffnen beginnen meine Finger zu zittern, da ich weiß, dass es nur mein fertiges Buch sein kann. Tatsächlich liegt es nun vor mir und ich bin sprachlos. Das Buch hält sich so angenehm in den Händen, dass ich es gar nicht mehr loslassen möchte. Ich bin aufgewühlt und sehr ergriffen. Es kommt mir ein wenig so vor, als hätte ich ein zweites Kind geboren. Es ist überwältigend. Aufgeregt rufe ich meinen Chef an, den ich erst vor ein paar Wochen auf dieses Ereignis vorbereitet habe, und schwärme in den höchsten Tönen. Auch meine Freundinnen stecke ich mit meiner Euphorie an und am Abend wird spontan eine kleine Party bei mir zu Hause gefeiert. Alle kommen vorbei, bewundern »mein Werk« und jeder ist sich sicher, dass es ein Erfolg wird. Als um Mitternacht die Letzten gegangen sind, sitze ich da und betrachte noch lange voller Respekt »Die weiße Massai«. Noch in der gleichen Nacht schreibe ich einen langen Brief an James und berichte ihm von dem Buch, das von dem Leben bei seinem Stamm, von der großen Liebe und auch der Tragik, die ich in Kenia erleben durfte, erzählt. Mir ist klar, dass es für ihn nicht leicht sein wird, dies seiner Familie und den Leuten aus dem Dorf zu erklären.

Gegen Ende August erscheint der erste Bericht über das Buch und meine Geschichte in einem Frauenmagazin. Die Reportage ist ohne mein Dazutun entstanden, denn sie haben einfach die Bilder aus dem Buch verwendet. Noch am selben Tag, ich habe gerade meinen letzten Praxisbesuch in Utzwil hinter mir, entdecke ich das blinkende Handy in meinem Wagen. Beim Abhören der Combox bekomme ich nur verschwommen etwas von einer Redaktion Boulevard Bio, großer Liebe und Fernsehauftritt mit. Am Schluss ist eine Telefonnummer angegeben. Ich rufe sofort zurück und bin tatsächlich mit der Redaktion der Fernseh-Talkshow von Alfred Biolek verbunden.

Die Dame erklärt mir, dass sie gerade mein Buch durch die Presseagentur des Verlages erhalten und es regelrecht verschlungen habe. Am kommenden Dienstag, dem 1. September, sei das Talkthema »Die große Liebe«. Da einer der Gäste verhindert sei, wolle sie mich fragen, ob ich nicht Lust hätte, einzuspringen und bei Herrn Biolek über meine Erlebnisse zu berichten. Etwas Besseres kann mir gar nicht passieren! Natürlich sage ich zu. Nun kündigt die Redakteurin an, dass sie in zwei Tagen, also Sonntag, nach Zürich kommen wird, um mich auf »Fernsehtauglichkeit« zu prüfen. Alles Weitere werde sie mit dem Pressebüro vereinbaren. Ich lege den Hörer auf und stoße einen Jubelschrei aus, um die Anspannung loszuwerden. Mit zitternden Fingern wähle ich die Nummer des Verlages, um die Neuigkeit zu erzählen. Bei der Gelegenheit frage ich meinen Verleger, ob er nicht auch glaube, dass die erste Auflage mit 10 000 Stück zu gering bemessen sei. Lachend entgegnet er: »Die müssen erst einmal verkauft werden. Schließlich sind Sie eine unbekannte Autorin und wir sind ein kleiner Verlag.« Nun ja, wir werden sehen, was der Sonntag bringt. Am Samstag übe ich mit Andrea Hochdeutsch, damit ich auch sprachlich fernsehtauglich werde. Gleichzeitig bringt sie als gelernte Friseurin meine Haare in Form. Der Sonntag verläuft zur allgemeinen Zufriedenheit und ich werde zur Talkshow eingeladen.

Am Flughafen in Köln werde ich mit einer Limousine abgeholt und in ein feudales Hotel gebracht. Zwei Stunden später sitze ich in der Maske und werde frisiert und geschminkt. Natürlich bin ich aufgeregt, sage mir aber immer wieder: »Corinne, stelle dir den Herrn Biolek einfach als Zahnarzt vor und statt über Füllungen oder Abdruckmaterial sprichst du mit ihm über dein Leben in Kenia.«

Ich sitze in der vordersten Reihe neben dem Schauspieler Helmut Berger und warte auf meinen Auftritt, während ich versuche, dem Gespräch des Ehepaares Sonja Ziemann und Charles Regnier zu folgen. Es gelingt mir jedoch kaum, mich darauf zu konzentrieren, weil ich ständig überlege, was ich gefragt werden und wie ich möglichst kurz und prägnant antworten könnte. Mir scheint, die beiden reden eine Ewigkeit. Dann endlich gibt es den Schlussapplaus und ich höre meinen Namen. Während ich zu meinem Platz gehe, sind meine Beine plötzlich schwer wie Blei und das Herz klopft rasend schnell. Ich habe mir fest vorgenommen, gut zuzuhören, bevor ich antworte, was bei mir nicht immer selbstverständlich ist. Herr Biolek und ich plaudern miteinander und zwischendurch vernehme ich Gelächter im Publikum und auch Zwischenapplaus. Nach einigen Minuten lässt meine Anspannung nach und als ich mich richtig wohl fühle, ist meine Redezeit schon zu Ende. Die Zuschauer applaudieren und während Herr Berger auf Herrn Biolek zugeht, klatscht er Beifall und sagt: »Faszinierend, Sie haben mir die Schau gestohlen, wirklich toll!« In diesen Sekunden weiß ich, dass ich meinen ersten Fernsehauftritt gut gemeistert habe, und bin erleichtert. Beim späteren Essen wollen alle mehr von mir wissen. Die Ersten fragen schon, ob das Buch auch in italienischer Sprache erscheinen wird. Wie soll ich denn das jetzt schon wissen?

Nach meiner Rückkehr rufen meine Freundinnen an und gratulieren zu dem gelungenen Auftritt. Mein Chef äußert lachend, er sei gespannt, wie lange ich noch für die Firma arbeiten werde. Doch da habe ich keine Bedenken und besuche weiter meine Zahnärzte.

Eine Woche nach dem Auftritt ist die komplette Erstauflage verkauft und es sind keine Bücher mehr da, dafür jede Menge Interview-Anfragen. Alle möchten neuere Fotos von mir und meiner Tochter. Napirai ist am Anfang nicht sehr begeistert, zumal sie keine Auskunft über Kenia und ihren Vater geben kann, weil sie ja viel zu klein war, um sich zu erinnern. In den nächsten Tagen geht es bei uns zu wie in einem Bienenhaus. Morgens halte ich die Termine bei den Praxen ein und am Nachmittag eile ich zum Friseur, damit ich gegen vier Uhr bereit für die Fotografen bin. Spätabends putze ich die Wohnung, damit bei den nächsten Film- oder Fototerminen wieder alles sauber ist. Alles, was ich jetzt erlebe, erscheint mir so unwirklich wie ein Traum. In zahlreichen Zeitungen in Deutschland sehe ich mein Foto zum Teil auf den Titelseiten oder neben Bildern von berühmten Persönlichkeiten wie Bill Clinton oder Pierre Brice. Die jahrelange Außendiensttätigkeit kommt mir nun zugute, denn ich habe keine Berührungsängste und bin nicht auf den Mund gefallen. Es folgen verschiedene Radiointerviews und bald auch der zweite Fernsehauftritt. Schließlich entdecken mich die

Schweizer Medien und es erscheinen Reportagen in vielen auflagenstarken Heften und Zeitungen. Fast drei Wochen gibt es im Buchhandel keine »Weiße Massai« zu kaufen und viele wildfremde Menschen rufen mich zu Hause an und wollen wissen, wo mein Buch zu erwerben ist. Doch dann erscheint die zweite Auflage in doppelter Höhe der Erstauflage und die dritte wird schon produziert.

Am 16. September ist die offizielle Buchvorstellung in einer wunderschönen Gärtnerei in Winterthur geplant. Ich sage dem Buchhändler, er solle dafür sorgen, dass es genügend Plätze gibt, denn ich glaube, dass viele Leute kommen werden. Er lacht: »Schauen Sie, das ist nicht meine erste Buchpremiere, und wissen Sie, es wäre ungewöhnlich, wenn 100 Plätze bei einer unbekannten Autorin und einem relativ unbekannten Verlag ausverkauft wären.« Entgegen seinen Vorhersagen müssen jedoch jede Menge Stühle geschleppt werden, bis der Raum berstend voll ist. Sogar meinen früheren Klassenlehrer entdecke ich unter den Zuhörern.

Die Lesung verläuft großartig. Schon nach den ersten drei, vier Minuten bin ich voll im Element und nehme nicht einmal mehr meine Familie in der ersten Reihe war. Ich kann die Lesung nach meiner eigenen Vorstellung gestalten und so lese ich ausgewählte Abschnitte und ergänze mit Erzählungen. Es ist ein wunderbares Erlebnis in einer grandiosen Atmosphäre, die die Menschen erfasst und auch auf mich ansteckend wirkt. Nach der Lesung muss ich die vielen Fragen der Zuhörer beantworten. Einige wollen wissen, wie es meiner Tochter und mir heute geht. Was macht Lketinga? Ist er wieder bei seinem Stamm? Bereuen Sie, dass Sie diesen Schritt gemacht haben? Fragen über Fragen, und nach einer weiteren Stunde signiere ich Bücher. Da mein Verleger für dieses Ereignis extra aus München angereist ist, haben einige Besucher Glück und können sich ein frisch gedrucktes Buch ergattern. Immer wieder werde ich nach meiner nächsten Lesung gefragt, wann und wo diese stattfinden wird. Viele der Anwesenden haben Freunde und Bekannte, die auch zu einer Lesung kommen möchten. Der Erfolg scheint uns förmlich zu überrollen.

Die folgenden Tage vergehen im Eiltempo. Obwohl ich permanent am Arbeiten oder Organisieren bin, fühle ich mich nahezu nie müde, weil alles neu und interessant ist. Bald werde ich in meiner Wohngemeinde um eine Lesung gebeten. Sie findet im Nebensaal eines Restaurants statt. Als ich zum Lokal komme, traue ich beim Anblick der vielen geparkten Autos kaum meinen Augen. Im Eingang drängen sich die Menschen in einer langen Schlange bis auf die Straße hinaus. Es ist unglaublich, alle wollen an meiner Geschichte Anteil nehmen! Nachdem bereits 150 Leute im Raum sind, muss er gesperrt werden, was viele Angereiste verärgert. Ich gehe hinaus und verspreche den Wartenden, in etwa zwei Wochen eine weitere Lesung am gleichen Ort durchzuführen. Mehr kann ich leider nicht tun. Heute bin ich nervöser als bei der Buchpräsentation, da es sozusagen ein »Heimspiel« ist. Doch schnell wird mir klar, dass die meisten Zuhörer von auswärts angereist sein müssen, denn ich entdecke nicht viele bekannte Gesichter.

Der Ablauf des Abends gestaltet sich ähnlich wie in Winterthur. Nach der Lesung beantworte ich Fragen. Plötzlich werde ich von einem älteren Mann mit dunkelgrünem Pullover und Hosenträgern gefragt, wie es denn in sexueller Hinsicht bei uns abgelaufen sei. Er spricht in anzüglichem Tonfall, obwohl seine Frau neben ihm sitzt, so dass ich erst kurz überlegen muss, bevor ich ihm antworte: »Schauen Sie, ich möchte hier keinen genauen Liebesakt erläutern, doch Sie können alles im Buch nachlesen.« Darauf erwidert der dreiste Mensch: »Ich bin hier bei einer Lesung und nicht bei einer Verkaufsveranstaltung, oder?« Im Publikum wird es unruhig und eine auffallend hübsche blonde Frau springt auf und kanzelt den Mann ab: »Und Sie mit Ihrem geilen Getue gehören nicht in diese Veranstaltung!« Sie erhält Applaus und ich lächle die energische Frau an.

Später werde ich aus einer anderen Ecke angegriffen, indem jemand fragt: »Empfinden Sie kein Schamgefühl gegenüber Ihrer Tochter, in Ihrem Buch, unter Angabe Ihres richtigen Namens, so offen über alles zu berichten?« Noch bevor ich antworten kann, höre ich die energische Blondine sagen: »Diese Frau muss sich ganz bestimmt nicht für ihr Buch schämen und ihre Tochter wird einmal stolz auf ihre Mutter sein. Ich habe das Buch schon drei Mal gelesen und würde Ihnen das auch empfehlen!« Es rührt mich, wie ich von dieser mir unbekannten Zuhörerin verteidigt werde. Als ich kurz darauf die Bücher signiere, steht sie vor mir und überreicht mir ein wunderschönes Blumengesteck. Jetzt bin ich mehr als überrascht, bedanke mich und frage sie, ob sie Zeit hat, einen kleinen Schlummertrunk bei mir zu Hause einzunehmen, da dort für einen kleinen Kreis etwas vorbereitet ist. Erfreut nimmt sie die Einladung an.

Nachdem sich der Saal geleert hat, gehen wir mit einigen Freundinnen zu mir nach Hause. Andrea hat mit ihrer Mutter appetitliche Häppchen hergerichtet und es entsteht eine kleine gesellige Runde, in der ich mich mit Irene, der Frau aus dem Publikum, etwas eingehender unterhalten kann. Nach Mitternacht sind auch die Letzten gegangen und ich kann endlich müde, aber sehr zufrieden ins Bett gehen. Am nächsten Tag stehen wieder Zahnarztbesuche auf dem Programm. In den Praxen werde ich nun oft erkannt, da die eine oder andere Assistentin schon einen TV-Auftritt gesehen oder einen Bericht in einem Journal gelesen hat. Wie ich schnell feststelle, ist das nicht von Nachteil.

Endlich finde ich wieder Post aus Afrika vor und bin gespannt, was sie zu meinem Buch sagen. James selbst freut sich sehr, dass ich ein Buch über meine Geschichte mit Lketinga und die Samburu geschrieben habe. Aber für die Leute, die keine Schule besucht haben, ist es schwerer zu verstehen, weil die meisten noch nie in ihrem Leben ein Buch in den Händen hatten. Wenn er gewusst hätte, dass ich ein Buch schreibe, hätte er mir noch vieles über die Samburukultur mitteilen können. Er hofft, dass er es einmal in Englisch lesen kann. Er berichtet, wie schwer es für jeden Einzelnen von ihnen ist, überleben zu können, und bedankt sich für das überwiesene Geld. Er selbst kann immer noch nicht in der Schule unterrichten und überlegt sich, ob er nicht einen Laden eröffnen soll mit wenigen Sachen, die er dann verkaufen möchte. Allerdings fehlt ihm dazu das Startkapital. Gerne würde er einmal in die Schweiz kommen. Napirai und mir wünscht er ein angenehmes Leben. Er werde mich immer unterstützen, da wir doch verwandt sind wie Bruder und Schwester. Zum Schluss folgen die Glückwünsche für die kommende Weihnachtszeit.

Im Allgemeinen ist es ein positiver Brief, wenn auch der Wunsch nach Geldnachschub überdeutlich ist. Seit meiner Rückkehr überweise ich regelmäßig Geld und werde es sicher auch in Zukunft tun. Ich muss nur aufpassen, dass dadurch im Dorf nicht Neid und Unruhe entstehen.

Ende November ist das Buch in der Schweiz auf allen Bestsellerlisten auf Platz eins vorgerückt und ich werde wieder in eine Talk-Show eingeladen. Der Talkmaster ist recht umstritten, entweder man mag ihn oder lehnt ihn komplett ab. Auf jeden Fall gehe ich hin, da es einer kleinen Herausforderung gleichkommt. Das Gespräch verläuft sehr interessant und witzig. Am Ende der Sendung kann das Publikum anrufen. Es melden sich verschiedene Frauen und gratulieren mir zu dem spannenden Buch. Dann meldet sich ein Herr, dessen Namen ich nicht verstehe, dafür erkenne ich ihn schon beim ersten Satz an der Stimme. Es ist Markus, mein ehemaliger Schulkollege, der mir nach dem Klassentreffen noch so lange im Kopf herumschwirrte. Auch er gratuliert mir zuerst zu meinem Werk, doch dann fragt er ziemlich vorwurfsvoll, wie ich dazu stehe, dass mein Mann sein Kind wahrscheinlich lange nicht mehr sehen kann. Das sei für einen Vater hart und er findet, ich rede etwas zu locker darüber. Komisch, dass ausgerechnet Markus anruft und noch dazu derart angriffslustig ist. So ernst hatte ich ihn nicht in Erinnerung. Ruhig erkläre ich ihm die Situation aus meiner Sicht und kurz darauf ist die Sendezeit beendet.

Inzwischen entwickelt sich die Buchgeschichte atemberaubend. Wenn ich im Auto unterwegs bin, um meine Kundenbesuche zu tätigen, geschieht es immer öfter, dass ich plötzlich mein eigenes Interview im Radio höre. Oder ich vernehme aus dem Veranstaltungskalender meinen Namen, wenn es heißt: »Heute Abend um 20 Uhr liest Corinne Hofmann aus ihrem Bestseller in Rüti, Bern, Basel …« Immer noch kann ich es kaum glauben und es kommt mir so vor, als bewege ich mich in zwei verschiedenen Welten. Die ersten Briefe von Leserinnen und Lesern treffen ein. Meistens drücken sie Bewunderung aus und enthalten viele Fragen. Es gibt auch männliche »Fans«, die aus den Interviews entnehmen konnten, dass ich Single bin. Sie schicken mir

Fotos von sich, und manchmal ist auch gleich das Eigenheim und das schnittige Auto mit abgebildet. Seltsamerweise sehen all diese allein stehenden Herren, vom Handwerker bis zum Direktor, auf einmal genau die richtige zukünftige Frau in mir. Ich hingegen hege nicht die geringste Lust auf eine Beziehung, denn dafür habe ich im Moment wirklich keine Zeit. Im Dezember erscheint in einem Schweizer Journal, das mir beim Friseur zufällig in die Hand kommt, der Artikel »Unsere Frauen 1998«. Es geht um bekannte Frauen, die im zu Ende gehenden Jahr die Leser gerührt, begeistert oder erschüttert haben. Zu meinem Erstaunen entdecke ich zwischen den Bildern von Cher, Prinzessin Stephanie und Hillary Clinton mein Foto. Es berührt mich seltsam und ich habe das Gefühl, dass mich das gar nichts angeht und ich da nicht hingehöre. Abends schalte ich den Fernseher ein und sehe, wie Buchhändler über den guten Verkauf der »Weißen Massai« schwärmen. Es ist unglaublich. Dies alles erscheint mir im höchsten Maße unwirklich und mir ist, als sprächen alle von einer anderen Person.

Im Dezember habe ich eine kleine Lesung in München auf dem Tollwood-Festival, einem riesigen alternativen Weihnachtsmarkt. Als ich das kleine Lesezelt betrete, kommt mir eine mit Cowboyhut, Stiefeln und dicker Winterjacke gewandete Frau mit ausgebreiteten Armen entgegen. Irgendwie kommen mir das breite Grinsen und die langen blonden Haare unter dem Hut bekannt vor. Als sie nun so vor mir steht, glaube ich zu träumen. Es ist Rambo-Jutta! Die Frau, mit der ich auf der Suche nach Lketinga quer durch Kenia gereist bin. Wir fallen uns in die Arme und ich kann es kaum fassen, dass ich die leibhaftige Jutta vor mir sehe. Durch Zufall habe sie von meiner Lesung gehört und sei spontan hierher gekommen. »Ja, bist du denn nicht mehr in Kenia?«, möchte ich wissen. Sie erzählt, dass ihre Mutter gestorben ist und sie deshalb für ein paar Tage nach Deutschland kommen musste, um alles zu regeln. »Weißt du, ich kann hier nicht mehr leben. Ich fliege schon bald nach Kenia zurück, weil ich dort ein neues Krankenhausprojekt betreue und nicht allzu lange wegbleiben möchte.« Wir tauschen unsere Adressen aus und ich verspreche, die Unterlagen für ihr Projekt zu prüfen, um eventuell etwas zu spenden. Sie bleibt noch bis zum Ende der Lesung und ist ganz begeistert von dem Buch. »Dass du alles noch so genau wusstest, ist unglaublich, aber genau so war es«, ist ihr abschließender Kommentar. Beim Abschied geben wir uns das Versprechen, miteinander in Kontakt zu bleiben. Zu diesem Zeitpunkt weiß ich noch nicht, dass sie meinem Verleger und mir bald eine große Hilfe sein wird.

Bei unserer diesjährigen Familien-Weihnachtsfeier ist das zentrale Thema natürlich mein Buch. Wir alle sind neugierig, wohin mich dieses Abenteuer noch führen wird. Im Verlag werden schon die ersten Verhandlungen für Übersetzungen ins Französische und Italienische geführt. Die paar Tage in der Weihnachtszeit genieße ich jedoch ausschließlich mit meiner Tochter.

Anfang 1999 wird es noch hektischer. Das Buch steht nun auch in Deutschland ganz oben auf der Bestsellerliste und im Verlag laufen die Drähte heiß. Da viele Buchhandlungen eine Lesung mit mir veranstalten wollen, schlagen die Verlagsmitarbeiter eine Lesetour durch Deutschland vor. Jetzt stehe ich vor einer schweren Entscheidung. Einerseits gefällt mir mein Job sehr gut und bietet eine sichere Existenz. Andererseits betrachte ich es als wunderbare Chance, mein eigenes Produkt zu »vertreiben«. Wer hat schon das Glück, selbstständig und in eigener Sache unterwegs sein zu können und zudem mit offenen Armen von Zuhörern und Zuhörerinnen empfangen zu werden? Ich muss es einfach wagen! Ich überlege nicht mehr lange, bevor ich mit meinem Chef spreche und um meine Freistellung bitte. Die dreimonatige Kündigungszeit kann ich unter diesen Umständen leider auch nicht einhalten. Doch ich biete an, für »meine« Zahnärzte eine Lesung mit afrikanischem Essen und afrikanischer Musik zu organisieren. Es ist mir ein Anliegen, den mir wohlgesinnten Praxen mit einem einmaligen Abschiedsabend für ihre Treue zu danken. Nach der wunderschönen Veranstaltung fällt mir das Aufhören dann doch etwas schwer. Anfang Februar löse ich mein Arbeitsverhältnis auf und bin nun nur noch Autorin.

Unser Leben ist ziemlich unruhig geworden und alles muss gut organisiert werden. Napirai kann Gott sei Dank entweder bei meiner Mutter oder bei der Pflegefamilie auch mehrere Tage übernachten, was sie zumindest in den ersten paar Monaten durchaus genießt. In Wochenblöcken bin ich auf Lesereisen durch Deutschland unterwegs. Die Hauptstrecke lege ich im Flugzeug zurück, nehme dann ein Taxi zum reservierten Hotel und habe bereits nach der Ankunft die ersten örtlichen Pressetermine. Die Lesungen beginnen abends zwischen sieben und acht Uhr. Zuvor esse ich nur eine Kleinigkeit, da ich mich ansonsten bei der Lesung unwohl oder müde fühle. Danach laufe oder fahre ich zum jeweiligen Veranstaltungsort, vor dem meist schon viele Menschen warten, um an meiner Geschichte Anteil zu nehmen. Nach den zwei- bis dreistündigen Veranstaltungen bin ich zu aufgekratzt, um schlafen zu gehen. So mache ich mich auf die Suche nach einem geeigneten Restaurant, um noch etwas zu essen und den Abend ausklingen zu lassen. Bei diesen Gelegenheiten finde ich hin und wieder die Muße, über die seltsamen Fügungen des Lebens nachzudenken. Wenn mir damals in Kenia jemand vorausgesagt hätte, dass ich eines Tages mit dem, was ich dort erlebt habe, Abend für Abend in Europa Hunderte von Menschen beeindrucken würde, hätte ich ihn mit verständnislosen Augen angeschaut und lachend für verrückt erklärt. In diesen Momenten, wenn ich spät abends in einem fast leeren Restaurant in einer mir fremden Stadt meinen Gedanken nachhänge, empfinde ich oft tiefe Dankbarkeit Lketinga, seiner Familie und den Samburu gegenüber.

An den Lesungen nehmen überwiegend Frauen jeden Alters oder Paare teil. Mir fällt auf, dass das Publikum je nach Region sehr unterschiedlich ist. Einmal ist von Anfang an eine erwartungsvolle Spannung da, ein anderes Mal müssen die Zuhörer erst »auftauen«. Wenn es recht unruhig ist, weiß ich, dass im Publikum Leute sitzen, die mich später in der Diskussion verbal angreifen werden. Mir ist durchaus klar, dass das Buch nicht jedem gefallen kann, und eine Doktorarbeit in Germanistik habe ich auch nicht abgelegt. Ich schrieb mir meine Erlebnisse zwischen Vollzeitarbeit und der Erziehung meiner Tochter nachts vom Herzen und freue mich nun, dass so viele Menschen dabei etwas Positives für sich gewinnen können. Beim Signieren kommen Frauen an meinen Tisch, strahlen mich mit leuchtenden Augen an, drücken mir die Hand und sagen: »Frau Hofmann, vielen Dank für diesen wunderschönen Abend! Es war für mich der aufregendste Moment in meinem Leben.« Bei solchen Aussagen verschlägt es mir die Sprache, denn dieses Kompliment scheint mir in keinem Verhältnis zu meiner Lesung zu stehen. Außerdem macht es mich nachdenklich und fast traurig, dass ein solcher Moment in einem vielleicht 60-jährigen Leben das Schönste gewesen sein soll. Aber solche oder ähnliche Aussagen höre ich noch einige Male.

Einmal sitze ich bei einer Signierstunde in einem Kaufhaus, als eine Dame mittleren Alters freudig auf mich zukommt und mich bittet, sie anzuschauen, während sie vor meinem Tisch hin und her läuft. Ich staune und weiß nicht recht, was das soll. Sie sagt immer wieder: »Sehen Sie, Frau Hofmann, sehen Sie, das habe ich Ihnen zu verdanken!« Ich verstehe nicht, was sie meint, und zweifle schon ein wenig an ihrem Verstand. Dann kommt sie wieder zu mir, hält meine Hände ganz fest, schaut mich an und sagt: »Bis vor kurzem saß ich im Rollstuhl und konnte eigentlich nicht mehr laufen. Dann habe ich Ihr Buch gelesen. Ihr starker Wille hat mich sehr beeindruckt und ich habe mir gesagt, wenn diese Frau an einer Malaria fast gestorben ist und sich aufraffen konnte, wieder zu gehen, dann kann ich das auch! Und sehen Sie, nach Jahren laufe ich wieder!« Dabei geht sie wieder hin und her. Dieser Moment ergreift mich so sehr, dass mir Tränen in die Augen schießen und ich nur noch sagen kann: »Allein für Sie hat sich das Schreiben des Buches gelohnt!« Sie legt mir einen wunderschönen Blumenstrauß auf den Tisch und verabschiedet sich mit einem langen Blick von mir. Danach bin ich völlig durcheinander und kann mich kaum noch auf die anderen Leute konzentrieren. Zum ersten Mal bin ich froh, dass ich mich zurückziehen kann. Dieses Erlebnis rufe ich mir immer vor Augen, wenn ich bösartige Kritik einstecken muss.

Wenn ich dann freitags nach Hause komme, freue ich mich irrsinnig auf meine mittlerweile zehnjährige Tochter. Nach der langen Trennung fliegt sie mir förmlich in die Arme und freut sich, wieder einmal bei mir im Bett zu schlafen. Am Wochenende lese ich die Briefe, die ich von meinen Leserinnen und Lesern erhalte, und versuche, so viele wie möglich zu beantworten. Von Woche zu Woche werden es mehr. Es überrascht mich, wie viel mir die Menschen anvertrauen oder was ich bei ihnen ausgelöst habe.

Viele bedanken sich persönlich bei mir und schreiben, dass sie die Schilderung meiner vier Jahre mit Lketinga als sehr ehrlich und berührend empfunden haben. Manche berichten auch von ihren eigenen guten wie schlechten Erlebnissen. Einige Frauen und auch Männer, die selbst eine Liebesbeziehung mit einem Partner aus einer anderen Kultur erleben, fragen mich um Rat, wie sie sich verhalten sollen. Ihnen kann ich nur antworten: »Wenn Sie sich Ihrer Sache tief in Ihrem Inneren nicht ganz sicher sind und eines Rats bedürfen, läuft schon etwas falsch. Mich hätte damals kein noch so gut gemeinter Ratschlag davon abgehalten, der Stimme meines Gefühls zu folgen.«

Natürlich bekomme ich auch kritische oder sogar feindselige Briefe. Doch der meistgebrauchte Satz in den Leserzuschriften lautet in etwa: »Ich habe Ihr Buch gelesen, nein, regelrecht verschlungen. Ich bin überwältigt, fasziniert und ich bewundere Ihre Stärke.« Viele schildern, wie sie das, was sie gelesen haben, förmlich selbst durchlebt haben. Und nahezu alle fragen danach, wie es Lketinga, Napirai und mir heute geht und wie unser Leben weitergegangen ist.

Da ich persönlich noch nie auf den Gedanken gekommen bin, einem Autor oder einer Autorin zu schreiben, bin ich über diese vielen Reaktionen mehr als überrascht. Fast ist es mir ein wenig unheimlich, vor allem aber bin ich sehr gerührt.

In einer der kommenden Wochen habe ich in der Schweiz eine Lesung und eine Signierstunde. Diese findet ausnahmsweise in einem Reisebüro statt, das sechzig meiner Bücher verschenken möchte. Als ich dort erscheine, drängt sich wieder eine Menschentraube bis weit auf den Gehweg hinaus. Ich beginne gleich mit dem Signieren und unterhalte mich dabei angeregt mit den Kunden. Nach einer guten halben Stunde kommt der Geschäftsführer und fragt mich, ob ich die Leute da draußen, die ein Spruchband zur Unterstützung ihrer Demonstration gegen mich hochhalten, kenne. Ich verstehe nicht, wovon er spricht, weil ich durch die wartende Menschenmenge nicht bis zur Straße blicken kann. Als alle Bücher ihre neuen Besitzer gefunden haben, gehe ich hinaus, um mir die Demonstranten anzusehen. Ich bin mehr als überrascht, als ich vier schwarze Frauen sowie zwei weiße Männer sehe. Die Männer halten das Spruchband hoch, auf dem zu lesen ist, dass ich die afrikanische Kultur beleidige. Da ich das Ganze nicht verstehe, versuche ich mit ihnen ins Gespräch zu kommen. Ich möchte sie mit einem Händeschütteln begrüßen, doch das gefällt ihnen überhaupt nicht, stattdessen schreien oder besser gesagt kreischen sie mich auf Englisch an.

Nochmals versuche ich ganz ruhig zu erfahren, was ihr Anliegen ist. Ob ich denn nicht lesen könne?, bekomme ich zu hören. In meinem Buch würde ich nicht die Wahrheit schreiben. Ich frage erneut, worauf sie anspielen wollen, und wende mich an einen der beiden Männer. Der aber scheint nur Spruchbandträger zu sein und gibt mir per Kopfnicken zu verstehen, dass die lautstarken und sich auf die Brust trommelnden Afrikanerinnen für diese Frage zuständig seien. Dann schreit die eine erneut, ich beleidige ihr Volk. Ich würde schreiben, die Samburu seien dumm und unzivilisiert, und würde den Unterschied zwischen Massai und Samburu nicht kennen. Mir kommt das alles sehr suspekt vor, denn ich konnte gleich erkennen, dass diese Frauen weder den Massai noch den verwandten Samburu angehören. Als ich sie nach ihrer Stammeszugehörigkeit frage, erwidern sie aggressiv, sie seien Kenianerinnen und was in meinem Buch stehe, stimme nicht. Doch worum es ihnen genau geht, sagt keine. Ich wundere mich nur, wie diese Menschen auf solch eine Behauptung kommen. Ich habe in Kenia genau so gelebt, wie ich es niedergeschrieben habe, und hatte nie das Gefühl, das Volk meines Mannes zu beleidigen. Als ich feststellen muss, dass alles nichts nützt und diese Frauen anscheinend nur etwas Aufmerksamkeit erregen möchten, breche ich den Versuch, ein vernünftiges Gespräch zu führen, ab. Allerdings beschäftigt mich diese Begegnung noch einige Tage, weil ich einfach nicht dahinter komme, was diese Leute von mir wollen. Auch mein Verleger ist ziemlich ratlos.

Mir fällt die Kartenlegerin ein, der ich sowieso schon seit langem ein Buch vorbeibringen wollte. Schließlich hatte sie ja so Recht mit ihrer Vorhersage des Erfolges. Ich rufe an und kann noch am gleichen Tag vorbeikommen, da ich am nächsten Tag meine zweite Lesung in Bern abhalte und anschließend wieder nach Deutschland reisen werde. Vorher will ich unbedingt erfahren, was sie mir zu dem Vorfall mit den Afrikanerinnen sagen kann. Ich betrete das winzige Häuschen mit den vielen Zwergen und wieder setzt sich sofort die Katze auf meinen Schoß. Die Kartenlegerin kann sich nicht mehr an mich erinnern. Erst als ich ihr das Buch überreiche, sagt sie: »Ach Sie sind das! Ich habe von Ihrer Geschichte gelesen, wusste aber nicht, dass Sie schon einmal bei mir waren.« Dann mischt sie die Karten und ich ziehe wie beim ersten Mal. Wieder beschreibt sie den Erfolg des Buches, der sich noch weiter fortsetzen wird. Doch schon bald bemerkt sie, dass da wohl auch einige Probleme aufgetaucht sind. Nun erzähle ich ihr von den Kenianerinnen. Sie legt erneut die Karten und erklärt: »Sie müssen gut auf sich aufpassen, das sind neidische Leute, die nur Geld aus Ihnen herausholen wollen und die geben nicht so schnell auf. Seien Sie wachsam, schon allein wegen Ihrer Tochter.« Mir wird ganz elend bei dem Gedanken, dass eventuell Napirai mit hineingezogen werden könnte. »Es ist noch nicht kritisch, aber Sie müssen aufpassen. Sie haben viele Neider und es werden noch mehr.«

Als sie mir anschließend vorhersagt, dass ich demnächst einen großartigen Mann kennen lernen werde, beruhigt mich das auch nicht. Mir ist nicht nach einem Mann zumute und so antworte ich leicht unwirsch: »Ach hören Sie auf! Ich habe keine Zeit für eine Beziehung. Im Moment erst recht nicht, weil ich ständig unterwegs bin und von meiner ›alten‹ Liebe schwärme. Da würde eine neue Liebe schlecht dazu passen. Und wenn ich nach Hause komme, wartet meine Tochter auf mich. Nein, nein, da täuschen Sie sich!« Energisch erwidert sie: »Meine Karten lügen nie! Und überhaupt, was heißt kennen lernen. Diesen Mann kennen Sie schon lange. Der steht sozusagen bereits vor Ihrer Tür!« Jetzt muss ich lachen und sage: »Ach was, ich kenne keinen Mann, in den ich mich plötzlich verlieben könnte.« Dieses Thema interessiert mich nun nicht mehr, stattdessen möchte ich lieber noch mehr über diese Demonstranten wissen. Doch sie winkt ab und meint: »Einfach aufpassen, dann geht alles gut. Sie machen schon das Richtige.« Die Zeit ist um und ich fahre nach Hause. Dort bespreche ich die Angelegenheit mit meiner Mutter und sage ihr auch, dass sie noch aufmerksamer auf Napirai achten soll.

Zwei Tage später fahre ich zur zweiten Lesung nach Bern. Auch diesmal ist die Buchhandlung überfüllt. Vor dem Eingang demonstrieren die gleichen Leute wie schon zuvor im Zürcher Oberland. Aber diesmal lasse ich mich nicht auf eine sinnlose Diskussion ein, denn ich brauche meine Energie für die vielen Menschen, denen ich Freude schenken möchte. Es wird trotz allem ein schöner, sehr langer Abend, weil die Zuhörer viele Fragen haben und natürlich auch über die möglichen Anliegen der Demonstranten mit mir debattieren. Spät abends gehe ich in mein Hotel und freue mich auf die morgige Heimreise.

Neue Liebe

Napirai ist auch am kommenden Tag mit ihrer Großmutter unterwegs, da ich abends eine Einladung habe.
Meine Kollegin Hanni kocht thailändisch und hat dazu
verschiedene Leute eingeladen. Gegen Mittag bin ich
wieder aus Bern zurück und das lange Warten bis zum
Abend fällt mir auf einmal enorm schwer. Mein Kind ist
nicht da, geschlafen habe ich auch schlecht und meine
Gedanken drehen sich immer wieder um die afrikanischen Frauen, von denen ich nach wie vor nicht weiß,
was sie eigentlich wollen. Gegen drei Uhr halte ich es zu
Hause nicht mehr aus und setze mich in meinen Wagen,
ohne ein bestimmtes Ziel zu haben. Ich muss einfach
raus! Es wird mir klar, dass ich heute unmöglich zu
Hanni gehen kann. Wenn ich nur daran denke, wieder in
einem geschlossenen Raum zu sitzen, überfällt mich
eine Art Platzangst. Ich rufe sie an und gegen meine
sonstige Gewohnheit teile ich ihr mit, dass ich leider
nicht kommen kann. Als sie enttäuscht nach dem Grund
fragt, kann ich ihr, so komisch sich das auch anhört,
keine plausible Erklärung bieten. Nachdem ich aufge-
legt habe, fahre ich ziellos durch die Gegend. Obwohl
es schon Anfang März ist, fallen große Schneeflocken.
Automatisch fahre ich in Richtung Rapperswil und
plötzlich fällt mir Irene, die blonde, energische Frau von
der Lesung, wieder ein. Hier irgendwo in der Gegend

muss sie mit ihrem Mann und ihren drei Kindern leben. Sie kam später noch einmal zu einer meiner Lesungen und dabei tauschten wir Visitenkarten aus. Ich halte am Straßenrand und suche nach ihrer Karte. Ich weiß nicht, was mich treibt, aber ich rufe bei ihr an. Sie ist hocherfreut und beschreibt mir den Anfahrtsweg zu ihrem Haus. Bei dichtem Schneetreiben komme ich bei ihr an und schlage ihr statt eines Kaffees erst mal einen gemeinsamen Spaziergang vor. Erstaunt willigt sie ein. Als sie meine Unruhe bemerkt und sich nach dem Grund erkundigt, erzähle ich ihr von den Ereignissen. Auch sie versteht die Welt nicht mehr und empört sich: »Was, du und die Massai beleidigen! Die haben dein Buch nicht gelesen, geschweige denn verstanden. Ich kenne jeden Satz und kann nicht die geringste Spur einer Beleidigung erkennen. Unmöglich, du beschreibst ja nur dein Leben!« Während unseres Spaziergangs erregt sie sich immer wieder aufs Neue.

Mittlerweile ist es kalt geworden und der Schnee treibt uns ins Gesicht. Wir laufen zu ihrem Haus zurück und trinken heißen Tee. Sie lädt mich spontan zu einem Raclette ein, doch Hunger habe ich nicht und erzähle lachend, dass dies schon die zweite Einladung für heute Abend wäre. »Nein, ich gehe noch irgendwo ein Glas Wein trinken und dann ab nach Hause. Heute bin ich einfach komisch drauf.« Netterweise will sich Irene anschließen und da ich mich in der Umgebung nicht auskenne, bitte ich sie um einen Vorschlag. Mit zwei Autos fahren wir los. Obwohl es erst sieben Uhr ist, ist es stockdunkel und durch das Schneegestöber erkenne ich kaum die Straße. Sie fährt durch ein kurvenreiches Waldstück und ich beginne schon zu zweifeln, ob in dieser Gegend noch etwas Unterhaltung vorzufinden ist, als wir plötzlich vor einem alten Bauernhaus mit Restaurant und Barbetrieb parken. Unglaublich, das hätte ich alleine nie gefunden! Wir betreten die Bar und natürlich ist um diese Zeit noch niemand da. Wir setzen uns an einen Bistrotisch und bestellen einen Drink.

Gerade möchte sie mir aus ihrem Leben erzählen, als sich die Tür öffnet und ein gut aussehender Mann hereinkommt. In dem diffusen Licht bleibt mein Blick an seinen strahlenden Augen hängen, die mich unverfroren anstarren. Ich wende mich wieder Irene zu, um mich weiter mit ihr zu unterhalten, als plötzlich jemand hinter mir sagt: »Das gibt es ja nicht! Die berühmte Corinne! Wie kommst du denn in diese verlassene Gegend?« Noch bevor ich mich richtig umgedreht habe, erkenne ich die Stimme von Markus, meinem ehemaligen Mitschüler. Nun schaue ich ihm direkt in die Augen und muss feststellen, dass er, obwohl sein Haar etwas lichter geworden ist, nichts von seiner guten Erscheinung und seiner Ausstrahlung eingebüßt hat.

Ich möchte ihm Irene vorstellen, doch die beiden sind sich in dieser Bar schon des Öfteren begegnet. Zur Begrüßung küssen wir uns wie selbstverständlich auf beide Wangen. Er gratuliert mir zu meinem Bucherfolg und ich frage überrascht, warum er um diese Zeit in einer so versteckten Bar anzutreffen sei. Eigentlich, erklärt er, habe er seit drei Tagen krank im Bett gelegen, aber weil ihm die Decke schon fast auf den Kopf gefallen sei, habe er spontan den Entschluss gefasst, hier auf einen Drink vorbeizukommen. Ich möchte von ihm wissen, warum er bei meinem Fernsehauftritt vor einem halben Jahr als Zuschauer am Telefon so vorwurfsvolle Fragen gestellt habe. Er lacht und antwortet: »Vergiss es einfach, es hatte etwas mit mir persönlich zu tun. Aber das ist eine lange, unschöne Geschichte und dafür ist dieser Abend, jetzt nachdem ich euch getroffen habe, einfach zu schade.«

Wir flachsen hin und her und so langsam füllt sich das Lokal. Auch die Geräuschkulisse schwillt immer mehr an, bis wir uns fast nicht mehr unterhalten können, außer wir stecken die Köpfe nahe zusammen. Ich lausche seinem fröhlichen, spontanen Geplauder und fühle mich auf seltsame Weise zu ihm hingezogen. Auf einmal bin ich richtig froh, dass ich den Abend bei Hanni sausen ließ. Nach einer Weile will ich wissen, was eigentlich ein verheirateter Mann an einem Samstagabend in einer Bar verloren hat. Für ein paar Sekunden nimmt sein Gesicht einen ernsten Ausdruck an und er dreht etwas verlegen an seinem Weinglas. »Ich bin nicht mehr verheiratet. Na ja, so ist das Leben.« Doch kurz darauf fragt er mit einem Lächeln, ob wir auch noch etwas trinken wollen. Irene lehnt ab, weil sie wieder zu ihrer Familie zurückkehren möchte. Mir dagegen gefällt es in seiner Gesellschaft ausgesprochen gut und mit einem Mal bin ich weit davon entfernt, nach Hause zu wollen. Im

Gegenteil, mich interessiert es, warum dieser »Traummann« nicht mehr verheiratet ist. Da es hier zu laut ist, verlassen wir die Bar und fahren an einen ruhigeren Ort. Allerdings muss ich lachen, als wir wieder vor einer Bar parken und rufe: »Du scheinst diese Lokale ja gut zu kennen!« – »Ja, so ist das halt, wenn man Single ist! Aber ehrlich gesagt bin ich eher selten unterwegs.«

Wir setzen uns an die Theke und nach und nach erzählen wir einander unsere Lebensgeschichten. Ich höre ihm mit großem Interesse und Anteilnahme zu und sehe bald einen anderen, sensiblen und schüchternen Menschen hinter dem stets gut gelaunten Sonnengesicht. Es ist eine traurige, fast unglaubliche Lebensgeschichte. Sie klingt wie das Gegenstück zu dem, was ich früher bei den Treffen der allein Erziehenden von weiblicher Seite hörte. Er erzählt ohne Vorwürfe, einfach nur, wie es für ihn war und ist. Wie seine Lebensträume zuerst langsam und dann alle auf einmal zerplatzten. Eine tiefe psychische Krise war die Folge. Schon vor vier Jahren beim Klassentreffen hatte sich dies abgezeichnet, aber niemand hatte damals etwas bemerkt. Alle hatten wir ihn bewundert. Jetzt verstehe ich auch den verbalen Angriff in der Talkshow. Zu der Zeit war er frisch geschieden und hatte seine beiden Kinder monatelang nicht gesehen. Offensichtlich liebt er sie sehr, so wie er jetzt mit leuchtenden Augen von seinen beiden Mädchen schwärmt. Während des Erzählens bestellen wir weitere Getränke und ab und zu streift seine Hand mein Knie. Ist es Absicht oder Zufall? Ich weiß es nicht und so verhalte ich mich, als würde ich nichts bemerken. Gelegentlich spüre ich Seitenblicke von Menschen, die mich wohl erkennen und plötzlich steht jemand neben mir und fragt: »Ist es möglich, dass ich Sie kürzlich im Fernsehen gesehen habe?« Etwas überrascht schaue ich auf, doch Markus ist um schlagfertige Antworten nicht verlegen.

Trotz der traurigen Geschichten amüsieren wir uns prächtig und die Zeit verfliegt im Nu. Als sich die Bar gegen zwei Uhr langsam leert, müssen auch wir an Aufbruch denken, obwohl keiner von uns beiden nach Hause möchte. Doch es ist Zeit, Abschied zu nehmen. Wir treten in die kalte verschneite Nacht hinaus. Um zu unseren Autos zu gelangen, müssen wir ein kleines steiles Sträßchen hinunterlaufen, was für mich in Turnschuhen problematisch ist. Lachend rutsche ich auf den vor mir gehenden Markus zu und suche, mich mit den Händen an seiner Schulter abstützend, nach Halt. Er dreht sich um und fängt mich übermütig auf. Mein Herz bleibt stehen und schon spüre ich den Hauch eines Kusses auf meinem Mund. Wir schauen uns etwas erschrocken und verlegen an, bevor ich in mein sicheres Auto steige. Verwirrt lasse ich die Scheibe herunter, um mich zu verabschieden. Er lacht mich wieder an, legt seine Hand, während er in gebückter Haltung in den Wagen schaut, auf meine Schulter und sagt: »Du bist eine tolle Frau, pass auf dich auf und komm gut nach Hause.« Er dreht sich um und steigt ebenfalls in sein Auto. Ich fahre los und winke ihm ein letztes Mal zu. Auf der Fahrt nach

Hause bin ich völlig aufgewühlt. Zum einen habe ich heftiges Herzklopfen, zum anderen weiß ich nicht, was ich davon halten soll. Endlich liege ich im Bett, finde jedoch keine Ruhe.

Am Morgen freue ich mich sehr, Napirai bei meiner Mutter abzuholen. Wir frühstücken zusammen und sie erzählt mir, was sie mit Hanspeter und ihrer Großmutter alles erlebt hat. Plötzlich klingelt das Telefon. Es ist elf Uhr. Ich nehme den Hörer ab und höre Markus' Stimme: »Guten Morgen, bist du schon wach und fit?« Mir verschlägt es die Sprache. Ich habe nicht damit gerechnet, dass er mich heute anrufen würde. Ich merke, wie sehr ich mich über den Anruf freue. Napirai kommt und fragt: »Mama, wer ist das? Mamaaa, sag schon, wer ist am Telefon? Warum lachst du so komisch?« Ich gebe ihr zu verstehen, dass ich es ihr später erzählen werde. Daraufhin geht sie in ihr Zimmer, um zu spielen. Wir telefonieren fast zwei Stunden. Unglaublich, dass es einen Mann gibt, mit dem man sich so lange angeregt unterhalten kann! Ich lege erst auf, als Napirai zu Recht vorwurfsvoll vor mir steht und erneut fragt: »Mama, du bist so komisch, sag mir endlich, wer am Telefon ist! Hör jetzt endlich auf!« Wir beenden das Telefonat, verabschieden uns und ich erwähne, dass ich die kommende Woche wieder in Deutschland unterwegs bin. Dann nehme ich Napirai auf den Schoß und erzähle ihr, woher ich Markus kenne und wie wir uns gestern zufällig begegnet sind. »Ja, aber warum ruft er heute schon wieder an? Ist das jetzt dein Freund?«, will sie wissen. »Nein, ich glaube nicht, oder besser gesagt, ich weiß es noch nicht.« – »Ich möchte aber nicht, dass du einen Freund hast, Mama!« Ich beruhige meine zehneinhalbjährige Napirai: »Aber ich habe noch gar keinen Freund.«

Am Nachmittag besuchen wir den Zürcher Zoo und genießen trotz beißender Kälte die wunderschöne Anlage. Vor dem Nachhauseweg verpflegen wir uns mit Pommes und heißem Tee. Zu Hause angekommen stecke ich Napirai in ein wärmendes Vollbad. Kaum sitze ich im Wohnzimmer, klingelt das Telefon. Ich bin völlig platt, als ich heute zum zweiten Mal Markus höre. Ich erzähle von unserem Ausflug und er von seinem einsamen Spaziergang am See. Er fragt, ob wir auch mal mit ihm und seinen Kindern einen Zoobesuch machen würden, wenn sie an einem Wochenende zu Besuch bei ihm sind. Für mich ist das kein Problem, sobald ich etwas mehr Zeit habe. Es ist wieder fast eine Stunde vergangen, bevor wir uns nun endgültig verabschieden. Ich habe lange nicht mehr so viel gelacht wie mit diesem Menschen.

Tags darauf fliege ich nach Düsseldorf. Bevor ich den Terminal verlasse, fällt mein Blick an einem Zeitungsstand auf lustige Ansichtskarten. Spontan schreibe ich Markus ein paar Zeilen und ende nach langer Überlegung mit dem Satz: »Und irgendwie habe ich doch ein Kribbeln im Bauch – und du?« Vor dem Einwerfen zögere ich und überlege, ob das angebracht ist, vielleicht mache ich mich auch lächerlich. Ach was, jetzt oder nie, und schon landet die Karte im Postkasten. Augenblicklich bin ich ruhiger und nehme mir ein Taxi zum Hotel. Himmel, dieser Markus verdreht mir noch den Kopf, denke ich, während mir plötzlich das Gespräch bei der Kartenlegerin in den Sinn kommt. Natürlich! Sie sagte, ich kenne den Mann schon lange. Ich wäre nie auf Markus gekommen, obwohl ich ihn bei dem Klassentreffen bereits anziehend fand. Aber er war ja verheiratet. Allerdings wünschte ich mir danach einen Partner mit ähnlichen Eigenschaften. Mein Bauch flattert bei diesen Gedanken und ich frage mich: Ist das etwa unser Schicksal?

Die Lesung am Abend verläuft hervorragend und ich bin richtig beflügelt. Als ich später im Hotelzimmer liege, hätte ich große Lust, zum Telefon zu greifen und ihn anzurufen. Doch ich will nichts überstürzen und weiß im Grunde genommen überhaupt nicht, wie er über uns denkt. Zu Beginn unserer Gespräche hörte ich lediglich heraus, dass er eigentlich keine Beziehung mehr eingehen will, da das mit Kindern sehr schwierig ist. Es würde viel Verständnis von allen Seiten voraussetzen, was ihm fast unmöglich erscheint, weil seine Kinder immer die erste Stelle einnehmen werden. Damit sprach er mir aus dem Herzen. Und trotzdem, warum können wir uns stundenlang unterhalten und warum knistert es so eindeutig zwischen uns? Ich bin sehr gespannt, ob er sich meldet, wenn ich zurück bin, oder ob er nach meiner verworrenen Karte das Weite sucht.

Endlich bin ich wieder zu Hause. Mein Anrufbeantworter ist voller Nachrichten, aber leider kein Zeichen von Markus. Na ja, vielleicht sind die aufgelegten Anrufe von ihm gewesen, tröste ich mich selbst und bin dennoch enttäuscht. Samstagabend, als ich immer noch nichts höre, wähle ich seine Nummer. Er meldet sich und ist gleich hocherfreut. Lachend bedankt er sich für die Karte und erklärt, er hätte mich spätestens morgen angerufen, sobald er seine Kinder wieder nach Hause gebracht hätte. Jetzt ist mir alles klar. Er hat seine Kinder zu Besuch. Ich bin erleichtert.

In der kommenden Woche lade ich Markus zu einem Abendessen ein. Da ich ständig unterwegs bin, genieße ich es, wieder einmal zu Hause zu kochen. Am Tag unserer Verabredung ist Napirai bei der Pflegefamilie, weil es mir noch zu früh erscheint, sie mit Markus bekannt zu machen. Ich habe den Tisch schön gedeckt und als Vorspeise einen Krevettensalat vorbereitet. Nun laufe ich aufgeregt in der Wohnung hin und her und räume irgendwelche Sachen weg. Zum x-ten Mal kontrolliere ich meine Frisur und das Make-up. Habe ich auch die richtigen Kleider an? Nicht zu auffällig und trotzdem schön? Meine Güte, Corinne, du benimmst dich ja wie ein Teenager!, geht es mir durch den Kopf. Das Telefon klingelt und ich denke schon: Jetzt ist etwas dazwischen gekommen. Nein, er findet nur die Straße nicht. Völlig nervös erkläre ich ihm den Weg und kurz darauf klingelt es an der Tür.

Ich öffne und Markus springt über das ganze Gesicht strahlend mit Rosen in der Hand die fünf Stufen hoch. Wir fallen uns in die Arme und der erste innige Kuss geschieht im Treppenhaus. Beide sind wir durcheinander und so bitte ich ihn hereinzukommen. Im Wohnzimmer fällt sein Blick auf den gedeckten Tisch und nach einem Kompliment fragt er: »Da sind aber nicht etwa Krevetten drin?« – »Doch, warum?« – »Das ist so ziemlich das Einzige, was ich nicht esse, sorry. Aber das macht nichts, ich habe sowieso keinen Hunger und bin einfach glücklich hier zu sein. Ich glaube, so schnell bringst du mich heute nicht los.« Dabei zieht er mich in seine Arme.

Als er gegen Morgen die Wohnung verlässt, weiß ich, dass ich wirklich verliebt bin. Ich hätte nie geglaubt, dass ich so etwas noch einmal in dieser Heftigkeit erleben darf und bin überzeugt, dass wir vom Schicksal oder vom lieben Gott zusammengeführt wurden.

Beim Mittagessen erzähle ich Napirai ausführlich von Markus. Nun überstürzen sich die Fragen: »Wie sieht er denn aus? Ist er alt oder jung? Mag er mich auch? Weiß er, dass ich braun bin? Hat er Kinder?« Als ich diese Frage bejahe, ist ihr Interesse richtig geweckt. »Wie alt sind die und kommen sie auch einmal zu uns zum Spielen?« Fragen über Fragen. Von nun an höre ich fast täglich, wann sie endlich Markus kennen lernen kann. Wir beschließen, dass dies gleich am kommenden Wochenende der Fall sein soll. Ich bin gespannt, wie er wohl auf mein Mädchen wirken wird. Als es dann am Wochenende an der Haustür klingelt, springt sie zuerst in ihr Zimmer und schaut nur aus einem schmalen Türspalt heraus. Nachdem ich aber Markus freudig begrüßt habe, kommt sie und beobachtet ihn erst einmal eine kleine

Weile. Dann fragt sie, wo seine Kinder seien. Freundlich erklärt er, dass sie nur jedes zweite Wochenende bei ihm seien und deshalb heute nicht mitkommen konnten. Dafür hat er ein kleines Geschenk für sie. Sie nimmt es neugierig entgegen und zieht mich an der Hand in ihr Zimmer, während sie mir zuflüstert: »Mama, der sieht aber jung aus.« Ich muss lachen, denn er ist genauso alt wie ich, und ich kann nicht einschätzen, ob ich auf Napirai viel älter wirke oder ob sie den Vergleich zu meiner ersten Beziehung vor drei Jahren zieht. Jedenfalls gewinnt er bei meiner ansonsten eher männerscheuen Napirai schnell alle Sympathien. Da er selbst zwei Töchter hat, weiß er, wie er sie um den Finger wickeln kann. Kurze Zeit später schleicht auch der Nachbarsjunge scheinbar zufällig und gelangweilt mit in die Stirn gezogener Baseballkappe durch unser Wohnzimmer. Auch ihm stelle ich meinen neuen Freund vor. Kaum sind die Kinder um die Ecke, höre ich ihn zu Napirai sagen: »Cooler Typ!« Wir lachen – die erste Probe ist bestanden.

Wir erleben einen schönen gemeinsamen Abend, an dem sich die beiden langsam aneinander herantasten. Als Napirai ins Bett geht, erzählt Markus ihr tatsächlich bereits eine Geschichte, in der sein ehemaliger Hund vorkommt. Ich bin überglücklich und stolz, dass er über all seine guten Eigenschaften hinaus auch noch ein solch liebevolles väterliches Verhalten zeigt. Es ist einfach überwältigend.

Zwei Tage später habe ich eine Buchvorstellung im Zürcher Bernhard-Theater. Kurz bevor ich mich auf den Weg dorthin begebe, erreicht mich von der Veranstalterin ein Fax, dem ich entnehmen kann, dass die Kenianerinnen zu einer großen Demonstration aufgerufen haben. Langsam nervt mich das Ganze, da weder mein Verlag noch ich konkrete schriftliche Anschuldigungen bekommen. Man kann auf keiner Ebene vernünftig diskutieren. Ich werde von Securitas-Leuten in Zürich begleitet. Vor dem Theater stehen etwa fünfzehn Personen mit Trommeln und anderen Instrumenten auf der Straße und veranstalten großen Lärm. Noch einmal versuche ich, ins Gespräch zu kommen, gehe zu der Wortführerin und frage sie, was die Demonstration bedeuten soll. Wieder erhalte ich die Antwort, dass ich die Ehre von vielen Kenianern und Kenianerinnen verletze, und ich würde schon sehen, was noch alles passiert. Ich verdiene viel Geld und müsse deshalb die Hälfte meinem kenianischen Mann abliefern. Sie nennen Summen, die mich trotz des Ernstes der Situation fast zum Lachen bringen. Weiter behaupten sie, meine Verwandtschaft in Kenia sei wütend auf mich. Jetzt ziehe ich den jüngsten Brief von James aus der Tasche, den ich extra mitgenommen habe, und lese ihn vor. Darin steht, dass sie sich für meine Unterstützung und Hilfe bedanken und alle froh sind, dass sich das Buch so gut verkauft. Die Wortführerin schreit dazwischen, das sei alles gelogen, dies sei gar kein Brief von James, ich solle es beweisen! In diesem Moment ist mir endgültig die

Zeit zu schade, um mit solch hysterischen Personen zu diskutieren, und ich laufe zu den wartenden Securitas-Wächtern. Eine der Frauen folgt mir und schimpft: »Das Kind gehört Kenia und wir werden es zurückbringen und zudem die Hälfte des Geldes einfordern!« Jetzt werde ich wirklich wütend und auch traurig, dass wild-fremde Menschen sich auf diese Art und Weise einmi-schen und das gute Verhältnis zu meiner kenianischen Familie aus Habgier, Rache oder welchen Gründen auch immer zerstören wollen. Am schrecklichsten aber ist für mich die Vorstellung, dass mein Kind in Gefahr sein könnte!

Auch an diesem Abend sind die Demonstranten ein Teil des Gespräches nach der Lesung. Mir ist mittlerwei-le klar, dass wir die Bedrohung ernst nehmen müssen, denn es sind Fanatiker am Werk. Am nächsten Tag er-statte ich Anzeige bei der Polizei, da wir nun die Namen der beteiligten Personen kennen, weil sie die Demons-tration angekündigt hatten. Sie hatten mit bis zu 150 Demonstranten gerechnet, aber nur ein Zehntel davon hat sich motivieren lassen. Die Polizei nimmt die Sache ernst und verhört die Beteiligten. Später erfahre ich aus dem Bericht, dass es sich tatsächlich um unhaltbare, fadenscheinige Anschuldigungen handelt und die kenia-nischen Frauen der Polizei versichert haben, mich in Zukunft in Ruhe zu lassen. Daraufhin ziehe ich meine Anzeige vorläufig zurück, damit diesen Menschen kein Prozess droht. Anscheinend ist ihnen nicht bewusst, wie schwerwiegend die Konsequenzen solcher Drohungen bei uns in der Schweiz sind. Von diesem Tag an habe ich Ruhe vor ihnen.

Es gibt aber auch schöne Erfahrungen in diesem Zusammenhang. Ich erhalte Telefonate und Briefe von verschiedenen Kenianerinnen, die mich beruhigen und beteuern, dass nicht alle so denken. Ich solle mir keine Gedanken machen, das Buch schildere nichts Falsches. Manchmal bekomme ich sogar von afrikanischen Menschen kleine Geschenke und schön gestaltete Karten mit lieben Worten. Es tut mir gut, denn ich bin mir bis heute nicht bewusst, wen ich beleidigt haben soll.

Allerdings fällt mir auf, dass ich schon über zwei Monate keine Nachricht von James erhalten habe. Doch einige Tage später trifft schließlich ein Brief ein. Wie immer beginnt er mit freundlichen Grüßen und der Versicherung, dass alles in Ordnung sei. Er entschuldigt sich, so lange nicht geschrieben zu haben, aber er hätte noch gewisse Sachen abklären müssen. Von kenianischen Leuten in der Schweiz habe er gehört, dass sie mit dem Buch nicht einverstanden sind, weil ich nicht respektvoll über sie, die Samburu und die Massai, und ihre Kultur geschrieben habe. Außerdem sei er ins Maralal Office geholt worden, um Erklärungen abzugeben. Ich dürfe nicht vergessen, dass ich nach kenianischem Recht immer noch Lketingas Frau sei und Napirai seine Tochter. Da er durch diese Kenianerinnen erfahren habe, dass ihm und seiner Familie noch viel Geld zustehen würde, bittet er um weitere Unterstützung. Sein Wunsch wäre es, zu wissen, was im Buch steht. Dann könnte er entscheiden, wem er glauben soll. Weiter erzählt er von seiner bevorstehenden Hochzeit und legt mir noch Fotos von seiner zukünftigen Frau bei. Es ist ein junges, etwa 15-jähriges Schulmädchen.

Der Brief stimmt mich nachdenklich und ärgerlich. Anscheinend schrecken diese Frauen vor nichts zurück. Sogar bis nach Maralal verbreiten sie schlechte Nachrichten. Zudem bin ich traurig. Jahrelang habe ich bei Lketingas Familie gelebt und hätte mir gewünscht, dass sie mich gut genug kennen. Seit meiner Rückkehr habe ich je nach Möglichkeit, auch vor dem Bucherfolg, die ganze Familie unterstützt und doch zweifelt James, wem er nun glauben soll! Ich bin entschlossen zu handeln, weiß aber im Moment noch nicht wie, weil ich nicht selbst nach Kenia reisen kann. Mit meinem Verleger bespreche ich die Situation, die mich sehr beschäftigt. Er entschließt sich, so schnell wie möglich persönlich nach Maralal zu reisen, um sich mit meiner kenianischen Verwandtschaft zu treffen. Da wir es für wichtig halten, dass jemand vorher das Buch für Lketinga und James übersetzt, fällt uns Jutta ein, die in Kenia lebt, die Gegend sehr gut kennt und vor allem die einheimische Sprache spricht. Der Verleger stellt den Kontakt zu ihr her, während ich in einem Brief James informiere. In zwei Monaten, also im Juni 1999, soll das Treffen stattfinden.

In meiner neuen Beziehung bin ich umso glücklicher. So häufig wie möglich treffe ich Markus. Wenn ich zu Hause bin, wohnt er bereits bei uns und geht direkt von hier

215

seiner Arbeit in Zürich nach. Hatte ich vorher noch geglaubt, ich hätte keine Zeit und keinen Platz für einen Mann in meinem Leben, so hat sich dieses Problem plötzlich in Luft aufgelöst. Napirai ist ein ausgesprochener »Fan« von Markus, wenn auch ab und zu etwas Eifersucht herauszuhören ist, wenn es zum Beispiel heißt: »Das ist meine Mama! Sie gehört mir allein!« In der Zwischenzeit haben wir auch die Kinder von Markus kennen gelernt. Nach anfänglicher Schüchternheit sind sie durch Napirais nie versiegenden Spieldrang immer entspannter geworden und bald schon spielen die drei Mädchen miteinander, als würden sie sich bereits eine Ewigkeit kennen. Mein Büro wird zu einem Gästezimmer umfunktioniert und so freuen wir uns alle auf den nächsten Besuch der beiden. Wir unternehmen viel zusammen und ich genieße mein unglaubliches Glück und bedanke mich täglich mit leisen Gebeten. Nach zwei Monaten habe ich das Gefühl, als seien wir schon seit Jahren zusammen. Natürlich hat das auch mit unserer gemeinsamen Schulzeit zu tun, über die wir mit viel Spaß stundenlang reden können. Wenn ich Lesungen in der Nähe von Zürich abhalte, treffen wir uns anschließend in der Stadt und schlendern verliebt und schmusend wie zwei Teenager durch die Gassen. Egal was andere davon halten, für solche Gefühle braucht man sich, vor allem nach so langer Entbehrung, nicht zu schämen, auch wenn ich dabei des öfteren erkannt werde. Mir ist es gleichgültig. Ich bin 39 Jahre alt und habe die Verantwortung für mich selber zu tragen.

Im Mai bin ich viel unterwegs oder absolviere Presse-termine. Überall sind die Säle voll und das Echo ist enorm groß. Allein bei den Weidener Literaturtagen verbringe ich sechs Tage. Es ist für mich ziemlich auf-regend, mich unter »gestandenen« Schriftstellern zu be-wegen oder auf Plakaten und in Prospekten zusammen mit bekannten Literaten abgebildet zu sein. Im Gegen-satz zu vielen anderen, die sich freudig begrüßen, kenne ich keinen der Autoren persönlich. Viele haben schon einige Bücher veröffentlicht und sind nicht wie ich Au-torin nur eines Werkes. Am Tag meiner Kurzlesung bin ich leicht nervös. Gemeinsam mit vier anderen Autoren und Autorinnen sitze ich auf der Bühne. Jeder liest ein kleines Stück aus seinem Buch vor. Erleichtert kann ich an der Reaktion des Publikums erkennen, dass mein Beitrag gut ankommt.

Zu Hause erwartet mich erneut eine Flut von Briefen. Andere gelangen direkt in den Verlag. Die ersten zirka 500 Schreiben beantworte ich noch einzeln handschrift-lich, doch irgendwann schaffe ich es nicht mehr, die immer größer werdende Menge zu bewältigen, weil fast jeder Brief mit zusätzlichen Fragen verbunden ist.

Viele Schülerinnen und Schüler wählen mein Buch für Abschlussarbeiten oder Vorträge und bitten mich um Unterstützung und mehr Informationen. Diese Briefe oder Mails versuche ich immer zu beantworten, da ich selber in diesem Alter niemals den Mut hatte, einer »öffentlichen« Person zu schreiben.

Anfang Juni feiern Markus und ich zum ersten Mal

gemeinsam unseren Geburtstag. Weil seiner nur zwei Tage nach meinem stattfindet, feiern wir in der Mitte. Wir laden all unsere Freunde ein. Es wird ein fröhliches Fest, an dem viele meiner Freundinnen mir zu unserem Glück gratulieren und meinen: »Corinne, so haben wir dich in den letzten neun Jahren noch nie erlebt!« Die letzten Gäste verlassen die Wohnung erst gegen Morgen.

Es folgen schöne Wochen, verbunden mit viel Arbeit, die mir nach wie vor großen Spaß macht, und wenig Freizeit, die aber intensiv gelebt wird.

Am 10. Juli 1999 fliegt mein Verleger in Begleitung eines Freundes nach Nairobi. Neben zahlreichen Fotos von Napirai und meiner Familie befindet sich in seinem Gepäck auch eine Kassette, auf die jeder Einzelne meiner Familie, einschließlich Napirai, englische Mitteilungen für James und vor allem für Lketinga und die Mama gesprochen hat. In Nairobi werden sie von Jutta und ihrem Begleiter abgeholt. Sie hat in den vergangenen Wochen alles perfekt vorbereitet. Schon im Vorfeld hat sie meine kenianische Familie in Maralal besucht und sich die Mühe gemacht, über mehrere Tage hinweg für James und Lketinga das ganze Buch in Suaheli zu übersetzen, damit sie den Inhalt endlich kennen und sich dadurch selbst ein Urteil bilden können.

Gemeinsam fliegt die kleine Gruppe mit dem Flugzeug nach Maralal, da die Zeit nicht ausreicht, die beschwerliche Zweitagesreise mit dem Bus zu machen. In der vereinbarten Samburu Lodge treffen mein Verleger und sein Begleiter James und Lketinga. Während James gleich aufgeschlossen reagiert, beobachtet Lketinga zunächst die Fremden etwas finster und misstrauisch. Erst als er die Grüße von der Kassette aus dem in Nairobi gekauften Radiorecorder hört, wird auch er lebhafter, freundlicher und natürlich auch nachdenklich. Während er den Stimmen lauscht, schaut er versunken auf die vor ihm liegenden Bilder und das Buch. Für alle Anwesenden ist dies ein bewegender Moment.

Staunen breitet sich aus über die zahlreichen Zeitungsartikel und die neueren Fotos, die viele Fragen auslösen. Stundenlang wird diskutiert, erzählt, berichtet, und James und Lketinga versichern, stolz auf das Buch zu sein, gegen das sie keine Einwendungen haben.

Am nächsten Tag wollen sie die »Mzungus« zur Mama bringen, die immer noch in der Nähe von Maralal lebt. Die Fahrt im Pick-up geht durch unwegsames Gelände in die Berge, in denen sie und ein Teil der Familie jetzt leben. Auch Mama Masulani empfängt die ihr fremden Weißen würdevoll und zurückhaltend mit verschlossenem Gesicht, während ihr Sohn James die als Geschenke mitgebrachten Vorräte an Zucker, Maismehl, Getränken und Tabak in ihrer Manyatta verstaut. Als er ihr aber die neue bunte Wolldecke über die Schultern legt und ihr die Fotos von Napirai zeigt, lächelt sie erstmals freundlich.

Beim Betreten der einfachen Hütten ist mein Verleger von der spartanischen Kargheit der fensterlosen winzigen Behausungen, in denen die Feuerstellen beißenden Rauch verbreiten, sehr berührt. Auch sieht er die Armut der hier lebenden Menschen, die wegen der anhaltenden Kämpfe immer noch nicht in ihr angestammtes Gebiet in Barsaloi zurückkehren können und nur wenig Vieh besitzen. Spontan entschließt er sich deshalb, für die Familie auf dem Markt auch einige Ziegen zu kaufen. Für James und Lketinga werden auf der Bank in Maralal Konten eingerichtet, um auf diese monatlich Geld überweisen zu können.

Am Tag des Abschieds laden die beiden »Mzungus« alle Anwesenden zu einem Essen in Maralal ein. Es kommen natürlich nur die Männer, aber es sind immerhin zirka fünfzehn Personen an einem langen hölzernen Tisch. Der Verleger, damals noch strenger Vegetarier, wundert sich nicht wenig über die aufgetischten Fleischberge, von denen bald nur noch kleine Knochenhügel übrig sind. Nach einem anschließenden Rundgang über den farbigen Markt, umringt von Scharen lebhafter neugieriger Kinder, müssen die beiden Weißen die Rückreise antreten.

Als mein Verleger und sein Begleiter, beeindruckt von ihren Begegnungen, über die Reise berichten und ich dabei die gemachten Fotos anschaue, kämpfe ich mit den aufsteigenden Tränen. Ich rieche die Menschen, das Land und sehe alle Details vor mir, die sie mir nicht zu beschreiben brauchen. Natürlich sind alle, wie auch ich, älter geworden. Aber die Unruhen, der Hunger, das harte Leben auf der ständigen Flucht und vielleicht nicht zuletzt auch die Geschichte mit mir haben sie schneller altern lassen. Lketinga ist ein graziöser, älterer »Mzee« geworden. Doch die Narben von seinem Autounfall und wohl auch der frühere Alkoholkonsum haben sein Gesicht gezeichnet. Beim Betrachten der Fotos suche ich fast vergeblich nach meinem »Halbgott« von einst.

Im August löse ich mein Versprechen gegenüber meiner Freundin Anneliese ein und wir fliegen zusammen mit Napirai in einen feudalen Jamaika-Urlaub. Wie in vielen Prospekten dargestellt, residieren wir direkt am blauen Meer mit schönem Palmenstrand. Dennoch ergreift mich persönlich dieses Land nicht. Sicherlich trägt dazu auch bei, dass ich Markus vermisse, mit dem ich erst seit knapp vier Monaten zusammenlebe. Aber automatisch vergleiche ich jedes Mal das Ferienland, in dem ich mich gerade befinde, mit Kenia, und bis jetzt habe ich keines gefunden, das in mir ähnlich starke Eindrücke auslöst. Manchmal frage ich mich, ob ich es heute immer noch so empfinden würde.

Trotzdem bewirkt diese Reise etwas sehr Positives. Ich hatte mir schon zu Hause vorgenommen, mit dem Rauchen aufzuhören, da Markus Nichtraucher ist. Den langen Flug wollte ich dazu nutzen, in einem entsprechenden Entwöhnungsbuch zu lesen, damit der Flug besser auszuhalten ist. Schon die ersten Seiten zeigen eine positive Wirkung und ich verspüre keinerlei Lust auf Zigaretten, während Anneliese leidet. Ich weiß, es ist furchtbar, wenn sich alle Gedanken nur noch um

Zigaretten drehen. Kaum gelandet zündet sich meine Freundin einen Glimmstengel an, als auch schon ein bewaffneter Polizist neben uns steht und sie anfaucht: »No smoking at the airport!« Nach über 20 Stunden, in denen sie nicht rauchen konnte, löscht sie entnervt die Zigarette. Mir macht es seltsamerweise immer noch nichts aus. Was da in meinem Kopf klick gemacht hat, ist mir nicht ganz klar, aber das Buch hat sicherlich viel dazu beigetragen. Ich probiere während des Urlaubs noch einmal zwei Zigaretten, bevor ich mich definitiv, nach vielen Jahren intensiven Rauchens, davon abwende. Es ist ein ruhiger erholsamer Urlaub, den ich dennoch gerne wieder beende.

Mittlerweile erscheinen immer mehr Übersetzungen meines Buches. In Frankreich, Italien, Holland, in allen skandinavischen Ländern, in Israel, ja sogar in Japan wird es in den kommenden zwei Jahren übersetzt. Bis heute sind es fünfzehn Sprachen und weitere sollen folgen. Wer hätte das gedacht! Vor allem die Gesichter der Lektoren, die mich mit banalen Absagen abgespeist hatten, möchte ich manchmal gerne sehen, obwohl ich normalerweise nicht zur Schadenfreude neige. In fast allen Ländern klettert das Buch auf die Bestsellerlisten und ich bekomme nun Briefe aus der halben Welt. Manchmal fliege ich zu den Premieren ins Ausland, um das Buch persönlich vorzustellen, gebe Interviews für verschiedene Zeitungen und Journale oder trete im Fernsehen auf.

Als ich im November wieder einmal von einer Tour nach Hause komme, fällt mir Napirai in die Arme und klagt: »Mama, warum musst du immer noch wegfahren? Jetzt wissen doch alle Bescheid. Wir haben doch schon so viele Fotos gemacht. Ich möchte nicht, dass du wegen diesem doofen Buch immer fortmusst!« Sie sagt das so traurig und anklagend, dass ich nicht lange überlegen muss, um dem Verlag mitzuteilen, dass ich trotz der großen Nachfrage für Lesungen im kommenden Jahr vorläufig nicht mehr zur Verfügung stehe. Ich möchte dieses Weihnachten wieder einmal genießen, und zwar mit Napirai und Markus. Auch er spürt manchmal meine Hektik und deshalb haben wir auch schon die ersten Turbulenzen erleben müssen. Er hat es wirklich nicht immer leicht. Es gibt Tage, da rufen mich wildfremde Verehrer bis spät in die Nacht hinein an und lassen sich erst durch energisches Zurechtweisen abwimmeln. Oder wir essen in einem Restaurant und alle halbe Stunde kommt jemand an den Tisch und spricht über das Buch, ohne Rücksicht darauf, ob wir vielleicht gerade in ein persönliches Gespräch vertieft sind oder die volle Gabel zum Mund führen wollen. Einfach ist das für ihn bestimmt nicht. Nein, ich möchte nichts aufs Spiel setzen, weder meine Fürsorge und das gute Verhältnis zu Napirai noch meine Zuneigung und Liebe für Markus.

Aber es ist mein »Beruf« und zum Erfolg gehört auch diese Seite. Natürlich weiß ich, dass die meisten Leser und Leserinnen es mit dieser Aufmerksamkeit nur gut meinen. Dennoch beschließe ich auf dem vorläufigen

Höhepunkt des Bucherfolges den Rückzug. Ich brauche etwas Zeit, um wieder in mich zu gehen und zu überlegen, was danach kommt, denn mir ist klar, dass mein Autorinnendasein zeitlich begrenzt ist. Eine Fortsetzung zu schreiben, was viele Leser sich wünschen, kommt für mich nicht in Frage, denn ich möchte, dass wieder etwas mehr Ruhe in mein Leben einkehrt. Doch dann erscheint Anfang März 2000 die Taschenbuchausgabe und der Rummel beginnt von vorne, da es auch hier schnell an die Spitze der Sellerlisten klettert. Deshalb gehe ich noch zu einzelnen ausgesuchten Veranstaltungen und TV-Auftritten.

Die meiste Zeit aber verbringe ich nun zu Hause und koche für meine kleine Familie. Außerdem beginne ich wieder, die Natur zu genießen und unternehme lange ausgedehnte Wanderungen, bei denen es mir nichts ausmacht, auch allein unterwegs zu sein. Ein kleiner Fotoapparat ist dafür mein ständiger Begleiter und so kann ich mich über die festgehaltenen Bilder von Landschaften, schönen Steinformationen und Pflanzen jeder Art erfreuen. Und weil mich plötzlich die Lust am Motorradfahren packt, kaufe ich mir einen starken Motorroller und lege später die Prüfung ab. Markus lässt sich ebenfalls motivieren und bald düsen wir, wenn es die Zeit erlaubt, über die Schweizer Pässe. Manchmal schließt sich Napirai an, doch ist sie nun in dem Alter, in dem sie lieber den Kopf mit Freundinnen zusammensteckt. Ja, ich spüre, es geht ein langsamer Wandel in mir vor, doch weiß ich noch nicht, wohin er mich führen wird.

Aus Kenia bekomme ich regelmäßig Briefe und wir schicken uns des öfteren Fotos. James hat inzwischen geheiratet. Obwohl das Mädchen wie James die Schule besucht hat, wurde auch sie vor der Hochzeit beschnitten. Als ich das lese, wird mir wieder bewusst, dass die Traditionen der Samburu stärker als jede Bildung sind. Im Oktober bekommt sie, wie ich aus einem anderen Brief erfahre, ein gesundes Mädchen. Lketingas Frau dagegen hatte die zweite Fehlgeburt und muss wegen der daraus folgenden Komplikationen demnächst in ein Spital gehen. Lketinga ist traurig, dass sie immer wieder ihre Kinder verlieren. Bis jetzt überlebte nur das erstgeborene Mädchen.

Ein weiteres Mal schreibt James einen langen Brief, in dem meine Schwiegermama einen Abschnitt für mich diktierte:

Gogo von Napirai ist nun sehr alt, aber sie verspricht, den Rest ihres Lebens für dich und Napirai zu beten. Ich will nicht vergessen, was du, Corinne, für mich getan hast. Du hast dich immer um mich gesorgt, das Feuerholz für mich geholt, das Wasser für mich geschöpft, das Essen für mich gekocht, die Kleider für mich gewaschen und vieles, vieles mehr. Ich werde dich immer tief in meinem Herzen haben.

Zehn Jahre, nachdem ich sie zum letzten Mal gesehen habe, bewegen mich solche Worte auch heute noch tief und ich spüre, dass wir nach wie vor miteinander verbunden sind. Ich erinnere mich an unsere erste Begegnung in Barsaloi und sehe, wie Mama in die Manyatta kriecht, um mich und Lketinga streng und düster zu mustern. Erst nach langen Minuten streckte sie mir damals ihre dunkle Hand entgegen und sagte lachend und für mich erlösend: »Jambo.« Auch wenn ich alles Weitere aus ihrem Wortschwall nicht mehr verstand, spürte ich doch ihr Einverständnis und empfand ihr gegenüber sogleich tiefe Sympathie.

Ja, und heute lesen Millionen Menschen unsere Geschichte und ich bin glücklich und stolz, dass ich ihnen damit Freude und Mut schenken kann.

Im Mai 2001 verbringe ich ein paar Tage in München, um das Drehbuch zu besprechen, das die Grundlage für einen Kinofilm über mein Leben in Kenia sein soll. Die Verhandlungen und Gespräche über diesen Film ziehen sich nun schon lange hin. Zum einen geht es der gesamten Filmbranche seit einiger Zeit nicht besonders gut, zum anderen stellen sich immer wieder Schwierigkeiten bei der Regie und vor allem bei der Besetzung der beiden Hauptfiguren, Lketinga und mir, ein. Für mich ist es manchmal nicht einfach, ja zuweilen fast ein Schock, im Drehbuch Szenen zu lesen, die nicht meinem Buch und den eigenen Erlebnissen in Kenia entsprechen. Die Dramaturgie eines Films folgt offensichtlich anderen Gesetzen als die eines Buches und auch in Zukunft wird es noch viel Arbeit und Gespräche geben, um allen an der

Geschichte Beteiligten einigermaßen gerecht zu werden. Ich kann nur hoffen, dass, wenn ein Teil meines Lebens eines Tages auf der Kinoleinwand erscheint, Napirai und ich stolz sein können. Schließlich müssen sie und ich damit leben. Doch bin ich voller Zuversicht, dass es gelingen wird, einen schönen, authentischen Film zu drehen. Wir sind gespannt auf diesen Moment. Mit Sicherheit jedoch wird es eine seltsame Erfahrung sein, wenn Fremde mein Leben nachspielen werden.

Zukunftspläne

Unsere kleine Familie wächst immer mehr zusammen. Mittlerweile haben wir einen gemeinsamen Urlaub mit allen Kindern auf der Insel Bali verbracht, wovon die Mädchen heute noch schwärmen. Manchmal verbringen wir ein Wochenende mit ihnen auf einem kleinen Campingplatz. Dies sind für uns alle erholsame Tage und wir freuen uns immer wieder aufs Neue, wenn Markus' Töchter bei uns das Besuchswochenende verbringen dürfen.

Während sich die Anzahl der im deutschen Sprachraum verkauften Taschenbücher der Millionengrenze nähert, mache ich mir immer intensiver Gedanken, wie meine weitere berufliche Zukunft aussehen könnte. Inzwischen habe ich wieder Kontakt zu Anna aus der Gruppe der allein Erziehenden aufgenommen und besuche sie des Öfteren auf ihrem Bauernhof. Ihre Art zu leben beeindruckt mich. Da ich mich bei ihr immer sehr wohl fühle und auch am Umgang mit ihren Tieren Gefallen finde, kann ich mir auf einmal gut vorstellen, ebenfalls ein zurückgezogenes Leben auf einem Bauernhof zu führen. Napirai und Markus aber können sich für diese Idee überhaupt nicht begeistern. So denke ich weiter nach und allmählich setzt sich in mir der Gedanke fest, dass ich ein Hotel oder ein Restaurant betreiben könnte. Um mir alle Möglichkeiten offen zu halten, habe ich mittlerweile in diversen Kursen und Lehrgängen gelernt, wie man mit Computern und Buchhaltung umgeht, wie man Käse herstellt und wie man ein Hotel oder Restaurant führt. Trotzdem weiß ich aber immer noch nicht genau, was, wann und vor allem wo ich Neues beginnen könnte. Am reizvollsten jedoch erscheint mir die Idee, ein kleines Hotel – eventuell in Partnerschaft mit anderen – zu erwerben. In meiner Fantasie hat es bereits den Namen »Zur weißen Massai« und ist in afrikanischem Stil eingerichtet. Auf der Suche nach einem geeigneten Objekt fahre ich quer durch die Schweiz bis ins Tessin und spüre sofort, dass ich mich in dieser Umgebung sehr wohl fühlen könnte.

Kurz darauf bleibt mein Blick an einem Zeitungsinserat hängen: »Vierwöchiger Italienisch-Intensivkurs im Tessin, Beginn in einer Woche.« Da zu dieser Zeit Napirai gerade Schulferien hat, melde ich uns beide spontan an. Jetzt heißt es eine geeignete Ferienwohnung zu finden, was im Februar kein Problem ist. Ich stelle es mir ziemlich lässig vor, dass Mutter und Tochter zusammen die Schulbank drücken. Na ja, für Napirai ist es dann doch nicht immer so toll. Nachmittags unternehmen wir verschiedene Ausflüge und Besichtigungen. Für die Jahreszeit ist das Klima im Tessin erstaunlich mild, fast frühlingshaft. Nach einer Woche bin ich schon so begeistert von der kleinen Stadt Lugano, dem See, den nahen Bergen, ja vom ganzen Panorama, das ein wenig an Rio de Janeiro erinnert, dass ich den Gedanken nicht mehr los werde, hier könnte meine, unsere nahe Zukunft liegen.

Auch Napirai gefällt es gut, obwohl ihr die Trennung von ihren Klassenkameradinnen schwer fallen würde. Auf der anderen Seite reizt auch sie das Kleinstadtleben, das einem Mädchen in der beginnenden Pubertät mehr Möglichkeiten bietet als unser jetziges Dorfleben. Wir besprechen das Für und Wider und ich bin überzeugt, dass Napirai mit ihren dreizehn Jahren einen Umzug gut bewältigen wird. Sie ist ein Mädchen, das mit ihrer eher ruhigen, manchmal fast leisen Art doch erstaunlich schnell Anschluss findet, was ich in unseren Urlauben immer wieder beobachten konnte. Selbst die Sprachhindernisse ging sie mit Händen und Füßen an. Allerdings ist sie auch sehr sensibel. Auf traurige Ereignisse reagiert sie extrem. Wenn wir durch die Straßen schlendern, bleibt sie bei jedem Bettler oder Musiker stehen und legt ihm ein Geldstück in die Mütze. Wenn sie das Geld nicht von mir bekommt, spendet sie es von ihrem Taschengeld. Selbst Restaurantbesitzer, die keine Gäste haben, möchte sie unterstützen, indem sie sagt: »Mama, schau, da ist kein Mensch drin, willst du nicht einen Kaffee trinken? Ich habe sowieso großen Durst.« Schon als kleines Mädchen hat sie den noch kleineren Kindern geholfen, wenn sie hingefallen waren, egal ob sie sie kannte oder nicht. Schlimm ist es, wenn sie Tiere leiden sieht. Solche Ereignisse vergisst sie manchmal jahrelang nicht.

Mit ihrer Größe von 1,79 m wirkt sie optisch älter,

als sie ist, und wird deshalb manchmal überfordert. Ich hoffe, ihr mit einem Wohnortwechsel nicht zu viel zuzumuten, und glaube fest daran, dass sie schnell wieder Anschluss finden wird. Obwohl Napirai sich gut mit sich selbst beschäftigen kann, ist sie sehr kommunikativ und braucht Menschen, die sie mag, um sich. Sie ist kreativ, malt, schreibt Briefe und hört dabei stundenlang Musik. Ihr Musikgehör ist sehr sicher und ihre Stimme wunderschön. Sportliche Betätigung dagegen ist nicht unbedingt ihre Sache. Die einzige Bewegung, die sie liebt, ist das Tanzen, dafür hat sie eine Menge Energie. Ja, ich bin stolz auf mein anschmiegsames, feinfühliges und aufgeschlossenes Mädchen.

Wir werden die Veränderung schon meistern und auch glücklich sein, denn ich spüre es tief im Herzen, dass unsere Zeit am jetzigen Wohnort abgelaufen ist. Als größte Hürde kommt die italienische Sprache auf uns zu, vor allem für Napirai in der Schule. Aber andere Familien mit drei oder vier Kindern schaffen einen Umzug ins Ausland auch. Warum sollen wir es nicht wagen? Zumal Napirai ein ausgeprägtes Gedächtnis hat und sehr sprachbegabt ist. Später wird sie noch eine Sprache mehr beherrschen und darüber froh sein.

Zuerst ist Markus von meinen Plänen gar nicht begeistert, da er befürchtet, im Tessin keinen Job zu finden, und äußert sich dementsprechend ablehnend. Nach den ersten zwei Wochen Italienischkurs bringe ich Napirai wieder nach Hause, fahre zurück ins Tessin und beende die Schule. Die ersten italienischen Sätze bleiben haften und mir fällt es plötzlich unendlich schwer, Abschied zu nehmen. Zu Hause finde ich keine Ruhe mehr und so steht für mich definitiv fest: Ich muss umziehen, denn auf mich wartet dort in der Südschweiz irgendeine Aufgabe.

Markus ist hinreißend. In der Zwischenzeit hat er sich nämlich erfolgreich um eine Stelle im Tessin beworben und ist nun schon vor uns vorläufig in eine Ferienwohnung umgezogen, damit er die neue Arbeit beginnen kann. Napirai kann noch fast bis zu den Sommerferien die Schule besuchen, bevor wir nach langem Suchen in unsere neue schöne Wohnung ziehen können. Sie zu finden war wieder mit einer großen Portion Glück verbunden. Hatte ich zuvor alle möglichen Tessiner Zeitungen studiert sowie täglich im Internet Ausschau gehalten und wöchentlich bis zu zwei Mal eine sechsstündige Hin- und Rückfahrt auf mich genommen, nur um festzustellen, dass die entsprechenden Wohnungen zu klein oder nicht am gewünschten Standort lagen, so fand ich unsere Traumwohnung bei einem zufälligen Blick in eine Zürcher Zeitung. Wochenlang war ich nicht auf die Idee gekommen, in dieser Zeitung zu suchen. Doch als Markus schon zwei Monate im Tessin lebte und wir wieder eine Wohnungsabsage erhalten hatten, weil der Vermieter eine einheimische Familie bevorzugte, schaute ich ohne große Hoffnung in jene Zeitung und entdeckte unter der Rubrik Tessin lediglich ein einziges, und wie sich herausstellte, nur einmal geschaltetes Inserat unserer heutigen Wohnung: Mietbeginn ab sofort.

Da wir nun unsere neue Adresse kennen, möchte ich Napirai noch vor den Sommerferien bei der zuständigen Schule anmelden. Mit meinem spärlichen Italienisch vereinbare ich telefonisch einen Termin, an dem wir die Schule besichtigen und den Klassenlehrer kennen lernen können, denn ich halte es für wichtig, dass Napirai noch vor den Ferien einen Blick auf ihre zukünftigen Mitschüler und die Örtlichkeit werfen kann. Zwei Tage bevor die Schule schließt, fahren wir mit einem recht mulmigen Gefühl in das Tessin. Aber die zuständigen Lehrer sind so freundlich und nett, dass meiner Tochter ein Großteil ihrer Angst genommen wird. Nun kann sie dem neuen Schuljahr mit Neugier und auch etwas Freude entgegen sehen.

Zurück in der deutschen Schweiz beginne ich sofort, unseren Umzug zu organisieren. Markus kann mir nicht viel helfen, da er ja bereits im Tessin arbeitet. Als mir klar wird, wie hoch die Kosten mit einem professionellen Umzugsunternehmen wären, beschließe ich, den Umzug selbst in die Hand zu nehmen. Bei einer Autovermietung schaue ich mir den größten Lastwagen an, den man mit PKW-Führerschein fahren darf, und komme zu dem Entschluss, dass dieser ausreichen muss. Alles, was keinen Platz findet, wird in den kommenden Tagen verkauft oder verschenkt. Nur das Wichtigste wird verpackt und das ist immer noch mehr als genug. Nicht für alles finden wir Abnehmer. Napirais komplettes Mädchenzimmer, das erst fünf Jahre alt ist, und einiges mehr bleibt übrig. Wir verständigen ein nahe gelegenes Brockenhaus, eine Einrichtung, der man nicht mehr benötigte Möbel umsonst überlassen kann. In großen Lagerhallen werden sie zu günstigen Preisen verkauft, und der Erlös wird gemeinnützigen Zwecken zugeführt. Sofort erklären sich die Mitarbeiter des Brockenhauses bereit, am vereinbarten Tag den Rest abzuholen.

Der große Tag rückt immer näher und Markus und ich wissen noch nicht, wer uns beim Einpacken helfen wird, da es nicht meiner Art entspricht, bei Freunden über Umzugsprobleme zu quengeln. Irgendwie, denke ich, werden sich die wahren Freunde schon melden. Und tatsächlich: Vier Tage vor dem Umzug kündigt Anneliese tatkräftiges Zupacken an. Auch Anna erscheint mit ihrem mittlerweile kräftigen Sohn und einer ihrer erwachsenen Töchter am Umzugstag. Mein Vater, zu dem ich seit seiner Scheidung von meiner Mutter lange Zeit kaum mehr Kontakt hatte, kommt, um uns beim Einpacken zu helfen. Ich bin wirklich gerührt. Auch Napirai wird von zwei Freundinnen unterstützt und so ist am Abend vor der langen Fahrt in den Süden unser Hab und Gut sicher verstaut. Alles, was nun keinen Platz oder Abnehmer gefunden hat, soll morgen von dem Brockenhaus während unserer Abwesenheit abgeholt werden. Zum letzten Mal schlafen wir in der leeren Wohnung auf Luftmatratzen. Am frühen Morgen startet Markus, begleitet von meinem Vater, mit dem Lastwagen. Ich fahre mit unserem voll gestopften Auto hinterher. Napirai verbringt ihren letzten Schultag in Bäretswil.

Im Tessin schleppen wir bei tropischen Temperaturen von 35 Grad alles hoch in unsere neue Wohnung. Während dieses schweißtreibenden Unternehmens klingelt plötzlich mein Handy. Ein Mitarbeiter des Brockenhauses teilt mir mit, dass sie nun doch kein Interesse an den zurückgelassenen Sachen hätten. Auf meine irritierte Frage nach dem Grund erhalte ich die trockene Antwort, dass das Kinderzimmer sich ohne Matratze schlecht verkaufen ließe. Zudem sei beim Kleiderschrank die Rückwand aus Sperrholz und nicht aus festem Holz. So etwas wollen ihre anspruchsvollen Kunden eben nicht! Ah ja, dann seien noch zwei Aufkleber am Bücherregal. Auch bei allen anderen Gegenständen wird gemeckert, gerade so, als sei Voraussetzung, dass die Möbel ungebraucht sind! Als ich etwas unwirsch entgegne, das sei wohl ein Witz, schließlich hätte ich nicht im Müll gewohnt, erklärt mir der dreiste Angestellte, sie würden die Sachen schon mitnehmen, wenn ich dafür bezahle. Nun bin ich wirklich wütend und sage, sie sollen alles stehen lassen und die Wohnung verlassen. Den Sinn dieser Organisation verstehe ich von diesem Tag an nicht mehr.

Mit großer Empörung fahren wir am selben Tag die lange Strecke zurück, um den Mietwagen wieder abzugeben. Zuvor müssen wir noch die vielen Möbel aufladen und das komplette Kinderzimmer auseinander bauen. Napirai ist enttäuscht, dass ihr schönes Zimmer nicht einmal beim Brockenhaus Anklang findet. Wir beladen den Lastwagen mit dem ganzen Rest und fahren ihn zu einem Kollegen in Wetzikon, der unsere Notlage versteht und sich angeboten hat, die Sachen am Montag zur Müllverbrennungsanlage zu bringen. Als wir alles bei seinem offenen Unterstand abgeladen haben, ist es bereits nach 22 Uhr. Bevor wir einsteigen, erblicke ich im gegenüberliegenden Garten eine Gruppe von Afrikanern, die uns neugierig beobachtet, während ihr Gartenfest offensichtlich dem Ende zugeht. Mir kommt eine Idee und ich sage zu Markus: »Geh doch schnell rüber und sage diesen Leuten, dass alles, was hier steht, gratis mitzunehmen ist.« Er erntet ein freundliches Nicken. Total erschöpft, aber stolz, alles gemeistert zu haben, bringen wir den Lastwagen endlich zurück und fahren eine halbe Stunde später in unserem Wagen noch einmal bei dem Unterstand vorbei. Zu unserer großen Freude stellen wir fest, dass alle Gegenstände einen glücklichen Besitzer gefunden haben. Am nächsten Tag erzähle ich Napirai, dass wohl in Zukunft irgendwo ein afrikanisches Kind in ihrem ehemaligen Bett schlafen und viel Freude an der Kinderzimmereinrichtung haben wird. Jetzt leuchten auch ihre Augen.

Drei Monate nach unserem ersten Italienischkurs wohnen wir nun alle glücklich in Lugano. Napirai lebt sich immer besser ein, obwohl sie natürlich noch sehr an den ehemaligen Freundinnen hängt. Aber drei Stunden Zugfahrt ist ja keine unüberwindbare Distanz. Wir leben immer noch in der Schweiz und nicht in Afrika und bis heute bereut niemand von uns den spontanen Ortswechsel. Unsere Wohnung befindet sich in einer älteren

Villa und die Besitzerin ist für uns als Freundin und moderne Oma ein wahrer Sonnenschein.

Seitdem ich hier im Tessin bin, verspüre ich immer häufiger das Bedürfnis, den vielen Leserinnen und Lesern einen Wunsch zu erfüllen und die Fortsetzung meines Erstlingswerkes zu schreiben. Nie wäre ich vorher nur auf den Gedanken gekommen! Aber hier, bei den manchmal fast tropischen Temperaturen und dem wunderschönen Blick auf den See sowie den vielen interessanten Bekanntschaften, wird es mir sicher leicht fallen. Endlich kann ich auf diese Weise die vielen Fragen beantworten, die mich selbst heute noch täglich erreichen. Ich freue mich auf diese Arbeit und fühle mich glücklich und zufrieden. Die Pläne für ein Hotel verschiebe ich auf unbestimmte Zeit.

Aufs Neue staune ich, wie eine bestimmte Sekunde im Leben alles entscheiden kann und den gewohnten Rhythmus urplötzlich in eine andere Richtung lenkt. Man muss nur den Mut haben, es zuzulassen!

Aufbruch zum Kilimandscharo

Während des Schreibens im folgenden halben Jahr spüre ich immer wieder Heimweh nach Afrika und auch den Wunsch, zu wissen, wie mein Empfinden beim Betreten afrikanischen Bodens wäre. Kürzlich kam ein Trekkingkatalog ins Haus, da ich schon lange den Wunsch hege, auf eine entsprechende Tour zu gehen. Beim Durchblättern fällt mein Blick auf den Kilimandscharo. Als ich beim Lesen feststelle, dass man heute von Europa direkt zum Kilimandscharo fliegen kann, ohne kenianischen Boden zu betreten, verspüre ich den urplötzlichen Wunsch, auf diese Weise nach Afrika zurückzukehren. Auf das Dach von Afrika!

Interessiert studiere ich die verschiedenen Besteigungsrouten. Von Neugier getrieben setze ich mich vor den PC und suche im Internet unter dem Schlagwort »Kilimandscharo« alles, was mir interessant erscheint. Stundenlang lese ich Reiseberichte und diverse Informationen. Abends kann ich nicht einschlafen. Immer wieder frage ich mich, ob ich fit genug bin für diese Besteigung. Mit Markus kann ich mich leider nicht sofort austauschen, da er sich aus beruflichen Gründen gerade für zehn Tage in Marokko aufhält und ich solch eine verrückte Blitzidee nicht am Telefon besprechen möchte. Ich döse im Bett vor mich hin und als es endlich Morgen wird, fühle ich mich so, als wäre ich bereits die ganze

Nacht durchmarschiert. Für mich steht fest: Ich werde es wagen! Endlich möchte ich wieder afrikanischen Boden betreten und, wenn ich schon nicht nach Kenia reisen kann, so wenigstens in die Nähe und von ganz oben hinüberschauen.

Napirai ist über meine Pläne nicht gerade begeistert und fragt nur: »Mama, ist das nicht gefährlich? Gehen da noch andere Frauen in deinem Alter hinauf?« Na ja, was das wohl wieder heißen mag! Schließlich kann ich doch nicht mehr warten, bis Markus nach Hause kommt, da ich mich Tag und Nacht nur noch mit diesem Thema beschäftige und so erzähle ich bei einem der nächsten Anrufe von meinem Vorhaben. Zu meiner großen Überraschung findet er die Idee sehr gut und unterstützt mich schon jetzt am Telefon. Ich bin überglücklich.

Gleich in den nächsten Tagen beginne ich mit einem ausgiebigen Training. Jetzt wandere ich nicht mehr nur zwei Mal die Woche auf irgendeinen Berg, nein, von nun an bin ich fast jeden Tag zwischen drei und sieben Stunden unterwegs. Zusätzlich gehe ich einmal die Woche zum Schwimmen und ins Aquafit, um anschließend zu saunieren. Auch im Dezember ist das Wetter im Tessin mild genug, um bis 1700 Meter schneefrei wandern zu können. Es gibt genügend steile Berge mit wenig oder gar keinem Schnee.

Als Markus endlich nach Hause kommt, staunt er über die bereits besorgten Kilimandscharo-Bücher, den vereinbarten Tropenarzttermin und mein tägliches Wanderprogramm, wobei ich seine Hanteln als Gewichtsbeschwerer im Rucksack mitschleppe. Schnell ist ihm klar, dass es mir wirklich ernst ist.

Während einer Nachmittagswanderung kurz vor Weihnachten erreiche ich eine kleine Berghütte auf zirka 1500 Meter. Da sie sich auf Passhöhe befindet, hat man eine wunderbare Rundsicht und sieht bis in die Walliser Alpen hinein. Ich bin der einzige Gast um diese Zeit und so unterhalte ich mich kurz mit dem Hüttenwart. Dabei erfahre ich, dass er erst seit diesem Sommer hier tätig ist. Er erwähnt, dass er zu Silvester ein fünfgängiges Menü inklusive Übernachtung und anschließendem Frühstück anbieten wird. Allerdings sei der Platz auf 20 Personen beschränkt. Ein solcher Jahresbeginn würde mir gut gefallen und ich bin fast sicher, dass ich auch meine Lieben nicht lange überreden muss. Beim späteren Abstieg sind die umliegenden Bergketten mit einem zarten Abendrot übergossen. Es sieht überwältigend wie ein Alpenmärchen aus und ich ärgere mich, keinen Fotoapparat dabeizuhaben.

Tatsächlich feiern wir 14 Tage später Silvester mit ein paar engen Freunden, darunter Madeleine und ihr Lebenspartner, in der warmen Berghütte. Bei strahlendem Wetter, aber mittlerweile klirrender Kälte sind wir im Schnee hochgestapft. Napirai hingegen hat es vorgezogen, Silvester bei Freundinnen in ihrer »alten« Heimat zu verbringen. In der Hütte sind wir nahezu unter uns und der Hüttenwart zaubert einen köstlichen Gang nach dem anderen auf den Tisch. Um Mitternacht wird mit Sekt angestoßen und dann geht es hinaus auf den Berg, um ins Tal oder in die Sterne zu schauen. Es ist ein bewegender Moment. Nach einer kurzen Nacht erwachen wir bei optimalem Bergwetter und einige von uns beschließen, eine mehrstündige Wanderung zur nächsten Hütte zu unternehmen. Erst gegen Abend des Neujahrstages 2003 kehren wir müde und zufrieden in unser palmenumsäumtes Haus zurück. Nach solch einem schönen Silvester kann es nur ein in jeder Hinsicht erfolgreiches neues Jahr werden!

Zu Jahresbeginn habe ich den geeigneten Reiseveranstalter und meine gewünschte Route gefunden. Ich möchte nicht den »einfachsten«, sondern den schönsten Weg nehmen und deshalb steht für mich bald die Machame-Route fest. Bei dieser Route sind zwei Akklimatisationstage eingeplant, die mir sehr wichtig erscheinen. Im Angebot enthalten ist auch eine zweitägige Safari.

Von Tag zu Tag bin ich mehr gespannt, wie ich dieses neue Abenteuer erleben werde. Die Zeit vergeht im Fluge, weil ich fast täglich beim Wandern bin. Es ist herrlich, doch langsam werde ich ungeduldig und kann es kaum erwarten, bis es endlich losgeht. Eine Woche vor der Abreise habe ich nun auch die ganze Ausrüstung beisammen. Da wir alle Klimazonen von der Savanne bis zu arktischen Gletscherbedingungen durchwandern, muss alles gut überlegt sein. Viele Bekannte bewundern meinen Mut, was mir etwas peinlich ist, weil ich nicht weiß, wie das Unternehmen ausgehen wird.

Vier Tage vor Abflug erhalte ich endlich die letzten Unterlagen und die Teilnehmerliste. Wir sind eine kleine Gruppe von sechs Leuten, was ich sehr positiv finde. Auf Grund der angegebenen Namen versuche ich mir die Personen in etwa vorzustellen und komme zu dem Schluss, dass drei von ihnen sicherlich ältere, durchtrainierte Bergsteiger sein müssten. Außerdem erahne ich noch ein jüngeres Paar. Ich bin froh, dass wenigstens noch eine Frau dabei sein wird, weil ich sonst befürchten müsste, dass mir die Männer davonstürmen.

Am Tag vor meiner endgültigen Abreise wird gepackt. Erstaunlicherweise habe ich immer noch kein Reisefieber. Der Abschied von Markus und meiner Tochter Napirai, obwohl sie gut versorgt ist, fällt mir trotz der Vorfreude recht schwer. Nun sitze ich endlich im Zug nach Zürich, wo ich drei Stunden später von Madeleine abgeholt werde. Da mein Flug um sieben Uhr früh beginnt, muss ich bei ihr übernachten.

Eigentlich begreife ich erst allmählich, dass es losgeht, als das Flugzeug Richtung Amsterdam abhebt. Dort werde ich eventuell auch die anderen Mitstreiter kennen lernen können. Tatsächlich stehe ich eineinhalb Stunden später an dem Gate, an dem in Kürze der Weiterflug zum Kilimandscharo-Airport eingecheckt wird. Erstaunlich viele Leute wollen in dieses Flugzeug steigen. Allerdings sind die meisten eher in Richtung Safari unterwegs. Ich schaue mich nach meinen möglichen Reisegefährten um. Nach etwa einer halben Stunde bin ich fast sicher, alle erkannt zu haben. Da aber auf ihrer

Seite kein großes Interesse auszumachen ist, spreche ich niemanden an. Das Bild, das ich mir auf Grund der Namen gemacht hatte, bestätigt sich definitiv neun Stunden später nach der Landung. Unsere Gruppe besteht aus einem Rentner, der schon bald erzählt, dass er bereits zwei Mal auf dem angestrebten Gipfel war, einem zweiten Rentner, ich nenne ihn Franz, und dessen 34-jährigem Sohn Hans sowie einem jungen Paar Mitte 20. Durch meine im Außendienst erworbene Menschenkenntnis sehe und spüre ich gleich, dass wir unterschiedlicher nicht sein könnten. Na ja, irgendwie werden uns der Berg und das gemeinsame Ziel schon zusammenschweißen.

Auf dem Kilimandscharo-Flughafen schlagen uns auch abends um neun Uhr noch fast 30 Grad entgegen. Es ist herrlich, obwohl sich das Gefühl wie damals vor 13 Jahren in Mombasa, »nach Hause zu kommen«, nicht einstellt. Wir fahren in eine nahe gelegene schöne Lodge, wo wir die erste Nacht verbringen. Um fünf Uhr werde ich wach und habe Durchfall, den ich gleich radikal mit Imodium behandle. Später treffen wir uns zum Frühstück, bei dem man sich vorsichtig beschnuppert. Die Ersten erzählen von ihren höchsten Touren, wie Breithorn, Großglockner, Montblanc und wie sie alle heißen. Mein Gott, ich bin vielleicht gerade mal auf knappe 3000 Meter gewandert und mit der Bahn immerhin auf der Jungfrau gewesen, aber mehr kann ich nicht in die Waagschale werfen. Als ich noch höre, dass einer der älteren Herren erst kürzlich von einer zweiwöchigen

Gletscher-Skitour zurückgekommen ist, die er als Vorbereitung absolvierte, überfallen mich die ersten Zweifel. Aber erst steht ja noch die Safari an!

Wir fahren fast fünf Stunden, bis wir den Tarangire-Nationalpark erreichen. Unterwegs sehe ich viele Kuhherden, die von Massai oder deren Kindern betreut werden. Mich würde interessieren, was Napirai bei diesem Anblick empfinden und denken würde. Erstaunt beobachte ich Krieger, die sich in ihrer traditionellen Kleidung, geschmückt, bemalt und mit Speeren bewaffnet auf Fahrrädern fortbewegen. Das kommt mir sehr seltsam vor. Überhaupt erlebe ich alles ganz anders als früher und in gewisser Weise als Fremde. Ich versuche, in mich hineinzuhören, um längst Vergessenes hervorzuholen, aber es gelingt mir nicht. Stattdessen vermisse ich meine Tochter und Markus.

Im Nationalpark werden wir zuerst zu unserer Zeltlodge gefahren, um unser Mittagessen einzunehmen. Von hier aus hat man während des Essens einen fantastischen Blick auf eine Elefantenherde, die sich am weiter unten gelegenen Fluss aufhält. Ab und an ertönt das Trompeten einzelner Tiere. Nachmittags geht es auf Pirsch durch die heiße Savanne. Wir haben Glück und treffen auf Giraffen, Gazellen, Affen, Zebras und Büffel. Der Anblick der vielen Tiere rührt nun doch etwas in mir an, das mich an meine frühere Afrika-Faszination erinnert. Bis zum Abend vermissen wir nur die Löwen, aber uns bleibt ja noch der morgige Tag. Jeder geht in sein Zelt und macht sich frisch für das Abendessen.

Das Buffet ist köstlich und ich lange kräftig zu, weil ich nicht weiß, was wir später am Berg noch alles bekommen werden.

Gegen zehn Uhr verlasse ich die Runde, da das Gespräch nur dahinplätschert. Bisher ist keine richtige Stimmung aufgekommen. Der Weg zum Zelt ist nur spärlich beleuchtet, dafür hängt vor jedem eine Petroleumlampe. Als ich vor meinem Eingang stehe, bemerke ich, dass mindestens 50 verschiedene Käfer, Insekten und Heuschrecken in jeder Größe an der erleuchteten Zeltwand kleben. Es sieht nicht gerade appetitlich aus. Ich überlege, wie ich durch diesen Eingang hineingelangen und die Tierchen dabei draußen lassen kann. Als Erstes lösche ich die Lampe und schüttle dann die ganze Zeltwand frei. Ich kontrolliere kurz mit der Taschenlampe, schlüpfe möglichst rasch ins Zelt und lege mich sofort ins Bett, um nichts mehr zu sehen. Inzwischen ist auch das junge Paar bei seinem Zelt angekommen. Ich kann sie aus dem Fensterchen beobachten und bin gespannt, wie ihre Reaktion auf die zahlreichen Insekten sein wird. Beide stehen sicherlich fünf Minuten wie angewurzelt vor ihrem Eingang und überlegen wohl, was zu tun ist. Ich muss ein Lachen verkneifen. Dann endlich geht er, der Mann, zwei weitere Schritte zurück, als sich die tapfere Frau entschließt, die Zeltwand mit den Füßen zu traktieren, damit das Ungeziefer herunterfällt. Endlich können sie eintreten und bei vollem Licht das Zelt inspizieren. Kurz darauf ertönen zwei unterdrückte Schreie. Jetzt kann ich mich nicht mehr beherrschen und lache lauthals los, während ich nachfrage, ob alles in Ordnung ist. Sie empfinden das Ganze anscheinend nicht komisch. Ich lausche den zirpenden Grillen und schlafe recht schnell ein.

Am Morgen erwache ich sehr früh, da ständig irgendetwas um das Zelt hüpft. In der Morgendämmerung schleiche ich mich hinaus und sehe vier Tic Tic, eine Art kleiner Rehe, um die Zelte springen. Sie sind so schnell und elegant, dass es Spaß macht, ihnen zuzusehen. Gleichzeitig vernehme ich das Trompeten nahender Elefanten. Langsam erwachen Tiere und Menschen und schon bald befinden wir uns wieder auf der Pirsch. Wir begegnen Unmengen von Elefanten jeder Größe. Auch ganze Affenherden und ein paar Wildschweine sind heute Morgen bereits unterwegs zum Fluss. Jede Regung wird fotografiert. Nach dem Mittagessen müssen wir den Rückweg zur ersten Lodge antreten. Der Fahrer fragt uns, ob wir noch ein Massai-Dorf besichtigen wollen. Ich bin sofort begeistert, weil ich gerne wieder einmal in eine Manyatta kriechen würde. Ich wäre neugierig, welche Reaktionen das in mir hervorrufen würde. Doch meine Mitreisenden zeigen keinerlei Interesse und antworten einstimmig, sie seien wegen der Tiere hier und nicht, um irgendwelche Menschen zu betrachten. Da ich mich nicht zu erkennen geben möchte, verzichte ich auf dieses Erlebnis.

In der Lodge angekommen, bereiten wir uns für den morgigen Aufstieg vor und sortieren das Gepäck. Was am Berg nicht benötigt wird, deponieren wir hier. Es wundert mich, dass einige der Herren noch Bier konsumieren. Ich selbst habe schon seit Weihnachten nahezu keinen Alkohol mehr getrunken. Es wird diskutiert, dass sich am Berg jeder der Nächste ist. Der, der sich noch fit fühlen wird, geht hinauf, auch wenn der andere schlapp macht, und dergleichen. Das betrifft natürlich nur die, die zu zweit unterwegs sind, also das junge Paar sowie Vater und Sohn. Ich wende einmal ein, dass ich meinen Partner in einer schwierigen Situation nicht alleine lassen würde, und ernte dafür sofort belustigte Blicke und den Satz: »Du kennst wohl die Gesetze am Berg nicht!« Jeder träumt euphorisch vom Gipfel und schätzt seine Mitstreiter konditionell ein. Ich bin da nicht anders.

Am nächsten Morgen um acht Uhr brechen wir auf. Zuerst fährt der Bus auf der recht guten, geteerten Straße Richtung Moshi und biegt dann plötzlich beim Wegweiser »Machame« nach links ab. Jetzt wird die Straße holpriger und nach einigen Minuten erinnert mich ihr Zustand an die Straßenverhältnisse in Kenia. Links und rechts sehen wir große Bananenplantagen, Gärten und Kaffeesträucher. Alles hier ist enorm grün und saftig. Wir passieren einige einfachere Hütten, doch ab und zu erkennt man abseits der Straße auch wunderschöne Häuser. Diesen Menschen geht es sicherlich im Verhältnis zu denen in anderen Gegenden recht gut. Unter anderem ist dies auch daran zu erkennen, dass an diversen Shops frisch geschlachtetes Fleisch, an einem Haken hängend und natürlich umzingelt von den obligaten

Fliegen, zum Verkauf angeboten wird. Anscheinend ist also Geld für Fleisch vorhanden. Als ich meine Begleiter auf die »Metzgereien« aufmerksam mache, wird es einigen fast übel.

Am frühen Vormittag treffen wir am Machame Gate auf 1840 m Höhe ein. Wir sind nicht die einzige Gruppe, die sich auf den Weg machen möchte. Es herrscht ein wildes Durcheinander. Die verschiedenen Gruppen müssen angemeldet, Träger organisiert und Essenspakete verteilt werden. Ich freue mich auf den Beginn der Wanderung. Da ich zu Hause nahezu täglich mehrere Stunden unterwegs war, fehlt mir die Bewegung, nachdem ich nun drei Tage »auf der faulen Haut« gelegen bin. Endlich ist alles geregelt. Wir bekommen für unsere sechsköpfige Gruppe 24 Träger, einen einheimischen Führer und drei Hilfsführer zugewiesen. Wahnsinn, was für ein Tross nun an uns vorbeizieht, wobei jeder Träger zwischen 20 und 25 Kilogramm auf dem Kopf mitschleppt.

Wir marschieren langsam los. Es ist heiß, aber erstaunlich trocken in diesem wunderschönen Regenwald. Der Weg besteht aus roter getrockneter Lehmerde sowie Wurzeln und Steinen. Bei nassem Wetter ist das Fortbewegen sicherlich sehr mühsam. Ich bin ganz begeistert von der Vegetation und knipse natürlich schon bald die ersten Fotos. Ab und zu bitte ich einen meiner Reisebegleiter, ein Foto von mir zu machen. Doch nach einigen Bildern frage ich nicht mehr, ich werde das Gefühl nicht los, die Gruppe zu belästigen. Ich laufe gemütlich hinter dem Führer her und muss mich erst dem extrem langsamen Tempo anpassen, da ich gewöhnlich in unseren Schweizer Alpen schneller unterwegs bin. Mein neu erworbener Wasserbeutel mit integriertem Trinkschlauch ist eine große Hilfe. So kann ich während des Laufens ständig meinen Durst löschen und bin auch sicher, dass ich genug Flüssigkeit zu mir nehme.

Wir steigen höher und höher, vorbei an Bäumen mit Lianen, Riesenfarnen und von Moos überwucherten Holzstämmen. Es riecht erdig und feucht. Tiere sind nicht in Sicht. Ich habe gar nicht das Gefühl, dass ich mich langsam der 3000-Meter-Grenze nähere, weil in der Schweiz in dieser Höhe weder Busch noch Strauch anzutreffen sind. Nach ein paar Stunden wird es lichter und der Dschungel verwandelt sich langsam in eine Busch- und Strauchlandschaft und endet beim Erreichen unseres Lagers nach 1160 Höhenmetern und fünf Stunden Gehzeit in der Erikazone.

Ich bin überrascht, schon vor unserem Camp zu stehen. Die meisten meiner Mitwanderer sehen das anders, sind erschöpft und schimpfen, dass der Führer viel zu schnell unterwegs war. Da wir ja noch drei weitere Hilfsführer haben, verstehe ich nicht, dass dies nicht vorher geklärt wurde. Auch Hans ist meiner Ansicht. Alle verkriechen sich in die Zelte, die bereits unter den letzten vorhandenen Büschen aufgebaut sind, und richten sich ein. Ich bin froh, ein Zweierzelt alleine nutzen zu können, weil das Gepäck schon ein Drittel des Zeltes ausfüllt. Kurze Zeit später erhält jeder von uns einen knappen Liter warmes Wasser in einer kleinen orangenen Schüssel vor das Zelt gestellt, um sich waschen zu können. Da sich niemand von unserer Gruppe blicken lässt, knüpfe ich mit einer Amerikanerin Kontakt. Ihre Gruppe besteht nur aus ihr, drei Trägern und einem Guide. Über die Möglichkeit, den Kilimandscharo so zu besteigen, habe ich nie nachgedacht. Interessant ist auch, das emsige Treiben im Lager zu beobachten. In einigen Zelten wird gekocht. Mehrere Personen sitzen auf der Erde, trinken Tee und essen etwas dazu. Bald werden wir gerufen und betreten unser Essenszelt. Die Tatsache, dass wir hier oben an einem gedeckten Tisch, inklusive blau-rot gestreifter Tischdecke, auf Klappstühlen Platz nehmen sollen, erscheint mir mehr als seltsam. Sozusagen als Aperitif bekommen wir einen heißen Tee oder Kaffee und eine Platte mit gesalzenem Popcorn. Dann bleibt noch eine gute Stunde, bis das richtige Abendessen serviert wird.

Ich beobachte wieder das Treiben im Lager, als sich plötzlich gegen halb sieben der Nebel um den Kilimandscharo kurz hebt und ich den Berg zum ersten Mal sehen kann. Er scheint ganz nahe zu sein! Der Schnee am Gipfel sieht aus, als wäre ein Kübel mit weißer Farbe, die da und dort hinunterläuft, über den Berg gegossen worden. Es dauert nur kurz, wie ein Spuk, dann ist er wieder im Nebel und der anbrechenden Dunkelheit versunken. Das reichliche Essen wird auf echten Porzellanplatten und -tellern serviert. Als Vorspeise gibt es eine herrliche Suppe, danach den Hauptgang und anschlie-ßend Früchte. Ich komme mir wie in der Kolonialzeit vor. Die ganze Situation erscheint mir ein wenig absurd. Schließlich habe ich einmal unter Afrikanern gelebt und gearbeitet und nun schleppen sie für mich, die zahlende »Weiße«, Tische und Stühle durch die Gegend und bedienen mich. Mir ist klar, dass dadurch viele für kurze Zeit einen Job haben, aber ich muss mich trotzdem erst daran gewöhnen. Um acht Uhr sind wir alle schon in unseren Zelten, doch schlafen kann ich nicht, in jedem der umliegenden Zelte wird gequatscht oder geschnarcht. Ich denke über unsere Gruppe nach und hoffe, dass sich morgen vielleicht etwas mehr Zusammenhalt und Witz einstellen. Denn freiwillig hätte sich wohl bis jetzt niemand den anderen ausgesucht.

Um Mitternacht schlafe ich immer noch nicht, dafür schnarchen der Franz oder der Hans wunderbar. Ich krieche noch einmal aus dem warmen Schlafsack, um meine Blase zu entleeren. Die Nacht ist kühl und klar. Die Sterne sind zum Greifen nah und auch der Kilimandscharo ist an seiner weißen Krone erneut erkennbar. In diesem Augenblick kann ich einen gewissen Zauber, der von ihm ausgeht, nicht leugnen. Doch ich muss ins Zelt zurück, bevor die Kälte in mich kriecht. Eine leichte Schlaftablette verhilft mir endlich zu einem wohlverdienten Schlaf.

Gegen sechs Uhr werde ich von lauten Diskussionen zwischen Vater und Sohn geweckt. Sie haben anscheinend nasse Schlafsäcke, da sie im Zelt keine Luftklappen offen gelassen haben. Außerdem haben sie fürchterlich gefroren, wie ich höre, und fühlen sich wegen der Kälte und des harten Bodens ganz steif. Ich selbst kann über solche und ähnliche Probleme nicht klagen. Zum einen bin ich an das Schlafen am Boden gewöhnt und zum andern haben sich mein für diese Tour neu angeschaffter Schlafsack, der auch bei extremer Kälte warm halten soll, und die neue Isomatte gut bewährt. Nach der Begrüßung frage ich die beiden, wie es denn mit ihren Schlafsäcken bestellt sei. Von Komfort- oder Extrembereich haben die zwei noch nie etwas gehört. Ihre Schlafsäcke sind von Aldi und waren sehr günstig, wie Franz, ein bekennender Aldi-Fan, erzählt. Nun schaut er auf der Beschreibung nach und liest zum ersten Mal: »Komfortbereich + 5°, Extrembereich –10°«. Ich frage mich, was die zwei sich auf 4600 Höhenmeter zum Schlafen einfallen lassen wollen!

Auf dem Weg zur Toilette merke ich, dass meine Beine schwer wie Blei sind, und kann mir das nicht erklären. Zu meinem Entsetzen muss ich feststellen, dass trotz Vorkehrungen meine Menstruation eingesetzt hat. Das kann ich hier am Berg am allerwenigsten gebrauchen! Mir schlägt dieser Umstand augenblicklich aufs Gemüt. Ich schlucke erneut Tabletten, damit sich das Ausmaß in Grenzen hält. In meinem Zelt erwartet mich schon der »Good Morning-Tea«. Normalerweise werden wir von drei Personen geweckt, indem sie vor dem geschlossenen Zelt »Teatime, Coffeetime!« rufen. Dann öffnet man das Zelt und kann sich vom hingehaltenen Tablett einen Tee oder Pulverkaffee anrühren lassen. Unglaublich feudal! Kurze Zeit später erscheint das obligate Waschschüsselchen mit angewärmtem Wasser für die Morgentoilette. Um halb acht wird »Full Breakfast« eingenommen. Wir erhalten unter anderem Rührei, Würstchen, getoastete Brotscheiben, Butter, Marmelade und frische Früchte, von der Minibanane bis zur Ananas. Ich glaube, keiner von uns würde zu Hause jemals so gut und reichhaltig frühstücken.

Um zirka neun Uhr machen wir uns auf den Weg zum Shiraplateau, das auf 3850 Höhenmeter in einer gewaltigen Hochsteppe liegt. Zu Beginn geht es recht gemütlich los. Bäume und Sträucher werden allmählich weniger. An den letzten Bäumen hängen Moosfetzen wie Spinnweben herab und verleihen dem Ganzen einen Hauch von Fantasiewelt á la Jurassic Park. Durchziehende Nebelfelder verstärken diesen Eindruck. Zwischendurch tauchen violette Distelarten oder rosa-weiße Blumensträucher auf. Leider wird der Weg immer steiler und der gewaltige Aufstieg bereitet mir heute mit meinen schweren Beinen extreme Mühe. Dafür sind die anderen wieder fit. Zum Teil ist das Gelände so steil, dass ich die Stöcke nicht mehr gebrauchen kann. Sie sind eher hinderlich. Dafür werde ich mit einem tollen Ausblick auf den Mount Meru belohnt und wenn ich zurückschaue, überblicke ich den ganzen Dschungel, den wir gestern durchquert haben. Doch ich muss mich förmlich vorwärts kämpfen und bin froh, als wir kurz nach zwölf Uhr endlich Mittagspause haben. Als wir im

Windschatten eines Felsens am gedeckten Tisch, inklusive Tischtuch, auf unseren Stühlen Platz nehmen, ist es neblig und kühl. Ich ziehe mir den Regenschutz über, damit ich besser vor dem Wind geschützt bin. Uns erwartet heißer Tee, Brot und Käse sowie warme Pfannkuchen. Letztere geben mir wieder etwas Kraft. Dennoch ist es grotesk, hier oben auf diese Art zu pausieren. Ich werde diesen Anblick jedenfalls nie vergessen!

Danach wandern wir weiter und ich fühle mich etwas besser. Am frühen Nachmittag erreichen wir das Shiraplateau. Es ist ein riesiges Camp und an den zum Teil weit verstreuten Toilettenhäuschen kann man erkennen, dass hier manchmal viel Betrieb herrscht. Nach und nach treffen andere Gruppen ein, unter denen auch die allein reisende Amerikanerin ist. Obwohl wir uns bereits in einer Höhe von 3850 Meter befinden, gibt es noch vereinzelte Sträucher, so dass ich nach wie vor kein richtiges Gefühl für diese Höhe bekommen habe. Doch heute bin ich froh, endlich ausruhen zu können und warte ungeduldig auf meinen Liter Waschwasser. Meine Beine sind immer noch schwer und Bauchschmerzen haben ebenfalls eingesetzt.

Ich versuche per Handy Verbindung mit zu Hause zu bekommen. Meine kleine Familie fehlt mir und ich komme mir plötzlich sehr egoistisch vor. Ich klettere auf diesen Berg, warum weiß ich bald auch nicht mehr, während Markus zusätzlich zu seinem harten Job auch noch für Napirai mitsorgen muss. Irgendwie stecke ich in einem moralischen Tief. In unserer Gruppe ist wieder jeder mit sich beschäftigt und so bleibt der Kontakt eher spärlich auf die Zeit begrenzt, in der man sich im Essenszelt begegnet. Ich habe mir das alles etwas lustiger und unterhaltsamer vorgestellt.

Bei anderen Gruppen geht es wesentlich lockerer zu, wie ich aus meinem Zelt beobachten kann. Doch da ich nicht in bester Verfassung bin, kann ich mich nicht aufraffen, Kontakt herzustellen. Morgen trennen sich sowieso die Wege der meisten Gruppen. Zwischendurch zeigen sich neckisch die Eisfelder des Kilimandscharo. Ob ich da jemals oben stehen werde? Im Moment glaube ich nicht so recht daran. Endlich ist Abendbrotzeit. Wieder gibt es ein herrliches Essen, doch außer der Suppe bringe ich fast nichts hinunter. Der Führer ist nicht begeistert und ermahnt mich zu essen. Morgen wird es sicher besser gehen, versuche ich ihn zu beruhigen.

Heute ist der dritte Tag am Berg. Als ich aufwache, empfinde ich es sogar in meinem Schlafsack leicht kühl. Wie mag es erst Vater und Sohn ergangen sein? Ich krieche aus dem Zelt und stelle fest, dass der Boden sowie der Tau auf dem Zelt gefroren sind. Es folgt der gewohnte Ablauf von Morningtea, Waschwasser und anschließendem full breakfast. Leider kann ich wieder nicht viel essen. Franz und Hans haben erbärmlich gefroren, obwohl sie mit allen verfügbaren Kleidern in ihre Schlafsäcke gestiegen sind. Das kann nicht gut gehen!

Bald ist Abmarsch. Franz, der Vater, fühlt sich nicht sehr wohl, da er zusätzlich Durchfall bekommen hat.

Heute steht der South Circuit auf dem Programm. Diese Umrundung dient der Höhenanpassung. Wir werden 750 Höhenmeter zum Lava Tower auf 4500 Meter aufsteigen, um dann wieder bis auf 3950 Meter abzusteigen. Am Anfang steigt der Weg nur gemächlich an. Man kann sich bei dieser schwachen Steigung fast nicht vorstellen, dass wir an Höhe gewinnen werden. Der Kilimandscharo ist immer im Blickfeld. Doch plötzlich holt uns der Nebel von hinten ein und es wird erstaunlich kühl. Sind wir erst in T-Shirts losmarschiert, ziehen wir uns jetzt schnell eine Jacke über. Langsam verschwinden die letzten Erika-sträucher und es sind nur noch einige Flechten an den sonst dunklen Steinen zu sehen. Kurz vor ein Uhr ma-chen wir einen Lunchstopp. Ich bin froh, eine Pause ein-legen zu können, denn nun spüre ich extrem, dass wir mittlerweile auf 4500 Höhenmetern angekommen sind. Es weht ein kalter Wind. Wieder sitzen wir im Wind-schatten großer Felsen an dem uns inzwischen vertrauten Tisch, als sich plötzlich ein Eisregen über uns ergießt. Die Führer mahnen zur Eile, da das Wetter sehr schnell übel werden kann und wir im Nebel nicht mehr viel sehen könnten. Ich fühle mich etwas erschöpft, doch ins-gesamt für diese Höhe noch einigermaßen gut. Franz geht es immer schlechter. Er und auch sein Sohn haben starke Kopfschmerzen. Der Führer fragt uns, ob wir noch bis zum Lava Tower hochsteigen wollen oder lieber den kürzeren Weg zu unserem nächsten Camp nehmen möchten. Franz entschließt sich für den unteren Weg. Ich überlege kurz, ob ich mit ihm gehen soll. Als sich jedoch das junge Paar voller Energie für den Aufstieg entscheidet, schließen wir anderen uns an.

Tatsächlich wird das Wetter wieder besser und nach einer kurzen Wanderung stehen die großen, bizarren Felsen des Lava Towers vor uns. Der Führer gratuliert jedem zum Erreichen der 4600-Meter-Marke. Endlich geht es mir besser und ich verspüre so etwas wie Euphorie, verbunden mit der Zuversicht, dass dieses Abenteuer doch noch auf den Gipfel führen könnte. Nach einer kurzen Fotopause beginnen wir den Abstieg. Hinunter läuft es sich in dieser Höhe natürlich dreimal schneller. Bald schon führt uns der Weg durch wunderschöne Lobelien und Senecien. Diese Pflanzen wachsen zwischen den dunklen Steinen mehrere Meter in die Höhe und passen irgendwie nicht hierher. Manchmal sehen sie in der Ferne fast wie ein Palmengarten aus. je weiter wir absteigen, desto mehr beleben Erikagewächse wie silberweiße Tupfen den dunklen Steinboden.

Kurz vor vier Uhr blicken wir von oben auf unser Camp hinunter. An den verschiedenfarbigen Zelteinheiten erkennt man die jeweiligen Gruppen. Außer uns sind noch zwei weitere unterhalb des Kilimandscharo-Südgletschers auf 3950 Meter angekommen. Es ist sehr kühl. Im Küchenzelt herrscht emsiges Treiben. Immer wenn wir im Camp ankommen, steht alles schon bereit. Jeder hat sein eigenes Zelt und darin befindet sich die jeweilige Reisetasche. Wir treffen wieder auf Franz, dem es nach wie vor nicht gut geht. Er hat Fieber und überlegt, ob er sich auf der Safari eventuell eine Malaria

geholt haben könnte, da er keine Prophylaxe eingenommen hat. Doch mit meinen früheren Malaria-Er-
fahrungen decken sich seine Symptome längst nicht,
was einigermaßen beruhigend ist. Hans hat durch den
schnellen Abstieg noch stärkere Kopfschmerzen bekommen, möchte aber keine Tabletten nehmen.

Zum wiederholten Mal stelle ich mein Handy an und
bemerke nun hocherfreut, dass ich hier Empfang habe.
Sofort melde ich mich bei meinen Lieben zu Hause.
Endlich höre ich Markus' Stimme. Als er besorgt nach-
fragt, wie es mir denn bis jetzt ergangen ist, schießen die
Tränen aus meinen Augen. Erschrocken über meine
Reaktion antworte ich, dass es mir körperlich ganz gut
geht, ich mich aber irgendwie fehl am Platze fühle. Das
Reisen in Gruppen kenne ich nicht und habe mir das
völlig anders vorgestellt. Außerdem zweifle ich an meiner Kondition. Markus versucht mich aufzumuntern
und als ich höre, dass mit Napirai alles bestens läuft,
werde ich ruhiger. Kurz darauf habe ich sie selbst am
Telefon. Sie meint locker: »Mama, mach dir keine Gedanken, du schaffst das schon, und hier ist eh alles in
Ordnung!« Ich merke, wie mein Herz schmilzt, und
gleichzeitig spüre ich intensiv, dass diese zwei Menschen
das Wichtigste in meinem Leben sind.

Das Telefonat hat mir viel Kraft gegeben. Endlich
kann ich wieder lachen. Selbst der Führer merkt, dass es
mir seelisch viel besser geht. Pessimistische und depres-
sive Phasen sind mir eigentlich fremd. Mir ist auch nicht
klar, was die Ursache war: Die ungewohnte Höhe, die

Tabletten gegen die Menstruation oder gegen die Malaria oder einfach diese ganze komische Gruppensituation. Nur beim Abendessen kann ich noch nicht mit Appetit zulangen, obwohl ich auch diesmal staune, was die Köche auf den Tisch zaubern: Von einer köstlichen Tomatensuppe bis hin zu Pasta mit frischem Gemüse oder wunderbarem Curryreis mit Fleisch. Ich habe nur ein großes Verlangen nach rohen Karotten und bekomme diese auch sofort mit Orangenscheiben liebevoll dekoriert. Beim Essen erklärt uns Franz, falls es ihm bis morgen gesundheitlich nicht besser gehe, denke er daran, die Tour zu beenden. Er merke beim Marschieren, dass seine Beine immer wackliger werden. Heute sei er schon des öfteren über Steine gestolpert. Wir würden es alle bedauern, denn er und sein Sohn geben immer wieder Anlass zum Schmunzeln. Nach einem erneuten Klogang erklärt das junge Paar, sie würden sich nie an diese Art von Toiletten gewöhnen. Der Rentner schreibt mehr Tagebuch, als dass er sich an einer Konversation beteiligt. Immerhin habe ich erfahren, dass er ein pensionierter Zahnarzt ist. Ich vermute, das ist der Grund für seine Aversion gegen mich. Vielleicht riecht er ja die frühere Vertreterin an mir.

Einer der Hilfsführer erwähnt die Möglichkeit, die Route etwas abzukürzen, um unsere Chance zu erhöhen, auf den Gipfel zu gelangen. Das setzt allerdings voraus, dass wir übermorgen statt zur Kibohütte ins Barafu Camp marschieren. Wir würden dadurch Kräfte sparen und könnten uns schon am Nachmittag ausruhen. Der Nachteil wäre nur, dass wir den Gilmans Point, der schon als Besteigung gilt, nicht passieren könnten. Wenn wir ein Foto und ein Zertifikat wünschten, wäre dies nur auf dem direkten Weg zum Uhuru Peak möglich. Alle sind mit diesem Vorschlag einverstanden, außer mir. Ich hätte schon gerne ein Foto und Zertifikat und glaube auch, dass ich bis zum Gilmans Point durchkäme, aber für einen weiteren Aufstieg wage ich noch keine Prognose. Wir diskutieren hin und her und schließlich bleibt es vorläufig bei unserer gebuchten Route. Die letzte Möglichkeit dies zu ändern besteht morgen Abend. Ich brauche noch Bedenkzeit. Alle kriechen in ihre Zelte und warten auf den erlösenden Schlaf.

Schon vor sechs Uhr bin ich wach. Draußen ist es klar und der Kilimandscharo-Gipfel scheint zum Greifen nahe. Wir befinden uns direkt darunter. Wieder habe ich den Eindruck, als sei Farbe oder Milch über den Kopf des Berges geschüttet worden. Er sieht so ganz und gar anders aus als unsere Schweizer Schnee- und Gletscherberge. Wahrscheinlich liegt es daran, dass er ein Vulkan ist. Heute fühle ich mich stark und ausgeruht und freue mich richtig aufs Weiterwandern. Wieder steht ein Akklimatisationstag bevor und deshalb werden wir durch verschiedene kleinere Täler hinauf- und hinuntersteigen. Beim Frühstück teilt uns Franz endgültig mit, dass er, begleitet von einem Hilfsführer, umkehren wird. Er hat gemerkt, dass der Gipfel für ihn nicht zu erreichen ist, und möchte nichts mehr riskieren. Er will in unsere Ankunftslodge zurückkehren und eventuell eine Safari zum Ngorongoro Krater buchen. Für seinen Sohn Hans ergibt sich daraus der Vorteil, dass er nun zwei Schlafsäcke zur Verfügung hat und so die Nächte besser durchstehen kann. Vor unserem Abmarsch machen wir noch ein letztes gemeinsames Foto mit der gesamten Mannschaft, da nun auch von den Führern ein Teil zurückgehen muss.

Wir marschieren los und lassen die letzten palmenartigen Senecien hinter uns. Schon bald führt der Weg in die Felsen hinein und wir klettern zum Teil mit Händen und Füßen langsam nach oben. Die Stöcke sind wieder einmal eher hinderlich. Ansonsten gefällt mir diese Kraxelei sehr gut, weil es eine schöne Abwechslung ist. Nun habe ich auch keine Zeit mehr, ständig in mich hineinzuhören, ob es mir noch gut geht. Wieder zieht die Trägerkolonne an uns vorbei. Heute staune ich noch mehr über ihre Künste, wie sie sich, die schweren Lasten auf dem Kopf balancierend, geschickt in diesem steilen und felsigen Gelände bewegen. Sie können, im Gegensatz zu uns, die Hände nicht zur Hilfe nehmen, da sie damit ihre Körbe, Taschen oder Pfannen festhalten. Außerdem sind sie fast doppelt so schnell wie wir. Wir lassen sie passieren und ich studiere ihre Ausrüstung. Einige haben viel zu große Schuhe an den Füßen und andere offene Schuhbänder. Am Rucksack haben sie die rohen Eier in einem dünnen Pappkarton befestigt. Damit müssen sie sich durch Felsen zwängen, durch die wir kaum mit unserem Tagesrucksack passen. Ich möchte nicht wissen, was ihnen geschähe, wenn die Eier im Camp kaputt eintreffen würden. Bei diesen Gedanken steht für mich fest, dass ich allen Trägern zusätzlich ein schönes Trinkgeld geben werde. Sie sind für mich die wahren Helden am Kilimandscharo.

Nach einer längeren Pause auf einer Anhöhe von 4250 Meter geht es nach einer kurzen Geraden in ein Tal hinunter und auf der anderen Seite erneut hoch. Dies wiederholt sich noch einige Male. Hans und mir gefällt es sehr gut und wir sind voller Tatendrang. Die anderen sind nach einiger Zeit etwas enttäuscht, weil sie nicht auf diese vielen Auf- und Abstiege eingestellt waren. Ab und zu unterhalte ich mich mit Hans. Er will immer noch nicht begreifen, warum sein Vater die Gruppe verlassen hat. Etwas vorwurfsvoll sagt er: »Schließlich waren es ja seine Idee und seine Besessenheit, diesen Berg zu besteigen. Und weil er niemand anderen begeistern konnte, musste ich, der Sohn, unbedingt mit. Nun quäle ich mich auf einen fast 6000 Meter hohen Berg, auf den ich nie wollte, während mein Vater locker zu einer Safari fährt.« Über seine trockene, nüchterne Art muss ich immer wieder lachen. Seit er ebenfalls allein ist, kommen wir häufiger ins Gespräch.

Nach guten viereinhalb Stunden Laufzeit erreichen wir das Karanga Camp gerade noch rechtzeitig, um uns vor dem ersten richtigen Regenschauer in unsere Zelte zu flüchten. Das Wetter wechselt hier oben ständig. Einmal ist es richtig warm und kurz darauf ziehen Nebel auf und man ist froh, noch eine Jacke oder einen Pulli dabei zu haben. Vom Kilimandscharo sehen wir im Moment nichts, er bleibt im Nebel und Regen versteckt. Die Trägermannschaft verkriecht sich ins Essen- und Küchenzelt. Ich freue mich, dass ich wieder eine Handy-Verbindung zur Schweiz habe, und sende einige SMS an Napirai und Markus, die freudig und erleichtert beantwortet werden. Da noch viel Zeit bis zum Abendbrot bleibt, beginne ich ein Buch zu lesen, das mir meine Mutter mitgegeben hat. Es fesselt mich vom ersten Moment an. Darin beschreibt eine Frau, wie sie mit dem Fahrrad durch China, Nepal und Indien gereist ist. Sie fuhr unter anderem auf über 5000 Meter hohe Berge, wobei ihr Rad in Schnee und Eis eingefroren ist. Während ich die Bilder betrachte, wächst in mir die Sicherheit, dass unser Ziel wesentlich leichter zu erreichen sein sollte. Nach zwei Stunden krieche ich aus dem Zelt und freue mich, dass die Sonne wieder scheint. Die Mannschaft wäscht sich in der Abendsonne. Dafür warten wir heute vergeblich auf unser Waschwasser. Ich behelfe mich mit Feuchtigkeitstüchern und kann mir das Erfrischungsspray von Petra ausleihen. Ihre Ausrüstung die Hygiene betreffend ist wirklich erstaunlich. Dafür habe ich allerdings einige schwarze Ränder unter den langen Fingernägeln, die sich mit dem spärlichen Wasser eben nicht besser pflegen lassen. Überhaupt sehen meine Hände mit den zum Teil abgebrochenen Fingernägeln aus, als hätte ich, wie damals in Barsaloi, Kochtöpfe ausgekratzt.

Nachdem die Sonne scheint, taucht auch der Kilimandscharo wieder aus dem Nebel auf. Hans und ich nutzen die Gelegenheit und wir machen von uns gegenseitig ein paar schöne Fotos mit dem eindrucksvollen Berg im Hintergrund. Wieder frage ich mich, ob überhaupt jemand und wer von uns da oben ankommen wird. Plötzlich habe ich das Gefühl, dass ich doch mit der Routenänderung einverstanden sein sollte. Ich möchte nicht, dass meinetwegen vielleicht jemand nicht auf dem Gipfel ankommt. Zudem wäre es dann für mich ein »Muss«, bis zum Uhuru Peak durchzuhalten. Beim Essen gebe ich meine Zustimmung bekannt und sofort sind alle erfreut. Am glücklichsten sind, wie ich später von einem Hilfsführer höre, die Träger, da sie unsere Lasten weniger weit schleppen müssen.

Am nächsten Morgen stehen wir bei schönstem Sonnenschein auf. Der Kilimandscharo ist in der Nacht, wie mir scheint, noch näher gerückt. Ich habe nicht den Eindruck, dass wir noch fast 2000 Höhenmeter vom Gipfel getrennt sind. Zum Frühstück gibt es unter anderem wieder herrliche Pfannkuchen, getoastete Brotscheiben und Wassermelone. Ich esse viel, weil ich endlich wieder richtig Hunger verspüre. Außerdem liegen ein anstrengender Tag und die Nacht, in der der Gipfelsturm vorgesehen ist, vor uns.

Bis zum Barafu Camp sind etwa 600 Höhenmeter zu überwinden. Zu Beginn geht es gemächlich los. Hier enden allmählich die letzten Pflanzenspuren und wir wandern nur noch durch Lavasteine unterschiedlichster Größe. Einzelne Wegabschnitte sehen wie angehäufte grau-schwarze Tonscherben aus. Alles Leben scheint hier oben abgestorben zu sein, wie in einer Mondlandschaft. Nur zwei Mal beobachte ich, wie sich eine kleine schwarze Spinne vor unseren Füßen in Sicherheit bringt. In weiter Ferne sehen wir die Träger die letzte Anhöhe vor unserem angestrebten Camp aufsteigen. Mir schwant Böses. Tatsächlich gibt uns der letzte, sehr steile Aufstieg einen Vorgeschmack auf die heutige Nacht! Immer wieder müssen wir Pausen einlegen, wenn wir das Gefühl haben, dass nichts mehr geht. Ich bin froh, permanent an meinem Trinkschlauch saugen zu können, um wenigstens gegen das Durstgefühl anzugehen. Mit enormem Energieverbrauch schleppen wir uns nach drei Marschstunden und guten 600 überwundenen Höhenmetern in das auf 4540 Meter gelegene Camp. Es ist das steinigste, windigste und vor allem auch das dreckigste von allen. Die Träger haben unsere Zelte zu weit unten aufgestellt und springen nun vor uns her, um die neuen Plätze vor unserer Ankunft hergerichtet zu haben. Mir ist nicht klar, wie die Männer es schaffen, in dieser Höhe noch von Stein zu Stein zu hüpfen, während sie das aufgespannte Igluzelt, gegen den Wind ankämpfend, vor sich hertragen. Erschöpft stapfen wir zu unseren Plätzen, um neben dem Zelt ausruhen zu können. Im Lager befinden sich die Leute, die heute früh vom Gipfel zurückgekommen sind. Ein sportliches Paar sitzt völlig fertig auf einem Felsen. Ich frage nach, wie es ihnen ergangen ist und ob sie oben waren. Als Antwort erhalte ich nur ein Nicken und die Worte: »Sehr anstrengend.« Dann entdecken wir noch einen älteren Herrn, der erst jetzt, also kurz vor halb eins, von oben heruntergetorkelt kommt. Bei uns in der Schweiz würde man bei einem solchen Anblick sagen: »Der geht auf dem Zahnfleisch.«

Die Attraktion in diesem Camp ist das Toilettenhäuschen. Es steht über einem endlosen Abgrund. Zudem sieht es wackelig und verwittert aus und wirkt nicht gerade Vertrauen erweckend. Darüber kreisen riesige schwarze Bergdohlen, die das Häuschen nicht aus den Augen lassen. Das Ganze erklärt wohl, warum die Gegend hier so verschmutzt ist. Auch die zwei Hütten, die zum Übernachten dienen, passen überhaupt nicht in diese Mondlandschaft. Sie sehen aus wie zwei grüne Blechdosen. Immerhin kann ich hier für nur zwei Dollar eine Coca Cola kaufen und lasse sie mir reservieren, um sie nach dem Gipfelsturm sozusagen als Champagner zu mir zu nehmen. Danach treffe ich auf eine Frau, die gerade aus ihrem Zelt kriecht. Auch sie frage ich nach ihrem Gipfelerlebnis. Sie hat es nicht geschafft und hat diesem »blöden Berg«, wie sie sagt, auf 5100 Meter den Rücken gekehrt. Sie hat nicht eingesehen, warum sie sich noch weiterquälen soll, zumal ihr das Trinkwasser, obwohl warm verpackt, eingefroren ist. Die Berichte sind nicht gerade aufmunternd.

Hans stellt zum wiederholten Mal fest, dass seine Ausrüstung nicht den Anforderungen genügt. Er besitzt keine Thermosflasche und weiß nun, dass auch der heißeste Tee nach ein paar Stunden eingefroren sein wird. Da der Rentner, der früher bereits zwei Mal auf dem

Gipfel war, das nächtliche Spektakel nun doch nicht mehr mitmachen möchte, kann Hans zumindest seinen Wärme haltenden Flaschenüberzug benutzen. Er bekommt auch den Höhenmesser, damit wir uns in der Nacht orientieren können.

Beim Mittagessen verzehre ich die Spaghetti mit großem Appetit. Kam ich vor einer Stunde noch völlig erschöpft hier an, so habe ich mich nach ein paar Minuten in der Sonne erstaunlich schnell erholt. Am Tisch wird natürlich nur von dem bevorstehenden Aufstieg gesprochen. Alle sind wir etwas nervös, zumal die Auskünfte der Absteigenden nicht sehr ermutigend waren. Um Mitternacht soll es losgehen, also bleiben uns geschlagene zehn Stunden, die wir in dieser unwirtlichen Gegend hinter uns bringen müssen. Einige von uns nutzen den Nachmittag, um zu schlafen. Der Rentner steigt noch etwas höher hinauf und ich lese in meinem spannenden Buch weiter. Je mehr ich lese, umso ruhiger werde ich. Ich staune über die mutige Frau und ihre Erlebnisse und gleichzeitig erinnere ich mich an meine zum Teil sehr harte Zeit in Afrika. Was habe ich nicht alles unternommen und welch strapaziöse Fahrten in Kauf genommen, genau wie diese Frau in Nepal. Vielleicht wird man erst in solchen Ländern so stark, weil man sonst nicht den Hauch einer Chance hat, ans Ziel zu kommen. Während des Lesens verstärkt sich immer mehr die Gewissheit, dass ich heute Nacht den Uhuru Peak erreichen könnte. Diese Erkenntnis beruhigt mich sehr.

Die Zeit schleicht langsam dahin. Ich warte schon

wieder auf das Abendessen, das heute eine Stunde früher serviert wird, damit wir noch Zeit zum Schlafen haben. Im Camp ist es ruhig geworden, da die meisten Leute weiter nach unten marschiert sind. Außer uns warten nur noch zwei kleinere Gruppen auf den Nachtmarsch. Endlich ist es so weit, dass wir die letzte Stärkung zu uns nehmen können. Hans meint trocken: »Kommt mir vor wie die Henkersmahlzeit.« Stunden später werden wir wissen, wie nahe an der Wirklichkeit er mit seiner Vermutung lag. Es werden köstlich gebratene Hühnerbeine und Kartoffelsalat serviert. Mit großem Hunger esse ich alles, was angeboten wird. Der Führer gibt uns die letzten Anweisungen, wobei er uns ermahnt, alles, was wärmt, anzuziehen, denn es werde sehr kalt sein. Ich kann mir kaum vorstellen, mit so vielen Pullovern, Jacken und der zusätzlichen extrawarmen Unterwäsche loszumarschieren, da ich normalerweise schnell schwitze. Doch ich befolge den Rat und bin Stunden später dankbar dafür.

Ich liege im Zelt und lese noch ein wenig. Zwischendurch mache ich mir bereits Gedanken, wie viel Trinkgeld ich den Trägern am Ende geben werde. Außerdem möchte ich ein paar Worte an sie richten und überlege, was passend sein könnte. Gegen neun Uhr höre ich Wind aufkommen, doch langsam werde ich müde und döse wohl kurz ein. Um Viertel nach elf werden wir geweckt. Ich ziehe mir schnell die restlichen Kleider an, die sich zum Wärmen im Schlafsack befinden. In die Wanderschuhe puste ich ein paar Mal meinen warmen

Atem hinein, damit sie nicht ganz so kalt sind. Dann werden Mütze und Handschuhe angezogen, die Stirnlampe umgebunden und schon bin ich bereit. In meinem Tagesrucksack befinden sich mein Fotoapparat, zwei Thermosflaschen mit Flüssigkeit, ein paar Trockenfrüchte und zwei Scheiben Vollkornbrot. Auch meine Regenhose bleibt vorläufig im Rucksack.

Bevor es nun endlich ins Ungewisse losgeht, treffen wir uns alle zu einem wärmenden Tee. Wir Frauen müssen als Erste direkt hinter dem Führer gehen. Petras Stirnlampe funktioniert nach kurzer Zeit kaum noch, also bleibe ich hinter dem Führer. Wir marschieren sehr langsam. Sehen können wir nur, was gerade vor unseren Füßen liegt. Von Anfang an ist der Weg sehr steil. Obwohl der Wind heftig an den Kleidern zerrt, muss ich nach einer halben Stunde bereits eine Jacke und einen Pullover ausziehen. Ich habe Durst, mir fehlt die ständige Trinkmöglichkeit mit dem Schlauch. Heute Nacht habe ich ihn nicht dabei, denn er würde einfrieren. Es geht weiter, doch es ist sehr anstrengend. Hans hat Kopfschmerzen. Bald muss ich anhalten und meine Kleider wieder anziehen, weil der Wind zugenommen hat. Es wird rapide kühler. Nach einer oder auch zwei Stunden, so genau weiß man das nicht, fragt sich jeder von uns, warum er hier ist. Wegen des Windes höre ich nicht viel von meinen Mitstreitern hinter mir. Nur ab und zu ertönt ein »Scheiße«. Vor uns geht eine andere kleine Gruppe. Wenn ich nach oben schaue, wird mir fast schlecht. So weit ich sehen kann, erkenne ich nur den schwarzen Berg. Von einem Ziel ist nichts zu sehen, dafür wird es immer steiler und die Serpentinen immer enger. Da der Wind zunimmt, wird es noch kälter, meine Finger frieren fast ein. Überall erkenne ich herumliegende Papierfetzen oder laufe an Erbrochenem vorbei. Eine Frau kommt uns entgegen. Sie ist auf dem Rückweg. Ihre Bergkleidung scheint mir den Temperaturen schlecht angepasst zu sein und auch der Teddybär-Rucksack auf ihrem Rücken kommt mir fehl am Platz vor. In immer kürzeren Abständen werden Pausen gemacht, wobei ich mich jedes Mal sofort hinsetzen muss. Doch es wird noch schlimmer. Je höher wir kommen, desto schwerer wird das Atmen. Petra geht es nicht gut und sie hat Durchfall. Ich frage mich erneut, was ich hier am Berg eigentlich zu suchen habe. Die Stimmung ist sehr schlecht. Petra möchte anscheinend umkehren, doch kann sie vom Hilfsführer noch einmal motiviert werden. Wir stapfen Schritt um Schritt weiter. Hans schaut auf seinen Höhenmesser. Seine Auskunft, dass wir noch nicht einmal bei 5000 Meter angekommen sind, ist äußerst deprimierend. Es wird immer kälter und windiger. Ich presse die Augen zu kleinen Schlitzen zusammen, damit sie nicht tränen. Der Nachteil ist, dass ich mich müder fühle und die Augen am liebsten gar nicht mehr öffnen möchte. Ich schleppe mich weiter. Der Führer sucht immer wieder nach dem Weg. Mein ganzes Denken dreht sich nur noch darum, wie schlecht und total entkräftet ich mich fühle. Der Führer sagt uns: »Denkt nicht an den Berg! Ihr müsst euren Kopf frei machen vom Berg! Denkt an zu Hause in Deutschland oder sonst wo!« Ich versuche es und sehe das Bild meiner Tochter vor meinen Augen. Plötzlich höre ich eine mir fremde Stimme ihren Namen rufen, nein stöhnen. Immer wieder vernehme ich: »Napirai, Naaapirai.« Dann realisiere ich, dass ich es bin, die so laut vor sich hin stöhnt. Meine Stimme ist mir fremd und viel zu dunkel. Ich muss mich hinsetzen und sofort Tee trinken. Ich habe das Gefühl, ich verdurste. Petra und ihr Lebensgefährte wollen nicht mehr weiter. Sie friert schrecklich und sitzt mit einem Heulkrampf am Boden. Der Wind bläst fürchterlich und wir bringen kaum die Augen auf. Die Führer raten ihr, ihre Regenhose überzuziehen. Doch sie macht keine Bewegung mehr und möchte nur noch hinunter. Ihr Partner und zwei der Hilfsführer ziehen ihr die zusätzlichen Hosen über, bevor sie sich mit ihr auf den Rückweg begeben. Hans hat in der Zwischenzeit hinter einen Stein gekotzt. Eigentlich wollte er auch zurück, ist aber nun dank des vom Führer gereichten Tees soweit wieder in Ordnung. Wir sind gerade mal knapp auf 5200 Höhenmeter. Das bedeutet, wir haben erst die Hälfte geschafft und haben noch 695 Höhenmeter vor uns. Ich weiß nicht, wie ich die noch erklimmen soll. Aber hier möchte ich nicht umkehren! Der Führer, Hans und ich gehen weiter. Hans schwankt bedenklich. Wir kämpfen um jeden Meter. Mittlerweile schleppe ich mich mehr, auf die Stöcke gestützt, mit den Armen nach oben, als dass ich noch kräftig laufen könnte. Nach jeweils 20 Schritten muss ich pausieren, sonst falle ich fast um. Ich bin dann so erschöpft, dass ich keinen Schritt mehr machen kann. Doch nach zwei oder drei Minuten bin ich für einen kurzen Moment wieder fit. Auch mein Verstand ist dann völlig klar. Wenn wir jedoch weiterstapfen, ist die Energie nach ein paar Schritten erneut zu Ende. Immer häufiger höre ich mich mit der mir fremden Stimme stöhnen. Ich kann es nicht beeinflussen. Je schwächer ich werde, desto lauter ist mein Singsang. Einmal stöhne ich »Mama«, ein anderes Mal rufe ich nach Napirai oder meinem Schatz. Dann versuche ich, die Schritte zu zählen oder klopfe nach jedem Schritt die Schuhe gegeneinander. Einfach etwas machen, das ablenkt! Ansonsten ist man nur mit seinem schlechten und erschöpften Zustand beschäftigt.

Wir sind nun sicher schon fünf Stunden am Steigen und immer noch ist alles schwarz, wenn ich nach oben schaue. Ich sage dem Führer, dass ich höchstens bis Stella Point gehen werde. Wie weit ist es denn noch, verdammt nochmal!? Doch er gibt immer die gleiche Antwort und die schon seit Stunden: »Nicht mehr weit!« Ich bin mir sicher: Weiter als bis Stella Point werde ich nicht mehr gehen können. Der Gipfel kann mir gestohlen bleiben! Während ich über meinen Stöcken hänge und mich vorwärtsziehe, muss ich daran denken, wie schlecht es mir vor Jahren im Spital von Maralal erging. Damals konnte ich vor Schwäche, verursacht durch die Malaria, kaum auf die Toilette und musste gestützt werden. 50 Meter sahen für mich wie viele unüberwindbare

Kilometer aus. Damals half mir auch eine Pause nichts, denn es wurde nicht besser. Heute dagegen kann ich nach zwei Minuten Pause zumindest geringe Kräfte mobilisieren. Während ich meinen damaligen Zustand in Erinnerung hole, fühle ich mich etwas besser. Und dennoch: So leiden musste ich in der Schweiz noch nie!

Auch Hans geht es nicht gut, denn er schwankt ständig hin und her. Wir machen wieder Pause. Der Führer ist nicht sehr begeistert, denn er friert genauso wie wir. Als wir weiter wollen, bemerke ich, dass er fast eingeschlafen ist. Ich bin sofort hellwach und rüttle ihn am Arm. Er öffnet die Augen, sagt »yes, yes« und läuft weiter. Ich beginne zu zweifeln, ob ein Führer für uns beide wirklich ausreichend ist. Was ist, wenn ihm etwas zustößt oder einer von uns schlapp macht? Ich darf nicht so weit denken. Erneut frage ich ihn, wie weit es noch bis Stella Point sei. Er antwortet: »Für mich etwa sechs Minuten, aber ich weiß nicht, wie lange es mit euch dauert!« Na ja, dann kann es sich ja nicht mehr um Stunden handeln. Mit letzter Kraft reiße ich mich noch einmal zusammen. Ich denke an das enttäuschte Gesicht meiner Tochter, wenn ich ihr sagen muss, dass ihre Mama es nicht bis zum Gipfel geschafft hat. Obwohl man sich weiß Gott nicht schämen müsste, denn es ist die reinste Qual, jedenfalls für uns. Für Messner & Co., die sozusagen auf diesen Höhen erst picknicken, wäre das hier sicherlich nur ein Spaziergang. Wieder Rast, wieder aufrappeln und weiterschleppen! Hans schaut auf den Höhenmesser und erklärt, es seien noch etwa

100 Höhenmeter bis zum Stella Point. Ich kann es nicht glauben, dass es immer noch so lange dauern soll! Der Führer nimmt uns den Rucksack ab und sofort atmet es sich etwas besser. Wir kämpfen uns weiter. Plötzlich reicht uns der Führer neben einem großen Stein die Hand und sagt: »Congratulation, you have reached Stella Point.« Ich bin platt. Wir sind am Stella Point angekommen, der von seinem Aussehen her eigentlich nichts Besonderes darstellt. Der Höhenmesser hat sich fast um 100 Meter geirrt! Als ich mich umdrehe, bemerke ich den Sonnenaufgang. Zum ersten Mal seit über sechs Stunden sehen wir etwas anderes als schwarzen Steinboden und Dunkelheit. Dieser tiefrote Streifen ist eine kleine Emotion wert, doch sie reicht nicht aus, um den Fotoapparat unter den diversen Jacken hervorzuziehen. Hier ist es nun kälter als je zuvor. Irgendwie klebe ich mir zusätzlich die Regenüberhose an, obwohl nichts zusammenpassen will. Hauptsache, es wärmt. Hans wiederholt ständig: »So schlecht, wie ich mich fühle, kann das hier oben nicht gesund sein!« Mir geht es eigentlich nicht schlecht. Ich spüre keine Übelkeit und keine Kopfschmerzen. Aber ich fühle einfach nichts. Ich bin innerlich hohl und empfinde keine Regung mehr. Der Führer drängt weiter. Ich höre Hans sagen: »Komm, lass uns weitergehen! Jetzt, wo wir schon mal hier sind, schaffen wir den Rest auch noch.« Nachdem er das in seiner schlechten Verfassung so optimistisch sagt, muss auch ich einfach weiter. Später bin ich ihm dankbar. Ohne den wankenden Hans vor mir

hätte ich wohl bei Stella Point den Sinn für das Ganze verloren.

Allmählich wird es heller und wir sehen rechts neben uns den Krater, an dessen Rand wir nun hochlaufen. Mich auf die Stöcke stützend schleppe ich mich voran. Langsam taucht links vor uns eine riesige Gletscherwand auf. Schneeweiß leuchtet sie vor dem rosa Himmel. Ich setze mich an den Rand und mein Verstand sagt mir, dass dies ein schönes Foto wäre. Als der Führer sieht, dass ich den Apparat nicht aus der Tasche bringe, hilft er mir und macht auch gleich das erste Bild. Es ist kurz nach sechs Uhr und die Sonne geht nun relativ schnell auf, während wir uns am Kraterrand entlang nach oben kämpfen. Hans schwankt heftiger und ich mache mir ernsthafte Sorgen. Der Führer ist sicher zehn Meter vor uns. Wir müssen uns nun direkt neben dem Krater um einen kleinen Felsvorsprung zwängen. Plötzlich bin ich hellwach und rufe Hans zu: »Pass auf und halt dich am Felsen fest!« Doch es ist zu spät. Er stürzt rückwärts der Länge nach hin. Mit zwei Schritten bin ich bei ihm und halte ihn fest, während er mit dem Oberkörper über dem Krater hängt. Der Führer eilt ebenfalls herbei und stellt ihn wieder auf die Beine. Nun lässt er ihn, bis wir oben sind, nicht mehr los.

Vor einem zartrosa Hintergrund werden die Eiswände immer höher und weißer. Auf einmal höre ich mich weinen. Ich weine vor mich hin und erkenne meine Stimme wieder nicht. Ich habe keinerlei Kontrolle über meine Tränen und kann mir den Grund nicht erklären.

Ist es Erschöpfung? Oder dieser Anblick? Oder einfach das Bewusstsein, dass ich hier oben auf dem Dach von Afrika angekommen bin? Ich weiß es nicht. Ich höre den Führer sagen: »Weine nicht, du verlierst sonst zu viel Energie!« Doch es gelingt mir nicht, die lauten, dunklen Schluchzer zu unterdrücken, bis ich endlich oben am Uhuru Peak stehe. Es ist sieben Uhr, als uns der Führer zum Erreichen des Gipfels gratuliert. Auch er ist erschöpft, obwohl er schon über 100 Mal hier oben war.

Außer uns befinden sich weitere sechs Personen auf dem Berg. Ich setze mich neben das Gipfelschild und ziehe meine Regenhose aus, damit ich ein anständiges Foto machen kann. Der Führer mahnt, wir sollen uns beeilen, denn wir müssen schnell wieder hinunter, da Hans sich nicht wohl fühlt. Mit seinen halb erfrorenen Händen macht er einige Fotos von uns. Automatisch knipse ich ein paar Bilder von der Umgebung und warte immer noch auf die großen Emotionen, die sich aber nicht einstellen wollen. Nicht einmal meine ursprüngliche feste Absicht, von hier oben in mein geliebtes Kenia hinüberzuschauen, kommt mir in den Sinn. Ich fühle mich nur leer, wie eine Hülle, wie ein Zombie.

Hans geht es ähnlich und außerdem ist er kreidebleich. Er bedauert nur, dass er anstelle seines Vaters hier steht. Er hatte nie geglaubt, jemals auf dem Gipfel anzukommen, zumal er Raucher ist. Wir müssen aufbrechen. Während wir am Kraterrand zurückgehen, kommen uns die nächsten »Zombies« entgegen. Auch sie reagieren auf nichts und stapfen einfach weiter Richtung Gipfel. Während des Abstiegs erhole ich mich erstaunlich schnell. Wir rennen und rutschen über einen steilen Aschenhang hinunter. Es kommt mir wie ein Hinunterspringen im Tiefschnee vor, nur ist es staubig.

Hans hat starke Kopfschmerzen und stolpert über seine eigenen Füße. Ich mache mir Gedanken, ob er es überhaupt noch bis zum Camp schafft, da wir mehr als 1200 Höhenmeter hinunter müssen. Mir kommt hier mein Training zugute, doch nach einer Stunde habe ich enormen Durst. Obwohl es nun schon sehr warm ist, zieht Hans weder seine Handschuhe noch die Mütze noch die Jacke aus. Er macht mir weiterhin Sorgen, weil er etwas verwirrt redet. Immer wieder höre ich den Satz: »Das kann nicht gesund sein, so schlecht wie es mir geht.« Wir pausieren und trinken etwas. Dazu gebe ich ihm eine Tablette gegen Kopfschmerzen und zusätzlich zwei Aspirin zum Verdünnen des Blutes. Gemeinsam verzehren wir meine Trockenfrüchte. Nach einigen Minuten geht es ihm besser. Ausziehen will er aber nach wie vor nichts, obwohl er schwitzt. Der Führer hakt sich bei ihm unter und so rennen sie zu zweit weiter. Nach fast zwei Stunden Rutschpartie sehen wir weiter unten unser Camp. Ich erkenne die Leute aus unserer Gruppe, die zu uns hochschauen, und winke nach unten. Es kommt kein Gruß zurück. Neun Stunden nach unserem Aufbruch erreichen wir erschöpft das Camp.

Die Stimmung ist eher gedrückt. Die einheimischen

Hilfsführer kommen als Erste, um uns zu gratulieren. Dann erscheint Petras Freund und gratuliert trocken. Sie hingegen ruft einen Glückwunsch aus dem Zelt heraus. Noch wortkarger ist der pensionierte Zahnarzt. Außer dem Wort »Gratulation« gibt er keine weitere Silbe von sich. Fürchterlich! Immerhin macht er auf meine Bitte hin ein Foto von mir. Hans kriecht in sein Zelt und schläft vor Erschöpfung sofort ein. Wir haben nicht viel Zeit, um unsere Sachen zusammenzuräumen und unser Mittagessen einzunehmen. Noch heute müssen wir fast 1800 Höhenmeter über die Mwekaroute zum gleichnamigen Camp absteigen.

Nun sitze ich allein vor meinem Zelt und warte auf das Essen. Mit niemandem kann ich mich über meine Erfahrung austauschen, weil sich keiner dafür interessiert. Wenigstens kann ich meinen Lieben eine SMS senden. Zum Telefonieren reicht die Batterie nicht mehr. Napirai schreibt: »Super, Mama, ich habe immer gewusst, dass du es schaffen wirst!« Markus ist ebenfalls stolz auf diese Leistung und sorgt für die Verbreitung der Neuigkeit in der Familie.

Der Abstieg führt in umgekehrter Reihenfolge durch die verschiedenen Klimazonen. Als wir in den immer üppiger werdenden Urwald eintauchen, erfreut mich der Anblick der verschiedensten blühenden Pflanzen. Doch geht das Absteigen gewaltig in Knie und Beine. Nach zwei Stunden habe ich kaum ein Auge mehr für die schönen blühenden Büsche und die weiten Täler, sondern spüre nur noch, wie sich an meinen Füßen an mehreren Stellen Blasen zu bilden beginnen. Ich versuche, das Schlimmste mit Blasenpflaster zu beheben und bange nun wirklich dem Lagerplatz entgegen. Je weiter wir absteigen, desto schwüler wird es, und allmählich klebt alles am Körper. Nach drei Stunden erreichen wir unser Camp und können gerade noch vor einem Wolkenbruch in die Zelte schlüpfen. Es schüttet etwa 15 Minuten und danach ist so ziemlich alles feucht und der Zeltboden teilweise nass. Mir ist es egal, wenn ich nur nach den zwölf Stunden reinem Fußmarsch heute nicht mehr weiterlaufen muss. Es ist früher Nachmittag und uns bleibt noch viel Zeit bis zum Abendessen. Sehnsüchtig wie noch nie warte ich auf das orangene Waschschüsselchen mit dem angewärmten Wasser. Außerdem muss ich mich um meine Füße kümmern, weil wir morgen noch einmal eine lange Abstiegsstrecke vor uns haben.

Langsam freue ich mich auf die Rückkehr nach Hause. Auch im Lager spürt man, dass alle dem Ende der Wanderung entgegenfiebern. Für die Führer und Träger ist es die letzte Tour bis zum Sommer, da jetzt die Regenzeit einsetzen wird. Auch fürchten sie den bevorstehenden Krieg Amerikas gegen den Irak, denn dann werden die Touristen noch zahlreicher ausbleiben. Sie alle wissen nicht, wann sie ihr nächstes Geld verdienen werden, und sind trotzdem fröhlich und um unser Wohl besorgt. Ich liege im Zelt und lausche den Stimmen der Einheimischen. Sie haben sich ständig etwas zu erzählen. Den ganzen Tag wird geredet und gelacht und dennoch die schwere Arbeit verrichtet. Diese Unbekümmertheit und Kommunikationsfähigkeit haben sie uns Weißen ganz offensichtlich voraus. Von unserer Gruppe sitzt wieder jeder in seinem Zelt und hat seinen Mitreisenden auch nach elf Tagen noch nichts zu berichten. Es ist traurig.

Beim Abendessen wird über das Trinkgeld diskutiert. Für mich steht fest, dass ich zum üblichen Betrag zusätzlich 100 Dollar für die Träger abgeben möchte. Eigentlich wollte ich mehr spenden, doch angesichts der Diskussionen möchte ich nicht überheblich wirken. Hätte ich es doch nur getan! Später habe ich meine letzten 250 Dollar in der Lodge verloren.

Diese Nacht schlafe ich so tief und fest, dass ich nicht einmal etwas vom kleinen Abschiedsfest der Träger höre. Auch am letzten Tag werden wir mit dem üblichen »Morningtea« begrüßt. Nach dem Frühstück findet der Abbruch des Lagers allerdings etwas schneller statt. Bald steht die ganze Mannschaft versammelt vor uns da, weil man sich schon hier oben verabschieden möchte. Petra hält die Abschiedsrede und übergibt das Trinkgeld dem Hauptführer. Danach nehme ich meine 100 Dollar und erkläre, dass ich diese zusätzlich für die wirklichen Helden am Kilimandscharo, nämlich ausschließlich den Trägern spenden möchte. Die Gesichter erhellen sich und die Hände schnellen erfreut in die Höhe. So viel Freude bei gleichzeitiger Bescheidenheit! Ich höre: Asante Mzungu! Als sie voller Freude ein Lied über den Kilimandscharo singen, überkommen mich die stärksten Emotionen dieser Tour. Zum Schluss bedankt sich jeder Träger persönlich mit Handschlag bei uns allen. Sie packen ihre riesigen Gepäckbündel auf den Kopf und eilen an uns vorbei ins Tal. Auch wir erreichen nach über drei Stunden das Machame Gate und warten auf unseren Transport zur Lodge. Die Träger sind eifrig mit Putzen und Waschen beschäftigt. Einige säubern noch unsere Zelte oder Töpfe, während sich andere bereits ihrer eigenen Körperpflege widmen. Auch wir träumen nach sieben Tagen von unserer Dusche im Hotel.

Der Führer überreicht Hans und mir je ein Zertifikat und als wir hören, dass in dieser extrem kalten Nacht – am Stella Point waren es gefühlte 25 Grad minus – gerade mal ein Fünftel der üblichen »Gipfelstürmer« am Uhuru Peak angekommen war, sind wir langsam doch ein bisschen stolz.

Sehnsucht nach Afrika?

Als ich am nächsten Tag müde und ausgepumpt im Flugzeug sitze, habe ich genügend Zeit, über das hinter mir liegende Abenteuer nachzudenken. Etwas enttäuscht muss ich für mich feststellen, dass mit dieser Reise meine immer wiederkehrende Sehnsucht nach Afrika nur wenig gestillt wurde. Vielleicht liegt es daran, dass Tansania nicht Kenia ist, vielleicht gibt es aber auch »mein« Kenia nicht mehr, weil sich so vieles verändert hat.

Mir ist klar geworden, dass ich als Touristin auf diesem Kontinent immer hin- und hergerissen sein werde. Ich bin nicht in der Lage, als durchreisende »Weiße« ausschließlich zu genießen, denn ich sehe vieles aus der Sicht der Einheimischen. Aus ihrem Blickwinkel heraus erscheint auch mir unser Handeln teilweise unverständlich. Dass wir Europäer zum Beispiel unter unglaublichen Anstrengungen auf einen hohen Berg steigen und dafür noch Geld bezahlen, hätten Lketinga und seine Familie ganz und gar nicht verstanden. Er hätte mich damals lachend gefragt: »Corinne, warum machst du das? Es bringt dir weder Essen noch Wasser, nur Probleme. Das ist verrückt!« In gewisser Weise hätte er ja Recht gehabt. Menschen, die all ihre Kraft und Energie brauchen, um überleben zu können, kämen nie auf die Idee, ein solches Unternehmen einfach so, ohne ersichtlichen Nutzen, anzugehen.

Und so betrachte ich nun meine Kilimandscharo-Besteigung mit zweierlei Augen: Einerseits erscheint sie mir absurd und verrückt, aber andererseits bin ich stolz und glücklich, nicht aufgegeben und den Gipfel, das Dach Afrikas, erreicht zu haben.

Diese Reise hat mir aber auch deutlich gezeigt, dass ich heute nicht mehr in Afrika leben könnte. Dort, wo ich jetzt lebe, an der Seite von Napirai und meinem heutigen Lebenspartner, ist mein Platz. Als mich Markus am Flughafen in Zürich strahlend in die Arme nimmt und wir zusammen nach Lugano fahren, weiß ich, dass ich zu Hause bin.

Oft werde ich gefragt, ob ich es jemals bereut habe, mich auf die Liebe zu einem Samburu-Krieger eingelassen zu haben. Dann kann ich nur jedes Mal mit tiefster Überzeugung antworten: Niemals! Ich hatte das Privileg, an einer Kultur, die es in dieser Form wahrscheinlich nicht mehr lange geben wird, teilhaben und eine große Liebe erleben zu dürfen. Sollten wir wirklich mehrere Leben zur Verfügung haben, bin ich überzeugt, früher einmal dem Stamme der Samburu angehört zu haben. Nur so kann ich mir erklären, dass ich damals den Eindruck hatte, nach Hause zu kommen, und dass ich mich trotz aller ungewohnten Kargheit bei Lketinga und seiner Familie so sicher und geborgen fühlte. Ich weiß genau: Wenn ich dieser inneren Stimme nicht gefolgt wäre, hätte ich mein ganzes Leben das Gefühl gehabt, etwas für mich Entscheidendes und Wichtiges versäumt zu haben.

Und es gäbe nicht meine über alles geliebte Tochter Napirai!

Auch wenn ich in einem früheren Leben eine Samburu gewesen sein mag, so bin ich doch im jetzigen in der Schweiz geboren und aufgewachsen und somit von unserer mitteleuropäischen Kultur geprägt. Dies ist wohl der Hauptgrund, warum Lketingas und meine Liebe nicht überdauern konnte. Wir waren einfach zu verschieden. Außerdem fehlten uns die Möglichkeiten einer in die Tiefe gehenden sprachlichen Verständigung. In meiner jetzigen Partnerschaft erlebe ich, wie wichtig und schön es ist, Gedanken und Gefühle auch mit Hilfe der Sprache austauschen zu können. Ich kann mir auch nicht mehr vorstellen, auf die Annehmlichkeiten unseres hiesigen Lebens zu verzichten, nachdem ich gerade durch die afrikanische Erfahrung gelernt habe, sie besonders intensiv zu genießen.

Nein, ich könnte nicht mehr in Afrika leben! Was aber bleibt, ist die Verbundenheit mit meiner ehemaligen Familie und eine große Neugier auf das heutige Kenia. Vielleicht kann ich diese Neugier ja eines Tages stillen, wenn Napirai erwachsen sein wird und ihre afrikanischen Verwandten kennen lernen will. Wer weiß?

Danksagung

An dieser Stelle möchte ich mich bei allen, die mich nach meiner Rückkehr aus Kenia unterstützt und mir den Neubeginn in der europäischen Welt erleichtert haben, ganz herzlich bedanken:

bei Napirai und Markus, die all meine Vorhaben verständnisvoll und geduldig mitgetragen haben,

bei meiner Mutter und ihrem Mann Hanspeter, die meine Tochter und mich aufgenommen haben,

bei allen Tagesmüttern und ihren Familien, die Napirai mit viel Liebe betreut und sie dadurch mitgeprägt haben,

bei allen meinen Freundinnen, Freunden und Bekannten, die mich in den letzten 13 Jahren ein Wegstück begleitet haben,

bei meinen Arbeitgebern, die Vertrauen in mich gesetzt und mir als allein erziehende Mutter eine Chance geboten haben,

bei den Schweizer Behörden, die durch die unbürokratische Behandlung meines Falles mir einen Neubeginn in diesem Land ermöglicht haben, und nicht zuletzt bei den Mitarbeiterinnen und Mitarbeitern des A1 Verlages, die mit Sorgfalt und großem Engagement meine Bücher auf den Weg gebracht haben.

Cornelia Canady

Ruf des Abendwindes

Roman

Julia, durch eine gescheiterte afrikanische Liebe bitter enttäuscht, versucht nach Jahren im Urwald wieder in Deutschland Fuß zu fassen. Doch vergeblich: Die Sehnsucht ruft sie zurück auf den Schwarzen Kontinent. Sie ist entschlossen, auch ohne ihren Geliebten Tahim als Tourismus-Pionierin ihr Glück zu machen. Doch gerade als sie die ersten Hürden genommen hat, flammt der Bürgerkrieg wieder auf, der Zentralafrika seit langem in seinen Klauen hat. Vor Julias Haustür wird eine junge Mutter brutal getötet, und Julia beginnt an ihrer neuen Heimat zu verzweifeln. Da zeigt Afrika seine Magie der Extreme – denn ausgerechnet durch diesen Vorfall kommt die Liebe zurück in Julias Haus …

Wenn Sie in diese andersartige Welt mit ihren Geheimnissen eintauchen wollen, dann lesen Sie hier weiter:

Knaur Taschenbuch Verlag

Leseprobe

aus

Cornelia Canady

Ruf des Abendwindes

Roman

erschienen bei

Knaur Taschenbuch Verlag

Knirschend fuhren wir auf den sandigen Platz vor den flachen Bürogebäuden, einem lang gezogenen Gebäudekomplex, dessen schlichte Bescheidenheit auch auf den zweiten Blick nicht erkennen ließ, dass hier alle politischen und landeswichtigen Fäden des Patron Sadar zusammenliefen. Hier war die Zeit stehen geblieben, und ich hatte das beruhigende Gefühl, dass die Gegenwart lückenlos an die Vergangenheit anknüpfte und ich mit ihr. Eine Strophe aus einem Gedicht von Hebbel ging mir durch den Kopf:

> *Die Nachtigall, sie war entfernt,*
> *Der Frühling lockt sie wieder;*
> *Was Neues hat sie nicht gelernt,*
> *Singt alte, liebe Lieder ...*

Als hätte sie sich nie bewegt, stand da die gleiche blaue Limousine, die in meiner Erinnerung unauslöschlich mit Tahim verknüpft war. Daneben parkte, von rotem Sand der Savanne bedeckt, der Rover für die Besuche in seinen Holzkonzessionen und Schreinereien am Rande des Urwalds im Lobaye-Gebiet. Unverändert befand sich die Bank an dem einzigen Schattenplatz vor der weißen Mauer, und darauf döste Muhamed, derselbe Sentinel (wie man die Wachleute hier nannte), der anscheinend noch an derselben Djeleba nähte wie damals. Lächelnd kletterte ich aus dem Pickup und legte das

Gewand, das ihm aus der Hand geglitten war, auf die Lehne der Bank.

»*Bala mo mîngi!*«, schrie der Chauffeur herüber, und der Wächter schreckte auf und blinzelte mich aus verschlafenen Augen an. Dann verklärte sich sein Gesicht und freudig sprang er auf.

»*Salam alaikum.*« Er strahlte mich an und drückte mir die Hand. Ich war gerührt und stolz, dass ich hier noch gegenwärtig und geachtet war.

»*Alaikum salam, Muhamed*«, antwortete ich lachend und mein Blick wanderte zum Ende des Gebäudes. Dort drüben verbarg sich hinter der zugezogenen Gardine des letzten Fensters das Reich des großen Manitus. Mir wurde plötzlich schlecht. Es war soweit. Er fand statt, der Moment aller königlichen Momente. Mein Wiedersehen mit Tahim hatte ich mir seit Monaten täglich vorgestellt, wenn auch unter anderen Vorzeichen. Nun zögerte ich diesen Moment hinaus.

Im Vorzimmer begrüßte ich Martine, Tahims französische Sekretärin, die mit altjüngferlichem Charme und in aufopfernder Treue zu ihm hielt.

»*Mais Julia, quel plaisir!*« Sie drückte mich an ihren vollen Busen, als wäre ich nie fort gewesen, und schielte dann zur dicken, lederbeschlagenen Tür. »*Il est là!*«

»*Merci, Martine, à tout à l'heure!*« Nun konnte ich es nicht mehr abwarten. Eilig löste ich mich von ihr, atmete tief ein und öffnete die schwere Tür zum Heiligtum.

Mein Blick fiel auf die geliebte Gestalt, die am Schreibtisch saß, und plötzlich überwältigte mich die Erinnerung an unsere Leidenschaft.

Ich bekam weiche Knie beim Anblick der exotisch dunklen Schönheit von Tahims Gesicht, das sich mir zuwandte. Seine kräftige Gestalt im blütenweißen, kurzärmeligen Hemd, das seine muskulösen Arme freigab; die nackten schönen Füße, die aus der dunklen Hose hervorsahen und in luftigen Sandalen steckten – plötzlich spürte ich das Streicheln seiner Hände auf meiner Haut, die starken Arme, die mich hielten …

Doch meine Fantasie und die Wirklichkeit waren zwei Paar Stiefel. Er begrüßte mich mit einem kühlen »Ahhh!«, als wäre ich gerade von einem Einkaufsbummel zurückgekommen, und wandte sich wieder seinen Papieren zu. Innerhalb einer Sekunde verwandelte sich meine lodernde Leidenschaft in eine Eissäule.

Ich zwang mich, mir nichts anmerken zu lassen. Langsam ging ich auf ihn zu und legte leicht meinen Arm auf seine breite Schulter. Noch vor einem Moment hätte ich alles darum gegen, seinen Hals zärtlich zu streicheln und zu küssen. Aber nun spürte ich einen Abstand zwischen uns, der größer war als die Entfernung zwischen München und Bangui.

»Schön, dich wiederzusehen, Tahim. Geht es dir gut?«, begrüßte ich ihn geschäftsmäßig.

»*Oui, oui, oui! Ça va!*« Der Seitenblick, der mich aus seinen dunklen Augen traf, durchbohrte mich wie eine heiße Nadel. »War der Flug angenehm?«, erkundigte er sich unverbindlich und blickte wieder in seine Papiere.

»Ja, danke!«

Wie aus Versehen streichelte ich ihm flüchtig über den Nacken, ich konnte nicht anders. Zärtlich sah ich auf seine dunklen Locken, die nun von grauen Strähnen durchzogen und an den Schläfen weiß geworden waren. Die buschigen Augenbrauen glänzten immer noch kohlrabenschwarz über den halb geschlossenen Augenlidern. Die kühne Nase stand wie ein syrisches Wahrzeichen über den sinnlichen Lippen.

Tahim sah mich zum ersten Mal genauer an und betrachtete mich von Kopf bis Fuß. Erinnerte er sich ebenfalls an unsere heißen Nächte, an die Liebe, die ja doch ewig halten sollte? Begehrte er mich noch? Seinen Augen war nicht die geringste Regung zu entnehmen, und ich wurde unsicher. Er hatte wirklich mit mir abgeschlossen, oder? Er hatte eine neue Frau – das fiel mir jetzt wie Schuppen von den Augen –, und keiner hatte gewagt, es mir mitzuteilen! Das musste es sein.

Ich schwankte bei dieser Vorstellung. Am liebsten hätte ich die Flucht ergriffen.

Nun zeigte Tahim doch eine menschliche Regung, als er mitfühlend sagte: »Der Tod deiner Mutter tut mir sehr Leid und ich wünsche dir viel Kraft. Ich mochte Susanne sehr. Sie war eine gute, sehr fröhliche Dame.« Er meinte es offensichtlich ernst, als er seinen Erinnerungen an Mamis Besuch in Bangui nachhing.

»Weißt du noch, wie wir zusammen in das Lobaye-Gebiet fuhren und sie dort am Rande vom Urwald mit den Pygmäen tanzte?« Ich musste lächeln. Mami hatte sich die blonden Haare aus dem Gesicht gestrichen, sich dann händeklatschend in den Kreis der Pygmäen eingereiht und entschlossen im Boogie-Schritt mitgetanzt.

Tahim lachte. »Ja, deine Mutter war eine mutige, eine besondere Frau!«

Dann räusperte er sich geschäftig. Offensichtlich wollte er keine weiteren Gefühle aufkommen lassen, und so teilte er mir förmlich mit: »Bahia hat das kleine Haus meiner Mutter hergerichtet. Da kannst du erst mal bleiben.« Ein abschließendes Hüsteln, das ich nur zu gut kannte, signalisierte mir das Ende der Audienz.

Ich merkte, wie meine alte Irritation über seinen Machismo wieder wach wurde. Der unterschiedliche kulturelle Hintergrund hatte immer schon zwischen uns gestanden. Er war es gewohnt, dass der Mann entschied und die Frau diente und gehorchte. Meine

Selbstständigkeit hatte ihn fasziniert, aber letztlich war es ihm nicht gelungen, sie zu akzeptieren. Letztlich war unsere Liebe an diesem Grundkonflikt gescheitert.

Ironisch lächelnd erhob ich mich. »*Merci, patron!*«

Dann zog ich mich schnell zurück. Ich musste irgendwo meiner Enttäuschung freien Lauf lassen, das ernüchternde Gefühl verarbeiten, dass ich offensichtlich nicht so willkommen war, wie ich gehofft hatte. Ich bat Mallo, mich zum Haus zu fahren, das für mich vorbereitet war.

»*Le patron habite là aussi*«, erklärte Mallo mir bei unserer Ankunft dort, während er mein Gepäck aus dem Pickup hievte und in den Schatten des Hauses stellte, das Bougainvillea-Blüten bedeckten.

Vom Garten wehten mich Koriander und starker Minzegeruch an, und der gelb blühende Frangipani-Baum verströmte eine betörende Süße. Es war wunderschön hier. Mallo deutete auf das Nachbarhaus im selben Garten, wo zwischen kargen, hohen Kakteen ein flacher, seelenloser Bau mit Blechdach, vergitterten Fenstern und dicker Eisentür stand. Kaum zehn Meter von meinem Haus entfernt sollte der Mann wohnen, der sich wieder völlig in meinen Gedanken eingenistet hatte?

»Was? Tahim wohnt hier?« Verständnislos betrachtete ich das öde Haus unseres Freundes Jacko, vor dessen Eingang eine verrottete Hollywoodschaukel ohne Dach, ein schiefer Tisch und leere Blumenschalen auf vergangene bessere Zeiten hindeuteten.

»Ja, seit dem Aufstand lebt der Patron mit seinem Bruder Diki, Monsieur Jacko und Monsieur Serge hier unten. In der großen Villa in Ngaraba war es für ihn allein zu gefährlich.«

»War er denn immer allein?«, fragte ich beiläufig, aber mit eindeutigen Hintergedanken.

»Ja, immer nur mit Diki!«, antwortete Mallo knapp und stieg wieder ins Auto.

»Aber Mallo!« Ich legte schnell eine Hand auf seinen Arm, damit er nicht wegführe. Ungläubig fragte ich: »Keine Frau?«

»Nein, Madame! Da war nie jemand!«, antwortete Mallo ernst.

In mir stieg ein Gefühl der Erleichterung und Genugtuung auf. Wenigstens hatte keine andere meinen Platz eingenommen.

Bevor sich diese angenehme Gewissheit in mir ausbreiten konnte, kam Billeba vor Freude laut lachend und gefolgt von einer kläffenden Hundemeute aus dem anderen Haus gelaufen und rief mir schon von weitem sein *Madaaaaadame!«* entgegen, mit dem er mich immer begrüßt hatte. Gerührt nahm er meine Hände zwischen seine faltigen, harten Finger und schüttelte sie ausgiebig, wobei er sich tief bückte. *»Que Dieu vous protège!«*

Dabei rollten ihm Tränen der Freude über die ausgemergelten schwarzen Wangen.

Auch ich war gerührt über das Wiedersehen mit meinem guten alten Freund Billeba. Wie oft hatte er mir geholfen und das Leben mit seiner Fürsorge und den nützlichen Ratschlägen erleichtert! In seinem dürren Körper steckte so viel Zähigkeit, dass er der Familie Sadar seit Jahrzehnten von morgens bis abends ununterbrochen diente. Liebevoll packte ich ihn bei den Schultern. »Ja, Gott beschützt mich. Wie du siehst, hat er mich wieder hergeschickt!«

Ich kam nicht dazu, Billeba über das interessante Thema *Le patron et les femmes* auszufragen, denn als er mein kleines Zauberhaus aufschloss und den großen Koffer hineintrug, blieben mir die Worte im Halse stecken. Der Salon war ein kleines Wunderwerk. An alles hatten sie gedacht: Blumen überall, gelbe, rosafarbene, und rankender weißer Jasmin in kleinen Vasen, die noch aus meinen alten Beständen stammten. Lila blühende Bougainvillea von der Fassade waren mitten auf dem massigen, ausladenden Büfett drapiert. Die dunklen alten Holzmöbel, der Tisch, die hohen Stühle und die drei Sessel in der hinteren Sitzecke strahlten Ruhe aus. Die tiefroten Batistvorhänge mit dem Blumenmuster – ebenfalls noch aus meinen Beständen – gaben dem kleinen Salon einen zauberhaften, altmodischen Reiz, so als wären sie hier vergessen worden und amüsierten sich nun selbst mit alten, europäischen Geschichten. Die blank gescheuerten weißen Fußbodenkacheln rochen stark nach Eau de Javel, ein Zeichen, dass vor meiner Ankunft gründlich mit dem afrikanischen Allzweckreiniger sauber gemacht worden war.

»Billeba, du hast tatsächlich nichts vergessen, hast alle lieben Erinnerungsstücke zusammengetragen. *Merci!*«, rief ich ihm gerührt zu, während er im Schlafzimmer den Ventilator anstellte.

Strahlend kam er wieder zum Vorschein. »Und hier ist Ihr eigener Stuhl!«

Stolz zeigte er auf ein Möbelstück aus wertvollem Acajou-Holz, das ich vor mindestens sieben Jahren selbst geschreinert hatte und dessen massive Sitzfläche wie auch die gedrungene Rückenfront breite Herzformen darstellten. Zärtlich fuhr ich über die wunderschöne Maserung des gepflegten dunkelroten Massivholzes. Ein herrliches, ausgefallenes Stück.

Mittlerweile tobten die Hunde wie verrückt um mich herum und schnappten übermütig nach Rocksaum oder Ohrläppchen. Rex kannte ich noch von früher, ein schöner Dobermann, der inzwischen grau um die Nase war. Afrika war kein gutes Klima für diese Art Hunde. Sie waren ständigem Parasitenbefall ausgesetzt, Fliegen fraßen ihnen die Ohrläppchen an, und die Hitze machte natürlich auch den Tieren heftig zu schaffen.

Liza schoss wie ein ungeübter Schlittschuhläufer mit kratzigen Krallen über die glatten Kacheln, wobei sie das einzige Seidenkissen des Salons erobert hatte und triumphierend damit über die Terrasse und mit elegantem Schwung in den Garten schoss. Dabei zog sie wie ein Stabhochspringer die Hinterläufe schräg unter den Bauch. Noch komischer war der fluchende Billeba, der bei dem Versuch, das teure Kissen zu retten, in ähnlichem Laufstil hinterherhechtete. Das war meine Chance, mich zu verkrümeln.

»*A bientôt, mes amis!*«, rief ich.

Allein, in der frischen Brise des leise surrenden Ventilators, fand ich mich in einer Glücksaura wieder, in der ich mich satt und zufrieden fühlte. So sah für mich das Glück aus, und ich sog es durch jede Pore ein, ging langsam durch die Zimmer und blickte in den verwilderten Garten hinaus. Allmählich begriff ich, dass ich tatsächlich wieder in meiner geliebten afrikanischen Heimat angekommen, dass dies Wirklichkeit war.

So zog ich mir langsam die nass verschwitzten Kleider vom Leib, stieg in die hoch gekachelte Duschecke und verschmolz mit dem kühlen Wasser, das mir die letzten hundert Jahre fortspülte. Zum Embryo wurde ich schließlich auf dem großen Bett, auf dem ich nun frisch und glücklich vor mich hindöste. Die Sonnenstrahlen, die durch die schrägen Lamellen der Holzjalousien ins Zimmer fielen, zauberten streifenförmige

Schatten von tanzenden Blättern auf Decke und Wände und verschlangen und lösten sich in ständiger Bewegung auf das Fantasievollste. Lange ließ ich mich einfangen von diesem Spiel, bis ich in einen wohltuenden Schlaf sank.

Wenn Sie wissen wollen,
wie es in Julias Leben weitergeht, dann lesen Sie:

Ruf des Abendwindes
von Cornelia Canady

Knaur Taschenbuch Verlag

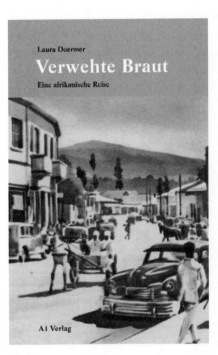